D0985376

DRAMA
DES STURM UND DRANG

KOMMENTAR ZU EINER EPOCHE

VON ANDREAS HUYSSEN

WINKLER VERLAG MÜNCHEN

Druck: Laupp & Göbel, Tübingen
Printed in Germany
ISBN 3 538 07031 8

INHALT

Für Gisela und Arnold

VORWORT

Einige Hinweise zur Anlage dieses Epochenkommentars sind unumgänglich. Auf eine empirisch orientierte, zusammenfassende Darstellung der politisch-gesellschaftlichen Verhältnisse, der Sozialgeschichte und der Genese des literarischen Marktes in der zweiten Hälfte des 18. Jahrhunderts wird hier bewußt verzichtet. Die für den Sturm und Drang relevanten Daten sind in der Einleitung zu Jürgen Jacobs' Kommentar zur *Prosa der Aufklärung* (1976) und in Kiesel/Münchs *Gesellschaft und Literatur im 18. Jahrhundert* (1977) leicht zugänglich. Zu Rate zu ziehen sind ferner die fast schon klassischen Studien von Bruford und Haferkorn (siehe Bibliographie).

Die folgende Einleitung zum Sturm und Drang geht statt dessen von einer Aufarbeitung historisch ausgewiesener Forschungsansätze aus (Teil I), um von daher zu einer ökonomisch und sozialgeschichtlich fundierten Deutung des Sturm und Drang zu kommen, die diese Literaturbewegung als Kritik an der deutschen Aufklärung begreift (Teil II). Vertreten wird eine Forschungsrichtung, die die unfruchtbare Polarität von geistesgeschichtlichen bzw. werkimmanenten Deutungen einerseits und von im engen Sinn soziologischen und ökonomistischen Interpretationen andererseits zu überwinden versucht. Angestrebt wird eine Deutung des Sturm und Drang, die sozio-ökonomische und künstlerische Phänomene miteinander vermittelt, statt letztere einfach aus ersteren abzuleiten oder das Verhältnis beider als irgendwie signifikantes Nebeneinander vage zu umschreiben.

Daß diese Epochendarstellung als Kommentar zu Drama und Dramaturgie angelegt ist, erklärt sich aus der Ungleichzeitigkeit literarischer Gattungen um 1770. Schon in früheren Phasen des Aufklärungszeitalters grundsätzlich auf die Entwicklung bürgerlicher Öffentlichkeit ausgerichtet, war das Drama die am weitesten entwickelte Gattung in der Literatur der Zeit und eignet sich deshalb vorzüglich dazu, die wesentlichen Tendenzen der Sturm-und-Drang-Bewegung zur Sprache zu bringen.

Die Arbeit an diesem Buch wurde unterstützt durch einen »summer research grant« der Graduate School der University of Wisconsin-Milwaukee. Großer Dank gebührt dem Interlibrary Loan

Service der Universitätsbibliothek, der alle notwendigen Materialien zuverlässig besorgte. Eine erste Fassung des Kapitels über Lenz' *Hofmeister* ist in der Sommernummer der *Monatshefte*, 71 (1979) erschienen.
Vor allem aber danke ich Klaus L. Berghahn, der die Entstehung des Manuskripts von Anfang an kritisch wissenschaftlich und freundschaftlich unwissenschaftlich verfolgt hat.

Milwaukee, Wisconsin, im März 1979.

Die Stürmer und Dränger insgesamt hatten das Glück, nicht nur subjektiv, auch objektiv so alt zu sein wie ihr Zeitalter und mit den Tendenzen des endlich erwachenden deutschen Bürgertums sich im Einklang zu fühlen.

Die Tränen, die die Jugend über Werther weinte, kamen aus überall gepreßtem Herzen. Sie waren unbefriedigte Wünsche, gehemmte Tätigkeit, gehindertes Glück, erbittertes Leid.

Ernst Bloch, *Das Prinzip Hoffnung*

EINLEITUNG

I. FORSCHUNGSPROBLEME

1. Der Sturm und Drang als Literaturperiode

Im Gegensatz etwa zu Romantik und bürgerlichem Realismus ist der Sturm und Drang kein gesamteuropäisches Phänomen, sondern bleibt trotz aller Beziehungen zur englischen und französischen Aufklärung in die besondere nationale Entwicklung der deutschen Literatur und Gesellschaft im 18. Jahrhundert eingebunden. Anders auch als in Klassik, Romantik oder Expressionismus hat der Sturm und Drang keine Entsprechungen in Musik, Malerei und Architektur. Dies ist bei dieser dezidiert antihöfischen Bewegung kein Zufall. Besonders Musik und Architektur waren um 1770 noch wesentlich stärker an die höfische Welt gebunden als die Literatur, was ihre Produktions- und Rezeptionsbedingungen anbelangt. Dennoch vermittelte der Sturm und Drang als damals fortgeschrittenster Ausdruck bürgerlicher Gefühlskultur auch den anderen Künsten Impulse, die in den folgenden Jahrzehnten weiterwirkten. Der Sturm und Drang war eine vorwiegend literarische und weltanschauliche Bewegung, die allerdings nur als Ausdruck eines durchdringend und umfassend neuen Lebensgefühls adäquat zu verstehen ist. Obwohl folgenreiche ästhetische Konzepte wie geniales Schöpfertum und Autonomie der Kunst in dieser Periode erstmals ausformuliert wurden, blieb der Sturm und Drang der Wirklichkeit und dem Alltag der Zeit eng verhaftet. Bürgerliche Kunst und bürgerliches Leben traten hier in ein qualitativ neues Verhältnis ein, das bis ins 20. Jahrhundert weiterwirken sollte.

Der Begriff Sturm und Drang selbst war schon in den frühen 1770er Jahren gebräuchlich, also vor der Veröffentlichung von Klingers gleichnamigem Drama, das später der ganzen Periode den Namen gab. Gleichwohl wurde der Begriff von den Zeitgenossen noch nicht zur Charakterisierung einer eigenständigen Periode benutzt. Man hielt den Sturm und Drang häufig für einen Ausfluß oder eine Übersteigerung der Empfindsamkeit. Der Abstand zwischen Empfindsamkeit und Sturm und Drang konnte

von den Zeitgenossen noch nicht klar erkannt werden. So sprach man damals häufig von der Genieperiode, wobei dieser Begriff vor allem in der aufklärerischen Kritik und Polemik oft denselben negativen Beiklang hatte wie später der Periodenbegriff Sturm und Drang, der sich endgültig erst im 19. Jahrhundert durchsetzte und in den allgemeinen Sprachgebrauch zur Bezeichnung biologisch bedingter, jugendlicher Unreife einging. Alternative Periodenbegriffe wie Frühklassik, Präromantik, Genieperiode oder literarische Revolution (Goethe) eignen sich aber noch weniger zur Kennzeichnung der in Frage stehenden Literatur-Bewegung, so daß es wohl beim ›Sturm und Drang‹ bleiben wird. Ob die Literaturgeschichtsschreibung nun eine eigene Sturm-und-Drang-Periode ansetzte oder den Sturm und Drang einer größeren geschichtlichen Einheit (Zeitalter Friedrichs des Großen, Goethezeit, Zeitalter der Aufklärung) zuordnete, erscheint dabei sekundär gegenüber der Kontinuität, die sich in den wissenschaftlichen Werturteilen über die Dichtung der Stürmer und Dränger von den dreißiger Jahren des 19. Jahrhunderts bis in die jüngste Gegenwart nachweisen läßt.
Doch zunächst zur Chronologie. Die zeitliche Begrenzung des Sturm und Drang als Literaturperiode stellt die Forschung vor keine allzu großen Schwierigkeiten. Neue Ansichten von Leben und Dichtung, Gesellschaft und Kultur, die für den Sturm und Drang insgesamt bestimmend wurden, brachen sich erstmals in Herders *Journal meiner Reise im Jahr 1769* (1769) Bahn. Als Dokument einer bewußten Flucht aus beengenden Lebensverhältnissen und Denkgewohnheiten bezeichnet das *Journal* einen radikalen Wendepunkt in Herders Entwicklung – Desintegration und Neuansatz in einem. Selbstverständlich gab es Vorläufer und Vorstufen. Erste Anzeichen jener kultur- und dichtungsgeschichtlichen Wende, die als Sturm und Drang in die Literaturgeschichte eingegangen ist, zeigten sich in den Schriften Johann Georg Hamanns *Sokratische Denkwürdigkeiten* (1759) und *Kreuzzüge des Philologen* (1762). Obwohl Hamanns Definition der Poesie als »Muttersprache des Menschengeschlechts« Herder stark beeinflußte, lassen sich seine ästhetischen Ansichten nicht mehr in dem Maße dem Sturm und Drang zurechnen, wie es lange Zeit üblich war.[1] Ausgeprägter dann antizipierten vor allem Herders *Fragmente über die neuere deutsche Literatur* (1767/68) und Heinrich Wilhelm Gerstenbergs *Briefe über Merkwürdigkeiten der Literatur* (1766/67), nach ihrem Erscheinungsort auch Schleswigische Lite-

raturbriefe genannt, wesentliche Konzepte der Sturm-und-Drang-Ästhetik. Trotz Herders Angriff auf führende Aufklärer und trotz Gerstenbergs weiterwirkenden Überlegungen zu Shakespeare gehören beide Unternehmen noch ins Vorfeld des Sturm und Drang, nicht in dessen Zentrum. Dasselbe gilt von Klopstocks gefühlgeladener, pathetisch-erhabener Sprache, wie sie vor allem im *Messias* und in der Odensammlung von 1771 zum Ausdruck kommt. Klopstock spielte eine entscheidende Rolle für die Herausbildung der Sturm-und-Drang-Lyrik im Umkreis des Göttinger Hains, dessen Klopstock-Verehrung geradezu kultische Ausmaße hatte. Aber auch auf den jungen Goethe und auf den jungen Schiller hat Klopstock anregend gewirkt. Als Vorläufer des Sturm-und-Drang-Dramas schließlich kann Gerstenbergs shakespearisierende Tragödie *Ugolino* (1768) gelten, die in eben jenen Jahren geschrieben (1767), veröffentlicht (1768) und gespielt (1769 in Berlin, Döbbelinsche Truppe) wurde, in denen Lessing als Theaterkritiker in Hamburg das Projekt eines deutschen Nationaltheaters voranzutreiben suchte. Überhaupt fallen Höhepunkte der Dramatik der Aufklärungsepoche wie *Minna von Barnhelm* (1767) und *Emilia Galotti* (1772) zeitlich zusammen mit der Vorbereitungs- und Aufbruchsphase der Sturm-und-Drang-Dramatik. *Nathan der Weise* (1779) gar erschien erst, als die Straßburger und Frankfurter Sturm-und-Drang-Gruppe längst in Auflösung begriffen war.

Obwohl die Stürmer und Dränger Lessings von der Aufklärung geprägte gattungspoetische Theorien nicht teilten, schätzten sie das bürgerliche Trauerspiel *Emilia Galotti*, das einer Reihe von Sturm-und-Drang-Dramen hinsichtlich Figurengestaltung, Thematik und Konflikt als Vorbild diente und dem Goethe am Ende des *Werther* ein Denkmal setzte. Lessing seinerseits verhielt sich gegenüber dem literarischen Treiben der jungen Generation überaus skeptisch und kritisierte an der neuen Dramatik das, was er von seiner Position her nur als Auswuchs und Mißgestalt verstehen konnte. So mißfielen ihm vor allem Gerstenbergs *Ugolino* und Goethes *Götz*. Andererseits war er auf Grund seiner spinozistischen Neigungen von Goethes *Prometheus* stark fasziniert. Dennoch war nicht nur Lessings, sondern auch Wielands Verhältnis zum Sturm und Drang insgesamt antagonistisch. Das verwundert nicht, da Wieland von den Stürmern und Drängern, von Goethe, Lenz und dem Göttinger Hain schärfstens angegriffen wurde. In dem gespannten Verhältnis zwischen den Aufklärern Lessing und Wieland einerseits und den Stürmern und Drängern andererseits macht sich nicht nur der Generationsunterschied bemerkbar.[2] Die persönlich literarischen Verhältnisse stehen ein für eine weitreichende Verschiebung, eine Diskontinuität in der Entwicklung der deutschen Literatur von Aufklärung zu Sturm und Drang.

Allgemein kann man von drei Höhepunkten der Sturm-und-Drang-Bewegung sprechen, von denen die beiden letzteren gleichzeitig Höhepunkte des deutschen Dramas überhaupt bilden, während beim ersten das Drama mit Goethes *Götz* zumindest historisch eine bedeutsame Rolle spielte. Die frühen siebziger Jahre brachten die für die Entwicklung der deutschen Literatur jener vorklassischen Zeit so entscheidende Straßburger Begegnung zwischen Herder und Goethe (1770/71), die sich literarisch in den von Herder herausgegebenen fliegenden Blättern *Von deutscher Art und Kunst* (1773) sowie in Goethes Schauspiel *Götz von Berlichingen mit der eisernen Hand*, dem *Urfaust*, den Prometheus- und Mahometfragmenten und der Lyrik (Sesenheimer Lieder, große Hymnen) niederschlug. Diese an der Grenze Deutschlands und Frankreichs stattfindende Begegnung des bedeutendsten Theoretikers und produktivsten Dichters des Sturm und Drang weitete sich sofort zu einem Kreis von Intellektuellen aus. Der Gruppencharakter der Bewegung, der den Sturm und Drang deutlich von der Aufklärung scheidet, war damit von Anfang an gegeben. Gewiß gab es auch vor dem Sturm und Drang literarische Zirkel, so in Leipzig um Gottsched, in Zürich um Bodmer und Breitinger, in Berlin um Nicolai. Den Unterschied dieser literarischen Bemühungen von denen des Sturm und Drang bezeichnet Peter Müller treffend, wenn er sagt, »daß selbst durch die intensive Reisetätigkeit die Isolierung nur durch den darauffolgenden Briefwechsel eingeschränkt, nicht aber eigentlich aufgehoben wird und daß die literarischen Zirkel alten Stils und Zuschnitts vorrangig der allgemeinen Geselligkeit dienen, nicht aber Zentren geistiger Verständigung und öffentlicher Ausstrahlung werden.«[3] Die Straßburger Gesellschaft um Salzmann, Goethe und Herder war das eine Zentrum solch geistiger Verständigung; der Kreis um Goethe und Merck in Frankfurt und Darmstadt war das andere. Hinzu kam Göttingen als Zentrum des Hainbundes. Enge Beziehungen und personelle Überschneidungen bestanden vor allem zwischen dem Straßburger und dem Frankfurt-Darmstädter Kreis. Je nach eigener Veranlagung und Interesse nahmen

junge Intellektuelle wie Lenz, Klinger, Lerse, Wagner, Maler Müller, Jung-Stilling, Bürger, Voß, die Grafen Stolberg, Friedrich Heinrich Jacobi und andere die Anregungen Herders und Goethes auf. Daß die führende Rolle Herders und Goethes auch Außenstehenden nicht verborgen blieb, bezeugt eine Äußerung Christian Heinrich Schmids in seinem Aufsatz *Über den gegenwärtigen Zustand des deutschen Parnasses* von 1774: »Unter allen Göttern und Götterkindern, welche in Herders Himmel über die Stämme teutscher Nation herrschen, wird keiner jetzt begieriger gelesen, und hat also keiner mehr Einfluß auf den Modegeschmack unsrer Tage, als Herr *Göthe*.«[4]
Öffentliche Ausstrahlung erlangte diese frühe Phase des Sturm und Drang durch den überwältigenden Publikumserfolg von Goethes *Götz von Berlichingen mit der eisernen Hand* (1773) und *Die Leiden des jungen Werthers* (1774). Infolge scharfer Angriffe der geballten Macht der deutschen Aufklärung auf beide Werke entfaltete sich eine öffentliche Debatte, die den Zeitgenossen den unüberbrückbaren ästhetischen und weltanschaulichen Abstand zwischen Aufklärung und Sturm und Drang veranschaulichte. Wenn Herder, Lenz, Bürger, Voß und Merck den *Götz* wie den *Werther* unter ästhetischen und theoretischen Gesichtspunkten in Essays und Besprechungen engagiert verteidigten, so bezeugt dies einmal mehr die intellektuelle Geschlossenheit der Bewegung. Der auf gemeinsamen geistigen und politischen Vorstellungen beruhende Gruppencharakter des Sturm und Drang hatte sich allerdings schon vor Götz- und Werther-Debatte kristallisiert. Unter der Leitung von Merck bearbeiteten die Stürmer und Dränger den Jahrgang 1772 der *Frankfurter Gelehrten Anzeigen*. Goethes anschauliche Beschreibung der Redaktionsarbeit im 12. Buch von *Dichtung und Wahrheit* erlaubt es, von einer kollektiven Herausgebertätigkeit zu sprechen.[5] Wie später im Falle des *Götz* und des *Werther* folgten auch hier öffentliche Kontroversen einschließlich eines Gerichtsprozesses, die zur Abdankung Mercks und damit zum vorzeitigen Ende der Verbindung des Sturm und Drang mit den *Frankfurter Gelehrten Anzeigen* führten. Erst der kaum zu überbietende Erfolg des *Götz* und des *Werther* machte dann den Frontalangriff der Aufklärer zu Makulatur und etablierte den Sturm und Drang im öffentlichen Bewußtsein als führende literarische Bewegung.
Das Dramenjahr 1776 brachte dann als zweiten Höhepunkt des Sturm und Drang die Veröffentlichung einer Reihe der wichtig-

sten Dramen der Zeit, unter anderem Johann Anton Leisewitz' *Julius von Tarent*, Friedrich Maximilian Klingers *Die Zwillinge*, Jakob Michael Reinhold Lenz' *Die Soldaten*, Heinrich Leopold Wagners *Die Kindermörderin*, Friedrich Müllers (Maler Müllers) *Golo und Genoveva* und schließlich Klingers *Sturm und Drang*, ein Stück, dessen Titel auf eine Anregung des »Gottesspürhundes« und Genieapostels Christoph Kaufmann zurückgeht und das der ganzen Periode und deren geistigem Klima den Namen gab. Diese in einen engen Zeitraum gepreßte Explosion von dramatischer Kreativität bezeugt einerseits das durch den Erfolg des *Götz* gewaltig gestiegene Selbstbewußtsein der jungen Schriftstellergeneration, verpuffte andererseits aber, ohne eine den Goetheschen Erfolgen vergleichbare Resonanz hervorgerufen zu haben. So war das Jahr 1776 zugleich Höhepunkt und Ende einer Phase.

Denn der dritte und letzte Höhepunkt des Sturm und Drang fällt erst in die frühen achtziger Jahre, in denen Schiller seine drei Jugenddramen *Die Räuber* (1781), *Die Verschwörung des Fiesko zu Genua* (1783) *und Kabale und Liebe* (1784) veröffentlichte. Da Schillers Sturm-und-Drang-Phase erst fünf Jahre nach dem Dramenjahr 1776 einsetzte und auch geographisch und gruppensoziologisch vom Kreis um Goethe in Straßburg und Frankfurt getrennt verlief, hat man häufig von einem zweiten Dammbruch des Sturm und Drang gesprochen, wenn man nicht gar versucht hat, Schillers Entwicklung weitgehend von der Sturm und Drang Bewegung zu trennen.

Das Ende des Sturm und Drang wird meist auf die Jahre 1785/86 datiert, die den Abschluß von Schillers Mannheimer Zeit und das Ende von Goethes erster Weimarer Periode markieren. Schiller verstummte als Künstler für ein knappes Jahrzehnt, und Goethe reiste heimlich nach Italien ab, Eingeständnis des Scheiterns seiner zehnjährigen Bemühungen in Weimar, als Freund des Fürsten bürgerliche Reformprogramme in die Tat umzusetzen. Zwar war es Goethe in Weimar gelungen, noch einmal einen literarischen Kreis zu bilden, zu dem von der Straßburg-Darmstadt-Frankfurter Gruppe Herder und zeitweilig auch Klinger und Lenz zählten. Aber der soziale und kulturelle Kontext im höfischen Weimar war von dem der bürgerlichen Städte, in denen der Sturm und Drang sich konstituiert hatte, doch sehr verschieden. Als literarische Gruppenbewegung hatte der Sturm und Drang zweifellos seit 1776 seine Dynamik eingebüßt. Das bezeugen schon Zeitgenossen wie Voß, der im Juli 1778 brieflich die Zuversicht

äußerte, daß die »Geniesucht« bald »ausgewütet« haben werde.[6] Ohne das Erscheinen Schillers auf der literarischen Bühne müßte man das Ende des Sturm und Drang wohl mit der Veröffentlichung von Bürgers Gedichten (1778) und Herders Volksliedersammlung (1778/79) ansetzen, wenn man nicht gar das Jahr 1776 selbst als explosionsartigen Höhepunkt und gleichzeitigen Abschluß der Bewegung deuten wollte. Es wird aber im folgenden zu zeigen sein, daß Schiller einerseits zwar stärker an die Aufklärung gebunden ist als Herder oder Lenz, daß er aber gerade infolge dieser Bindung und infolge seiner größeren zeitlichen Nähe zum Ausbruch der Französischen Revolution die deutsche Aufklärung noch erbarmungsloser kritisiert als die früheren Stürmer und Dränger. Kein Zweifel – der junge Schiller steht eindeutig auf dem Boden des Sturm und Drang.
Obwohl die literarische Revolution der siebziger und frühen achtziger Jahre im übrigen Europa kein direktes Äquivalent hat (auf die Präromantikthese, die den Rahmen für derartige Vergleiche gesetzt hat, ist im folgenden noch kritisch einzugehen), steht der geistige Umbruch um 1770 historisch und ideologisch durchaus im Kontext der gesamteuropäischen Krise des absolutistischen Staates, dessen also, was man auch über Frankreichs Grenzen hinaus als ancien régime bezeichnet hat. Diese sich verschärfende Krise, die meist als vorrevolutionär charakterisiert wird, ist ohne Frage für die Periodisierung des Übergangs von Aufklärung zu Sturm und Drang von großer Bedeutung. Dennoch sollte man den europäischen Aspekt des Sturm und Drang nicht überbetonen. Auf politisch-ideologische Unterschiede zwischen Deutschland und Frankreich hat Reinhart Koselleck in seiner Analyse der Geschichtsphilosophie der deutschen Illuminaten hingewiesen: »In Frankreich hatte sich die Situation seit den siebziger Jahren so sehr verschärft, daß die latente Krise auch den Bürgern selbst nicht mehr verborgen bleiben konnte.«[7] Anders in Deutschland, wo laut Koselleck die Vertreter der bestehenden Ordnung die Revolution prognostizierten, während die Vertreter des aufstrebenden Bürgertums durch ihre geschichtsphilosophischen Konstruktionen Krise und Revolution eher verdeckten: »Die Krise war in Deutschland noch nicht allseitig zum Bewußtsein gelangt. Vielmehr wurde sie durch die Fortschrittsphilosophie als Krise gerade verdeckt. Indem die fortschrittlichen Bürger durch ihre impestuose Kritik und einen rigorosen Moralismus eine politische Entscheidung zwar herausforderten, sich

aber zugleich – durch die utopische Identifizierung ihrer Pläne mit der Geschichte – der fälligen Entscheidung schon gewiß waren, haben sie die Krise direkt verdeckt.«[8] Nun läßt sich die These von der Verdeckung von Krise und bevorstehender Umwälzung zwar an der Theorie der Illuminaten verifizieren, die den Schwächen der deutschen Aufklärung verhaftet blieb; sie läßt sich aber kaum auf den literarischen Sturm und Drang beziehen. Zu viele Zeugnisse von Herder, Lenz, Schubart und anderen Stürmern und Drängern beschwören die Revolution auch für Deutschland[9], wobei allerdings – und das ist das Entscheidende – die Hoffnung Pate steht, nicht die Wirklichkeit. In Deutschland war nämlich die Krise als Machtkrise des absolutistischen Staates nicht nur nicht ins allgemeine Bewußtsein gedrungen, sondern war objektiv nicht so weit fortgeschritten wie in Frankreich. Auch was die Geschichtsphilosophie betrifft, ist auf dem Unterschied zwischen Sturm und Drang und Illuminaten zu bestehen. Herders Prophetie des unausweichlichen Untergangs der europäischen Gesellschaftsordnung im *Journal meiner Reise* nimmt keineswegs eine automatische Logik des geschichtlichen Ablaufs an, noch auch identifiziert Herder je utopischen Plan mit Geschichte, wodurch sich politische Praxis für die Illuminaten erübrigte.

An dieser Stelle ist nur so viel festzuhalten: die westeuropäischen Revolutionserwartungen fanden in Deutschland nicht in der Aufklärung, sondern im Sturm und Drang das deutlich vernehmbare Echo, das den Sturm und Drang als dem vorrevolutionären Europa zugehörig erscheinen läßt. Andererseits jedoch ist auf der Besonderheit der deutschen Entwicklung zu bestehen, da Revolutionserwartungen und Emanzipationsphantasien in Deutschland in spezifischer Weise ins Literarische abgedrängt wurden und da sich hier eine Kritik an der Aufklärung entwickelte, die – einmal abgesehen von Rousseau – im übrigen Europa kaum möglich gewesen wäre.

2. Der Sturm und Drang im Verhältnis zum Zeitalter der Aufklärung

Schwieriger als die chronologische Einordnung ist die Bestimmung der Sturm-und-Drang-Bewegung in ihrem Verhältnis zum Zeitalter der deutschen und europäischen Aufklärung. Denn es ist ja nicht einfach so, daß der Sturm und Drang auf die Aufklärung folgt. Ähnlich wie bei Empfindsamkeit und Klassik handelt es sich vielmehr um eine zeitlich begrenzte Erscheinung *innerhalb* eines Zeitalters, das insgesamt als Jahrhundert der Aufklärung gekennzeichnet werden kann. Kernproblem der Literaturgeschichtsschreibung seit Gervinus und Hettner ist die Frage, wie sich der Sturm und Drang zur vorausgehenden und gleichzeitigen Aufklärung sowie zur folgenden Klassik und Romantik verhält. Ist das Verhältnis zur Aufklärung als Kontinuität oder als Bruch zu sehen, als Weiterführung der Aufklärung oder als Einsatz von etwas völlig Neuem? Bereitet der Sturm und Drang die Klassik vor – ein Argument, das sich vor allem auf die lebensgeschichtliche Entwicklung Goethes und Schillers stützt – oder antizipiert er die Romantik, wobei dann die Klassik eher in eine Traditionslinie mit der Lessingschen und Winckelmannschen Aufklärung zu stehen kommt?

Neuere Forschungen zur Empfindsamkeit haben zusätzlich das Dreiecksverhältnis von Aufklärung, Empfindsamkeit und Sturm und Drang problematisiert, wobei die Rolle des Pietismus für die Entstehung der Empfindsamkeit nach wie vor einen Brennpunkt des Interesses darstellt.[10] Das Verhältnis des Sturm und Drang zur schon sehr viel früher einsetzenden Empfindsamkeit insbesondere hat neue Periodisierungsprobleme aufgeworfen. Hier genügt es festzuhalten, daß Empfindsamkeit und Aufklärung bis zu den siebziger Jahren eng miteinander verbunden waren und erst seit der Werther-Debatte von 1774 gegeneinander zu polemisieren begannen. Erst am Sturm und Drang und dessen radikalem Subjektivitätsideal kristallisierte sich für die Spätaufklärer die Notwendigkeit, die sich ausbreitende Flut der Subjektivität einzudämmen, um das vernünftig objektive Gesellschaftsideal der Aufklärung zu retten, das erst vom Sturm und Drang, nicht schon von der Empfindsamkeit grundsätzlich in Frage gestellt wurde.

Es mag nützlich sein, der hier vorliegenden Darstellung einen knappen Abriß der Wertung und Einordnung des Sturm und Drang durch deutsche Literarhistoriker voranzuschicken. Im wesentlichen lassen sich zwei idealtypische Tendenzen ausmachen, die auf jeweils unterschiedliche Weise eine historisch adäquate Erkenntnis des Sturm und Drang verstellt haben. Es handelt sich dabei um die Klassik-Legende und um den Mythos von der deutschen Romantik als *deutscher* Bewegung.

Zunächst zur Klassik-Legende. Da die Klassik Goethes und Schillers sich aus ihrem jugendlichen Sturm und Drang heraus entwickelte, deutete man den Sturm und Drang als zu überwindende Vorstufe der Klassik, als jugendliche Unreife vor klassischer Reife, als pubertäres Sich-Austoben und als Gefährdung durch übersteigerten Subjektivismus, die dann in männlicher Gefaßtheit und klassischem Gleichgewicht aufgehoben worden seien. Goethes und Schillers Leistung – die Überwindung des Sturm und Drang – erschien um so bedeutender, als allerlei ›kleinere Geister‹, Nachahmer oder Goethianer, wie sie oft abschätzig genannt wurden, sich im Sturm-und-Drang-Jahrzehnt aufrieben und entweder früh verstarben wie H. L. Wagner, in geistige Umnachtung fielen wie J. R. M. Lenz oder einfach ihre künstlerische Produktivität einbüßten wie Leisewitz als Beamter oder Friedrich (Maler) Müller im selbstgewählten Exil in Rom. Die Klassik und deren Dichtungsideal wurden zum absoluten Höhepunkt stilisiert, und ein Großteil der Sturm-und-Drang-Dichtung wurde nach dieser Elle gemessen und für schlecht befunden. Besonders negativ wirkte eine solche Wertung sich auf *die* Sturm-und-Drang-Dramen aus, die man wegen ihrer gesellschaftskritischen Intentionen, ihrer Thematik und ihres Darstellungsstils als ›realistisch‹ einschätzen könnte. Positiv bewertet wurden vor allem solche Momente, in denen sich eine Kritik am Sturm und Drang selbst anzudeuten schien, die also über den »Wirrwarr« (so der ursprüngliche Titel von Klingers Drama *Sturm und Drang*) der Genieepoche hinauswiesen. Es ist leicht einzusehen, daß eine derart verengte Sicht, die letztlich auf eine Gleichsetzung von Sturm und Drang mit Wirrwarr hinausläuft, nicht zu einer historisch gerechten Darstellung der spezifischen dichterischen und weltanschaulichen Leistungen der Stürmer und Dränger führen konnte. Dennoch hat die Klassik-Legende seit dem Beginn der Literaturgeschichtsschreibung in Deutschland, also seit Gervinus' *Geschichte der poetischen Nationalliteratur der Deutschen* (1835–42), über Scherer und Schmidt, Mehring und Lukács, Korff und Rehm bis zu Emil Staiger und der Züricher Schule eine ungebrochene Kontinuität bewiesen.

Nicht unterschlagen werden sollten dabei freilich die sich wandelnden methodologischen Voraussetzungen der Forschung und der jeweils unterschiedliche ideologische Stellenwert, den die Klassik-Legende in verschiedenen Perioden beanspruchte. So sah etwa die bürgerlich national-liberale Literaturgeschichtsschreibung im Vormärz den Sturm und Drang und die Klassik durchaus im europäischen Rahmen als wesentlichen Teil der großen Aufklärungskämpfe. Die Höhe der klassischen deutschen Kultur des 18. Jahrhunderts stand den Liberalen Gervinus und Hettner ein für die noch zu schaffende politische Einheit der Nation.[11] Auch nach der Reichsgründung von 1871 sahen Literaturwissenschaftler den Sturm und Drang noch als Teil des Aufklärungszeitalters. Nur war Aufklärung jetzt nicht mehr mit bürgerlichem Liberalismus und demokratischen Idealen verkoppelt, sondern mit der Hohenzollernlegende, derzufolge sich der Aufschwung der deutschen Literatur seit Lessing Friedrich dem Großen und dem Siebenjährigen Krieg verdankte. Der Adelskompromiß des 18. Jahrhunderts mit seinem Glauben an den aufgeklärten Monarchen fand hier im II. Reich seine logische und historische Fortsetzung. Franz Mehring, Begründer der systematischen materialistischen Literaturbetrachtung in Deutschland, griff in seiner *Lessing Legende* (1893) diese »Berliner Hofgermanistik« mit einem geschickt gewählten Zitat Lessings an: »Gott weiß, ob die guten schwäbischen Kaiser um die damalige deutsche Poesie im geringsten mehr Verdienst haben, als der itzige König von Preußen um die gegenwärtige. Gleichwohl will ich nicht darauf schwören, daß nicht einmal ein Schmeichler kommen sollte, welcher die gegenwärtige Epoche der deutschen Literatur die Epoche Friedrichs des Großen zu nennen für gut findet.« Und Mehring stellt daraufhin mit sichtlichem Vergnügen fest: »Dieser ›Schmeichler‹ ist Scherer.«[12] Gemeint ist Scherers *Geschichte der deutschen Literatur* (1879–83), deren 11. Kapitel die Periode von Gottsched über Lessing bis zu Herder, dem jungen Goethe und dem Sturm und Drang unter dem Titel »Das Zeitalter Friedrichs des Großen« abhandelt, wobei Scherer sich zwar nicht auf Lessing, aber doch auf Kant berufen kann.[13] Obwohl Mehring die legitimatorische Funktion dieser Verherrlichung der Hohenzollern im Kaiserreich durchschaut und kritisiert, bleibt auch er – und mit ihm ein großer Teil der folgenden marxistischen Literaturgeschichtsschreibung – der Klassik-Legende und deren negativer Bewertung des Sturm und Drang weitgehend verpflichtet. So sieht Mehring den Sturm und Drang als eine Form von Naturalismus, was bei diesem schärfsten Gegner des Naturalismus der 1890er Jahre einem Verdammungsurteil gleichkommt.[14] Die deutsche Klassik andererseits bleibt ihm das große kulturelle Vorbild für seine Erziehungs- und Bildungsarbeit im Rahmen der deutschen Arbeiterbewegung, wobei dann das bürgerlich-revolutionäre Moment vorrangig der Klassik und nicht dem Sturm und Drang zugeschrieben wird. Die Klassik-Legende also bleibt ungebrochen bestehen, auch wenn die Wendung zur Verherrlichung der Hohenzollern nicht mitvollzogen wird.

Auch in der Epoche der geistes- und ideengeschichtlichen Literaturgeschichtsschreibung behält die Klassik-Legende ihre prägende Kraft, obwohl die methodologische Ausrichtung der Geistesgeschichte explizit auf eine Überwindung des Positivismus der Scherer-Schule und deren philologisch-historischen Kausaldenkens abzielte. Unter dem dominierenden Einfluß Nietzsches und der Lebensphilosophie machten Autoren wie Gundolf, Spengler und Klages Goethe zum Begründer einer reaktionären und irrationalistischen Weltanschauung, eine Sicht, die freilich keineswegs von allen Geistesgeschichtlern geteilt wurde. Für den herausragenden Literaturgeschichtler der geistesgeschichtlichen Richtung, Hermann August Korff, ist der »Vernunftidealismus« der deutschen Klassik eine Synthese aus Rationalismus (Aufklärung) und Irrationalismus (Sturm und Drang), aber bezeichnenderweise beginnt er sein vierbändiges Hauptwerk *Geist der Goethezeit* (1923–40) nicht mit einer Darstellung der Aufklärung, sondern mit dem Sturm und Drang, den er als erste Phase des deutschen Idealismus versteht. Mit dem simplifizierenden Dualismus von Rationalismus und Irrationalismus und trotz seiner gesamtkulturellen Bestimmung des Sturm und Drang als deutscher Form der Französischen Revolution kommt Korff gefährlich nahe an den Mythos von der deutschen Bewegung heran, der seit Herman Nohls *Die deutsche Bewegung und die idealistischen Systeme* (1912) die Essenz der gesamten Goethezeit als Überwindung des Rationalismus feierte, die im Sturm und Drang ihre erste mächtige Ausprägung erhalten habe.

Diese »Romantik-Legende« mit ihrem dualistischen Rationalismus-Irrationalismus-Schema wurde vor allem in der Romantikforschung immer deutlicher mit chauvinistischen und völkischen Momenten aufgeladen. Ging es Korff noch um die gemeinsamen Grundlagen der gesamten Goethezeit, einschließlich der Romantik, so geriet der Sturm und Drang jetzt immer mehr in den Sog der Romantik-Legende, die in ihren extremen Ausprägungen einen unversöhnlichen Gegensatz zwischen Klassik und Romantik postulierte. Der Sturm und Drang wurde in solcher ideengeschichtlicher Konstruktion zu einer bloßen Antizipation der Romantik.[15] Schließlich kippte die Germanistik dann in eine Deutschkunde um, für die der Sturm und Drang eine deutsche Bewegung begründete, die in fanatischen Chauvinisten wie Lagarde, H. St. Chamberlain, Rosenberg und Hitler gipfelte.[16] Besonders nach 1933 dominierten Germanenkult, Rassismus und Biologismus, Bewegungen, die schon seit dem 19. Jahrhundert vorbereitet waren. Hans Mayer hat die Logik dieser Entwicklung einmal prägnant beschrieben: »Die Geschichte der deutschen Literaturgeschichte trug jetzt ihre Früchte. Von der Hohenzollernlegende zur Führerlegende. Die verhaßte Aufklärung war nun als ›jüdischer Geist‹ verfemt. Den Sturm und Drang verstand man als völkische Bewegung, ganz wie die Romantik. Goethes Klassik blieb einigermaßen suspekt. Gefordert in der Literaturgeschichte wurden Hymnik und nachgelieferte Prophetie. Alle deutsche Literatur hatte den Führer und das Reich vorzuahnen.«[17] In der Tat kann jetzt die nationalsozialistische »Umwälzung« mit Worten gefeiert werden, die in früheren Charakteristiken des Sturm und Drang gang und gäbe waren. So liest man etwa in der *Zeitschrift für Deutschkunde* im Jahre 1933: »Denn diese Bewegung ist *von innen her* gekommen und empfängt aus den unerschöpflichen Tiefen ewigen Deutschtums ihre siegesgewisse Kraft: sie ist ein *neuer Durchbruch deutschen organischen Geistes*, die endgültige Überwindung jener von westeuropäischem und jüdischem Geiste getragenen liberalrationalistischen Aufklärung des 19. Jahrhunderts.«[18]

Nach 1945 kam es dann im Gegenzug gegen die ›tausendjährige‹ deutsche Bewegung und deren Mißbrauch der Romantik-Legende zu einer Wiederauferstehung der Klassik, die nun nicht wie bei Gervinus als Antizipation einer politisch besseren Zukunft galt, sondern den Beweis der besseren humanistischen Vergangenheit anzutreten hatte: Lessings *Nathan* und Goethes *Iphigenie* als Zeugen für ein anderes Deutschland gegen Auschwitz. Methodologisch kam die westliche Nachkriegsgermanistik in weitgehend apolitischem, allerdings auch ahistorischem Gewande einher und rückte in bewußter Wendung gegen die spekulativen Konstruktionen der Ideengeschichte das »sprachliche Kunstwerk« (Wolfgang Kayser) ins Zentrum des Interesses. Auf die Klassik-Legende und die damit einhergehende Abwertung des Sturm und Drang allerdings mochte man auch jetzt nicht verzichten. Goethe und die Klassik geben Emil Staiger, einem der bedeutendsten Vertreter der werkimmanenten Kunst der Interpretation, das Urmaß, »nach dem der Mensch geschaffen ist und das allein die Dauer einer menschenwürdigen Gemeinschaft sichert«.[19] Obwohl in Rechnung zu stellen ist, daß diese Züricher Klassik-Legende in der Schweizer Geschichte und deren Gemeinschafts-Mythen verwurzelt ist und nicht einfach als nichtssagende Erbauung abgetan werden kann[20], hat sie doch in der Bundesrepublik in eben diesem Sinn stark gewirkt und fällt damit ebenfalls unter das Verdikt des »hilflosen Antifaschismus«, das W. F. Haug über Versuche der bundesdeutschen Vergangenheitsbewältigung der Germanistik in den sechziger Jahren verhängt hat.[21]

Der Romanist Hans Robert Jauß hat überdies darauf aufmerksam gemacht, daß die Klassik-Legende historisch und theoretisch eng mit der irrationalistischen Romantik-Legende verknüpft ist. Um nämlich die deutsche Klassik als autonom postulieren zu können, mußte erst das Beziehungsgeflecht zwischen dem deutschen 18. Jahrhundert und der französischen Aufklärung negiert werden. Jauß schreibt: »Dafür bot sich die Theorie der sogenannten Präromantik an, eine im Grunde pseudogeschichtliche Hypothese, die in Verkennung des retrospektiven Charakters aller ›Vorläufer‹ aus Vertretern des Sentimentalismus, des Pietismus oder des ›Sturm und Drang‹ eine gegenaufklärerische Bewegung konstituieren und durch den Antirationalismus als gemeinsamen Nenner der Romantik zu- und vorordnen sollte. So konnte die Blütezeit der deutschen Literatur aus einem eigenen Ursprung, dem deutschen ›Sturm und Drang‹, entfaltet und als Antithese zum Rationalismus der Aufklärung ausgelegt werden.«[22]

Erst im Rahmen der kurzlebigen Aufklärungsbewegung der sechziger Jahre kam es in der Bundesrepublik nach und nach zu einer kritischen Neueinschätzung des Sturm und Drang, die nicht zuletzt auch durch Aufführung von Brechts und Kipphardts Bearbeitungen von Lenz' Dramen sowie durch Peter Hacks' Adaptation von Wagners *Kindermörderin* gefördert wurde.[23] Vor allem aber die Auseinandersetzung mit Georg Lukács' und Werner Krauss' Arbeiten zum 18. Jahrhundert, die in der DDR schon früher eingesetzt hatte, rückte jetzt das Problem des Verhältnisses des Sturm und Drang zur Aufklärung und zu den europäischen Literaturverhältnissen des 18. Jahrhunderts insgesamt in den Vordergrund. In zunehmendem Maße betonte man nun auch in der BRD die Kontinuität des Aufklärungszeitalters bis hin zur Jenaer Frühromantik und interpretierte Lessing-Zeit, Sturm und Drang und Klassik als unterschiedliche Stufen der kulturellen Emanzipation des Bürgertums in Deutschland. In der Tat schien sich unter geschichtlichen und gesamtgesellschaftlichen Gesichtspunkten die These vom Sturm und Drang als Bruch in der Entwicklung zu verbieten. Da die an Aufklärung orientierte Kontinuitätsthese hier jedoch weder in ihrer traditionell marxistischen noch in ihrer westlich liberalen Form übernommen werden kann, ist eine kritische Auseinandersetzung mit Lukács und den sich auf ihn beziehenden Arbeiten aus der DDR unumgänglich.[24]

Es ist das unbestreitbare Verdienst Georg Lukács', schon in den dreißiger Jahren die ideologischen Voraussetzungen der bürgerlichen Präromantik-Legende bloßgelegt und den Sturm und Drang wieder in den Kontext der deutschen Aufklärung gestellt zu haben. Dabei setzte er die deutsche Entwicklung in Beziehung zur gesamteuropäischen Aufklärung und betonte die Bedeutung Richardsons, Montesquieus, Diderots und Rousseaus für den Sturm und Drang.[25] Die Hartnäckigkeit der Legende vom unüberbrückbaren Antagonismus zwischen Sturm und Drang und Aufklärung erklärt Lukács aus dem ideologischen Bedürfnis, »die irrationalistischen Tendenzen der bürgerlichen Dekadenz zu verherrlichen, jede Tradition der revolutionären Periode der bürgerlichen Entwicklung zu verschütten«[26], sowie aus dem deutschen Chauvinismus des späten 19. und frühen 20. Jahrhunderts: »Die reaktionäre Literaturgeschichte versucht hier einerseits die deutsche Entwicklung der französischen feindlich gegenüberzustellen, den großen progressiven Ideologen der deutschen nationalen Wiedergeburt einen antifranzösischen Chauvinismus anzudichten; andererseits schmuggelt sie in die deutsche Literatur vom Ende des 18. Jahrhunderts eine aufklärungsfeindliche obskurantistische Ideologie ein. (Die Theorie der sogenannten Präromantik.)«[27]

Positiv bestimmt Lukács die Einheitlichkeit der Aufklärungsbewegung dahingehend, »daß der deutsche Bürger zum Selbstbewußtsein gelangte und zu der Erkenntnis erwachte, daß er den Duodez-Absolutismus und seine Ideologie bekämpfen müsse. Darüber hinaus findet in der Aufklärungsbewegung das Wesen der entstehenden bürgerlichen Gesellschaft Ausdruck, die umgestaltende, umwälzende Mission der aus dem Bürgertum aufsteigenden neuen Ideologie und der Literatur des bürgerlichen Menschen.« Und kurz darauf heißt es: »Die deutsche Aufklärung ist in ihrer Einheitlichkeit durch die gemeinsame gesellschaftliche Grundlage, durch die gemeinsamen Feinde – Absolutismus, Adel, Spießertum – und durch die gemeinsamen Aufgaben bestimmt.«[28]

Gewiß ist nicht daran zu zweifeln, daß die Literatur des Sturm und Drang auch aus bewußtem Klassengegensatz erwachsen ist. Daran ändern auch die gelegentlichen Bemühungen einzelner Stürmer und Dränger um Anerkennung von seiten des Adels nichts. Nur drückt sich dieser Klassengegensatz nicht immer direkt in den Werken aus, erscheint vielmehr oft in sehr vermittelter Form und wird auch durch das Sozialverhalten der Stürmer und Dränger häufig verwischt. Daher scheint es geboten, zwischen dem historisch-sozialen Aufstieg des Bürgertums und seinem Ausdruck in Literatur und Philosophie ein wesentlich vermittelteres Verhältnis anzunehmen, als Lukács es tut[29] und als es in der DDR-Forschung üblich ist.

Trotz Kritik im einzelnen bleibt die frühe DDR-Germanistik, was den Sturm und Drang anbelangt, Lukács' skizzenartigen Entwürfen weitgehend verpflichtet. Sowohl Stolpe als auch Braemer würdigen Lukács' Angriffe auf die Präromantik-Theorie und sein Verdienst um die Zuordnung des Sturm und Drang zum Aufklärungszeitalter. Braemer macht dabei zwei berechtigte Einwände geltend.[30] Einerseits bekomme Lukács durch sein allzu ideengeschichtliches Vorgehen die ästhetische Problematik nicht in den Griff und vernachlässige infolgedessen die Unterschiede zwischen einzelnen literarischen Perioden *innerhalb* des Aufklärungszeitalters. So verkenne er zum Beispiel die ästhetischen und somit letztlich auch ideologischen Unterschiede zwischen Lessings *Emilia Galotti* und Schillers *Kabale und Liebe* und mißverstehe die große Bedeutung des *Götz* für Goethe und für den Sturm und Drang insgesamt. Ferner verweist Braemer darauf, daß Lukács die europäischen Einflüsse auf die deutsche Kultur überbetone und infolgedessen die nationalen Besonderheiten der deutschen Entwicklung aus dem Blick verliere. In unterschiedlicher Weise versuchen nun Stolpe und Braemer, diese Einseitigkeiten durch ihre Analysen spezifischer Werke und Probleme des Sturm und Drang zu beheben. Ebenso interessant wie die Einwände gegen Lukács ist dabei das, was diese Kritik ausspart. In ihrem Angriff auf eine bürgerliche Literaturgeschichtsschreibung, die in der Nachfolge Diltheyscher Strukturpsychologie ganze Zeitalter psychischen Komplexen wie Gefühl und Verstand zuordnet, erwähnt Braemer zum Beispiel nicht, daß Lukács selbst in seinem Buch *Die Zerstörung der Vernunft* (1954) diesen ideengeschichtlichen Dualismus von Rationalismus und Irrationalismus – wenn auch unter anderen theoretischen und ideologischen Vorzeichen – übernommen und auf die gesamte politische und intellektuelle Entwicklung Deutschlands seit 1848 projiziert hat. Obwohl dieses Buch mit seiner bloß ideologiekritischen Argumentation nicht typisch für Lukács' Denken ist, verweist es indirekt auf eine symptomatische Schwäche der traditionellen marxistischen Sturm-und-Drang-Deutung. Man kritisiert zwar erfolgreich die bürgerliche Irrationalismus-Legende, verfällt aber dabei in eine umgekehrte Legendenbildung, wobei ein der Aufklärung verpflichteter Rationalismus politisch festgeschrieben, »verdinglicht« (Lukács) und nicht mehr kritisiert wird. Die Revolte der Subjektivität und des Gefühls gegen eine spezifische Ausprägung von Verstand, aufgeklärter Moral und zivilisatorischer Rationalität, die ja trotz aller Kontinuität mit dem voraufgehenden Zeitalter den Sturm und Drang kennzeichnet, wird von solcher Forschung bestenfalls als Dynamisierung der Aufklärung (Werner Krauss) beschrieben. In der Wertung einzelner Stürmer und Dränger und ihrer Werke jedoch schreibt man von marxistischen Aufklärungspositionen her traditionelle Urteile einfach fort, so wenn man dem Sturm und Drang immer wieder Verworrenheit, übersteigerten Subjektivismus, Anarchie künstlerischer Formen und mangelnde gesellschaftliche Praxis vorwirft, oder wenn Lukács Lenz' Dramen als »aufgeregt-philiströse, anspruchsvoll-sinnlose Schrulle(n)«[31] charakterisiert. Erst in der ausführlichen Einleitung zu einer 1978 erschienenen zweibändigen Ausgabe der weltanschaulichen und ästhetischen Schriften des Sturm und Drang verschieben sich auch in der DDR-Forschung die Akzente. Der Herausgeber Peter Müller betont mit Recht die Diskontinuität von Aufklärung und Sturm und Drang, freilich stärker im literarischen und ästhetischen als im ideologisch theoretischen Teil der Darstellung, wo die Bindung an die alte Kontinuitätsthese noch dominiert.[32]

Das Verhältnis des Sturm und Drang zur Aufklärung läßt sich eben weder nur als Kontinuität noch auch als starr dualistischer Gegensatz fassen. Charakteristisch für den Sturm und Drang ist sowohl der Bruch mit wesentlichen Aspekten der deutschen Aufklärung – vor allem in Weltanschauung, Ästhetik und Literaturproduktion – als auch die Verbundenheit mit dem emanzipatorischen Interesse des Aufklärungszeitalters.

3. Die These vom Bürger-Bauern Bündnis

Kernproblem jeglicher Deutung des Sturm und Drang ist die richtige Einschätzung der Beziehungen zwischen den ökonomisch-sozialen Verhältnissen und den fortgeschrittensten Ausdrucksformen jener beginnenden Blütezeit der deutschen Philosophie und Literatur. Wie oben schon dargelegt wurde, gehen neuere Untersuchungen zum Sturm und Drang gewöhnlich davon aus, daß der Sturm und Drang Teil der Aufklärung ist.[33] Diese These ist sicherlich richtiger als die Theorie von der Präromantik, erscheint aber selbst problematisch, wenn die Kontinuität von Aufklärung zu Sturm und Drang zu gradlinig angesetzt wird, wie es nicht nur in der frühen DDR-Forschung, sondern mittlerweile auch in zahlreichen westlichen Studien oft der Fall ist. Theoretisch beruht die Kontinuitätsthese auf der Annahme einer mehr oder weniger direkten Widerspiegelung der Produktionsverhältnisse in der Literatur. Der Zusammenhang von Produktions- und Lebensverhältnissen einerseits und kultureller Produktivität andererseits steht selbstverständlich außer Frage. Nur läßt sich dieses sehr komplexe Beziehungsgeflecht nicht für jede historische Epoche nach dem gleichen Basis-Überbau-Widerspiegelungsschema festschreiben. Das auf Lenins Erkenntnistheorie zurückgehende Widerspiegelungsdogma blockiert eine konsequente Verarbeitung des Problems ungleichzeitiger Entwicklungen von Ökonomie und Kultur; darüber können auch Lippenbekenntnisse zu Marx' Hinweis auf »das unegale Verhältnis der Entwicklung der materiellen Produktion, z. B. zur künstlerischen« nicht hinwegtäuschen.[34] Die Möglichkeit eines Bruchs, einer Diskontinuität oder Verschiebung zwischen ökonomischer und gesellschaftlicher Produktion einerseits und künstlerischer Kreativität andererseits wird einer auch in ihren komplexeren Ausprägungen starren Theorie geopfert, derzufolge der Überbau, wie immer aktivierend und wirksam er auch sein mag, die Produktionsverhältnisse der Basis widerspiegelt.[35]

So scheint es mir bezeichnend zu sein, daß Braemer und Stolpe in ihren ausgezeichneten Studien zum Sturm und Drang einer Äußerung des späten Engels zum 18. Jahrhundert, die sich als Bestätigung der Widerspiegelungsthese lesen läßt[36], den Vorrang geben gegenüber einer Äußerung des jungen Engels, die den Widerspruch von Kultur und Ökonomie im 18. Jahrhundert adäquater zum Ausdruck bringt. Im Oktober 1845 schrieb Engels über Deutschland im 18. Jahrhundert: »Das ganze Land war eine lebende Masse von Fäulnis und abstoßendem Verfall. Niemand fühlte sich wohl. Das Gewerbe, der Handel, die Industrie und die Landwirtschaft des Landes waren fast auf ein Nichts herabgesunken; die Bauernschaft, die Gewerbetreibenden und Fabrikanten litten unter dem doppelten Druck einer blutsaugenden Regierung und schlechter Geschäfte; der Adel und die Fürsten fanden, daß ihre Einkünfte, trotz der Auspressung ihrer Untertanen nicht so gesteigert werden konnten, daß sie mit ihren wachsenden Ausgaben Schritt hielten; alles war verkehrt, und ein allgemeines Unbehagen herrschte im ganzen Lande. Keine Bildung, keine Mittel, um auf das Bewußtsein der Massen zu wirken, keine freie Presse, kein Gemeingeist, nicht einmal ein ausgedehnter Handel mit anderen Ländern – nichts als Gemeinheit und Selbstsucht –, ein gemeiner, kriechender, elender Krämergeist durchdrang das ganze Volk. Alles war überlebt, bröckelte ab, ging rasch dem Ruin entgegen, und es gab nicht einmal die leiseste Hoffnung auf eine vorteilhafte Änderung; die Nation hatte nicht einmal genügend Kraft, um die modernen Leichname toter Institutionen hinwegzuräumen.
Die einzige Hoffnung auf Besserung wurde in der Literatur des Landes gesehen. Dieses schändliche politische und soziale Jahrhundert war zugleich die große Epoche der deutschen Literatur. [...] Jedes bemerkenswerte Werk dieser Zeit atmet einen Geist des Trotzes und der Rebellion gegen die deutsche Gesellschaft, wie sie damals bestand.«[37] Natürlich muß man heute sagen, daß Engels die ökonomischen und sozialen Verhältnisse zu pauschal negativ darstellt. Es gab ja trotz der ungebrochenen Vorherrschaft des Adels in weiten Teilen Deutschlands progressive ökonomische Ansätze wie die Anlage von Manufakturen in staatlicher Regie, die Förderung privatwirtschaftlicher Produktion, die Steigerung des Exports, die physiokratische Rationalisierung der Landwirtschaft. Allgemein läßt sich durchaus mit Vierhaus von einer »Produktivitätssteigerung der Volkswirtschaft«[38] spre-

chen, die freilich im kleinstaatlich zerrissenen Deutschland nicht für alle Regionen gleicherweise Geltung hat und gewiß nicht mit der beginnenden industriellen Revolution Englands zu vergleichen ist. Dennoch bleibt Engels' Betonung der Diskrepanz zwischen Lebensrealität und dem im kulturellen Bereich aufbrechenden Bewußtseinsprozeß im Recht gegenüber einer Argumentation, die die vorklassische deutsche Kultur unvermittelt als Ausdruck progressiver, wenn auch »verspäteter«, ökonomischer und sozialer Tendenzen faßt.
Unbefriedigend ist eine solche Darstellung vor allem dann, wenn sowohl der impestuöse Aufbruch der Sturm-und-Drang-Genies als auch deren späteres Scheitern aus denselben ökonomischen Tendenzen abgeleitet wird. Dieses Problem wird zwar gesehen, aber man behilft sich mit der eher hilflosen These, daß der literarische Aufbruch der Realität nicht angemessen war, obwohl man andererseits behauptet hatte, daß der literarische Überbau auf bloß quantitative Basisveränderungen qualitativ reagieren und somit zur Weiterentwicklung der Basis beitragen könne.[39] Letztlich fällt man dann ebenfalls auf biographische und alterspsychologische Argumente (Subjektivismus- und Unreifevorwurf) zurück, um das Scheitern des Sturm und Drang zu erklären. Wenn in der Tat die objektive historische Lage eine emanzipatorische politische Praxis verhinderte (Unentwickeltheit der Produktionsverhältnisse, ungebrochene Macht von Adel und Fürsten), dann kann man dem Sturm und Drang nicht zum Vorwurf machen, daß es ihm an gesellschaftlicher Praxis gemangelt habe. Gegenüber solchen im Basis-Überbau-Schema verwurzelten Zirkelschlüssen wäre herauszuarbeiten, inwiefern sich nicht erst das Scheitern, sondern schon der Aufbruch des Sturm und Drang einem objektiven Mangel an möglicher gesellschaftlicher und politischer Praxis verdankt. Und dabei wäre besonders auf die spezifische Situation der Intellektuellen in ihrem Verhältnis zu anderen Gruppen des Bürgertums einzugehen, ein Gesichtspunkt, der bei der Identifizierung der Interessen der Intellektuellen mit denen *des Bürgertums* nicht ausreichend zur Geltung kommen kann.

Dennoch ist die post-Lukács'sche These, daß der Sturm und Drang eine spezifisch deutsche sozio-ökonomische Basis widerspiegele, von großem Interesse, da hier viel wirtschafts- und sozialgeschichtliches Material aufgearbeitet wurde. Ihren prägnantesten Ausdruck findet diese These in Heinz Stolpes Analyse des

Bürger-Bauern-Bündnisses der siebziger Jahre, dessen radikales Potential den Sturm und Drang von der voraufgehenden Aufklärung sowie von der englischen bzw. französischen Situation unterscheide. Natürlich bleibt die These vom Bürger-Bauern-Bündnis der Lukács/Krauss'schen Kontinuitätsthese verpflichtet. Sie soll letztere nur insofern modifizieren, als die deutschen Besonderheiten gegenüber der europäischen Entwicklung herausgearbeitet werden. Dies gelingt Stolpe vor allem hinsichtlich der spezifisch deutschen Rezeption physiokratischer Wirtschaftstheorien, weniger jedoch bei dem Versuch, deren Niederschlag in der hohen Literatur der Zeit nachzuweisen. Die Bündnisthese ermöglicht fernerhin, den Sturm und Drang stärker unter die positiven Vorzeichen von radikalisierter Aufklärung und Progressivität zu stellen, als es Mehring, aber zum Teil auch Lukács getan hatten.

Die DDR-Forschung hat Stolpes Thesen weitgehend übernommen.[40] In der westdeutschen Germanistik andererseits fehlt bisher noch eine gründliche Auseinandersetzung mit Stolpes Herder-Buch, besonders mit dem hier zentralen Kapitel »Abriß der gesellschaftlichen Genesis und der Grundzüge der literarischen Bewegung der 70er Jahre«.[41] Die Kenntnisnahme beschränkt sich meist auf pauschale Kritik oder auf Akklamation per Fußnote.[42] So sei hier versucht, Ertrag und Grenzen von Stolpes Darstellung der gesellschaftsgeschichtlichen Grundlagen des Sturm und Drang in einigen wesentlichen Punkten zu umreißen. Eine knappe Zusammenfassung von Stolpes ökonomischer Ausgangsthese bietet Braemer: »Als Folge der durch den Siebenjährigen Krieg hervorgerufenen Krisen traten im Beginn der siebziger Jahre Hungersnöte auf, die eine Veränderung der landwirtschaftlichen Produktionsweise als äußerst dringlich erscheinen ließen. Die Ablösung der feudalen Produktionsweise durch die kapitalistische erfolgte aber nur in äußerst unzureichendem Maße, nur in einigen Ansatzpunkten, die wenig Änderungen in das Wirtschaftsgefüge brachten, dagegen in außerordentlichem Maße auf die Bildung des bürgerlichen Bewußtseins einwirkten. Da eine intensivierte und rationelle Bodenbewirtschaftung nur dort möglich werden konnte, wo an die Stelle des Fronbauern der bäuerliche Kleineigentümer trat, waren bürgerliche Reformer, besonders Kameralbeamte, bestrebt, Gesetzgebung und Verwaltung in solcher Richtung zu beeinflussen, daß Versuche zur Begründung bäuerlichen Kleineigentums gefördert werden könnten.«[43] In einem zweiten Schritt der Analyse weist Stolpe dann nach, daß es in Deutschland zu einer intensiven, auf deutsche Verhältnisse zugeschnittenen Rezeption physiokratischer Theorien kam, die sich in der ökonomischen Tagesliteratur, in Pamphleten und Flugschriften niederschlug. An diesen Reformbestrebungen nahm die bürgerliche Intelligenz leidenschaftlich Anteil. Der dritte Schritt der Untersuchung zielt infolgedessen auf den Nachweis, daß sich die hohe Literatur in ihren Grundzügen in »völliger Übereinstimmung« mit dem wirtschaftspolitischen Schrifttum der siebziger und achtziger Jahren befinde. Als herausragendes Beispiel dient Stolpe das Interesse zahlreicher Schriftsteller (u. a. Goethe, Herder, Lavater, Heinse, selbst Hamann und Wieland) an dem Schweizer »Musterbauern« Kleinjogg, der durch Hirzels Biographie bekannt geworden war. Fernerhin kann Stolpe sich auf das sozialgeschichtlich wichtige Anwachsen der »plebejischen Unterströmung« (Werner Krauss[44]) in der bürgerlichen Literatur beziehen, die vor allem in und seit den siebziger Jahren nicht nur in der Herkunft zahlreicher Schriftsteller, sondern auch in den literarischen Themen und Figuren und in der Bevorzugung bestimmter volkstümlicher Genres (Volkslied, Ballade, Puppenspiel, Volkstheater) zu lokalisieren ist. Von bäuerlicher bzw. kleinbürgerlicher Herkunft waren J.H. Voß (Vater: Pächter), Herder (Dorfschulmeister), Klinger (Konstabler), Maler Müller (Gastwirt) und Schiller (Wundarzt). Und wenn man an die Werke von Autoren wie Bürger und Lenz, Voß und Claudius, Herder und Schubart, Jung-Stilling, Karl Philipp Moritz und Ulrich Bräker denkt, so liegt in der Tat auf der Hand, daß sich ein wesentlicher Teil der Literatur seit den siebziger Jahren aus den Lebenserfahrungen und der Alltagsrealität der Unterschichten speiste. Als Hauptzeugen für die These vom Bürger-Bauern-Bündnis führt Stolpe Herder und Goethe an, die neben Lenz und Schiller wohl wichtigsten Repräsentanten des Sturm und Drang. Gerade hier jedoch sind Zweifel an Stolpes These angebracht. Gewiß, der junge Herder schrieb einmal (und Stolpe zitiert das auch): »Du Philosoph und du Plebejer! macht einen Bund um nützlich zu werden«[45], und sein Eintreten für die Volksliteratur, besonders für das Volkslied hat weitreichende Folgen gehabt. Andererseits ist Herders Volksbegriff keineswegs durch und durch plebejisch, wie die Einleitung zum zweiten Teil der Volksliedersammlung zur Genüge beweist, wo es heißt: »Zum Volkssänger gehört nicht, daß er aus dem Pöbel seyn muß, oder für den Pöbel singt; so wenig es die edelste Dichtkunst beschimpft, daß sie im Munde des Volkes tönet. Volk heißt nicht, der Pöbel auf den Gassen, der singt und dichtet niemals, sondern schreyt und verstümmelt.«[46] Dies ist wohl weniger eine Kapitulation vor den Angriffen der Aufklärer Nicolai und Ramler auf Herders Unternehmen[47] als vielmehr ein Eingeständnis von Widersprüchen, die in Herders Volksbegriff von Anfang an angelegt waren, die aber in Stolpes Darstellung (jedenfalls im Abschnitt über die gesellschaftlichen Grundlagen des Sturm und Drang) nicht deutlich genug werden.

Noch fragwürdiger aber erscheint die Bemühung Goethes als Zeugen für das Bündnis zwischen bürgerlicher Intelligenz und Bauern. Bäuerlich plebejische Figuren spielen weder im *Götz* noch im *Werther*, auf die Stolpe sich vor allem beruft, eine eindeutig positive, geschweige denn zentrale Rolle, und es scheint mir überzogen, von diesen Texten her auf ein kultur- und sozialgeschichtlich relevantes Bündnis zwischen Bürgern und Bauern zu schließen.

Hier ist Peter Müller zuzustimmen, der darauf verweist, daß Herder trotz seines Eintretens für Volkspoesie nie die politische Forderung nach Volkssouveränität erhebt. Implizit kritisiert Müller Stolpes These, wenn er fortfährt: »Die relativ stabile politische Macht der Feudalklassen einerseits und die aus jahrhundertewährender Unterdrückung hervorgegangene politische Inaktivität des Volkes andererseits bringen es mit sich, daß das Volk nicht als politisch aktive gesellschaftliche Kraft auftritt und in dieser Eigenschaft auch theoretisch nicht begriffen werden kann.«[48]

Gewiß ist nicht zu bestreiten, daß die gemeinsame Unzufriedenheit mit den herrschenden gesellschaftlichen Zuständen unter anderen Voraussetzungen eine Grundlage für ein solches Bündnis hätte abgeben können, aber die Resultate der kultur- und sozialgeschichtlichen Forschung von Balet und Elias bis zu Habermas, von Graevenitz und Kiesel/Münch sprechen da eine andere Sprache. Es ist eines, von einem *Interesse* der Intellektuellen an der Lebensrealität der Bauern und von Mitleid mit Unterdrückung, Hungersnot und Unglück zu sprechen. Ein anderes jedoch ist es, aus der gemeinsamen Frontstellung des Bauern- und Bürgertums gegen den Adel eine Art Volksfront herleiten zu wollen, die ja, wie Stolpe selbst betont, wegen der Unentwickeltheit der Produktionsverhältnisse sowie infolge der bestehenden Machtverhältnisse keinerlei Aussicht auf Erfolg haben konnte. Zu einem Bündnis müßte überdies gehören, daß die Bauern bündnisbereit, wenigstens aber interessiert an den Reformbestrebungen der bürgerlichen Intelligenz gewesen wären. Dem aber schob allein der Analphabetismus großer Teile der ländlichen Bevölkerung einen Riegel vor.

Stolpe selbst ist dort einsichtiger, wo er vor einer Überschätzung der revolutionären Potenzen der siebziger Jahre warnt und die Schwäche des deutschen Bürgertums betont oder wo er Begeisterung für den Musterbauern Kleinjogg als Verabsolutierung des Einzelfalls kritisiert, als dort, wo er die »Entdeckung der schöpferischen Potenzen der Bauern« durch die junge bürgerliche Intelligenz preist und deren Einsicht in »das Wesen der Dichtung als einer letzten Endes von den Massen der Produzenten der materiellen Güter getragenen und in ihrem Interesse einzusetzenden geistigen Macht« herausstellt.[49] Gerade das Phänomen der Begeisterung für den unabhängigen und selbständigen Schweizer Bauern hätte Stolpe darauf stoßen können, daß hier nicht nur wirtschaftsgeschichtliche Aspekte zählen. Kleinjogg bestätigt doch vielmehr – und das läßt sich an Äußerungen Lavaters, Goethes und anderer deutlich ablesen – die Utopie des Sturm und Drang vom natürlichen einfachen Leben, von Autonomie und Selbsthelfertum, von der angestrebten Harmonie von Denken und Tätigkeit. Entscheidend bleibt, daß es sich bei Kleinjogg um einen zum Idealbild stilisierten Einzelfall und nicht um einen deutschen, sondern Schweizer Bauern handelt (das Vorbild des Schweizer Bauern hatte ja eine lange Tradition im südwestdeutschen Raum). Von einem in der Literatur zum Ausdruck kommenden, intendierten Bündnis der bürgerlichen Intelligenz mit den Bauern ließe sich allenfalls dann sprechen, wenn nicht nur der in seiner materiellen Existenz unabhängige Bauer, der seine Familie ernährt, ins Blickfeld geriete, sondern auch das verarmte, gedrückte Volk, die Fronbauern, Landarbeiter und Hirten, Knechte und Mägde, Bergleute, Fuhrleute und Handwerksburschen, die die überwältigende Mehrheit der deutschen Landbevölkerung ausmachten. Der Alltag dieser Volksmassen jedoch tritt in der Sturm-und-Drang-Literatur weit weniger oft ins Zentrum des Interesses als Lebensrealität und Alltag der kleinbürgerlichen Schichten (Hofmeister, kleine Kaufleute, Metzger und Musiker, Dorfgeistliche, Theologen und

arme Studenten), von der Häufigkeit adliger Protagonisten ganz zu schweigen.
Klaus Scherpe geht sicher zu weit, wenn er die Begeisterung der Stürmer und Dränger für Kleinjoggs ökonomisches Selbsthelfertum als Zeichen der »Orientierungslosigkeit der bürgerlichen Ideologen«[50] nimmt, aber seine Kritik an der Bündnisthese der DDR-Forschung ist insofern berechtigt, als sie der Widersprüchlichkeit der bürgerlichen Emanzipation in Deutschland besser Rechnung trägt als eine Forschung, die ins ideologische Prokrustesbett von Fortschrittsoptimismus, Widerspiegelungstheorie und positiver Erbeaneignung gezwängt bleibt.

4. Die Debatte um Innerlichkeit und Öffentlichkeit

Die Schwierigkeit einer in zunehmendem Maße historisch und sozialgeschichtlich interessierten Forschung bestand weiterhin darin zu erklären, wieso die deutsche Literatur trotz der ungünstigen Lage des deutschen Bürgertums im 18. Jahrhundert vor allem seit den siebziger Jahren einen derartigen Aufschwung nehmen konnte. Die positive Bewertung dieses Aufschwungs selbst jedoch wurde jetzt in Frage gestellt. In den Vordergrund rückte das Interesse an sozialpsychologisch bedeutsamen Phänomenen wie Melancholie und Hypochondrie und an Widersprüchen und Schwächen bürgerlicher Emanzipation in Deutschland.[51] Auf Grund radikal negativer Einschätzungen des gegenwärtigen Kulturbetriebs unter dem Einfluß von Horkheimer/Adornos *Dialektik der Aufklärung* sowie infolge verstärkt kritischer Reflexion über den »Zusammenbruch« bürgerlicher Kultur im Dritten Reich bildete sich eine Forschung heraus, die die von Habermas analysierte Verfallsgeschichte der bürgerlichen Öffentlichkeit ins 18. Jahrhundert zurückprozjizierte. Die Bedeutung des kulturellen Sektors für die Emanzipation des deutschen Bürgertums wurde argumentativ gegen das Bürgertum gekehrt. Marcuses These vom affirmativen Charakter der Kultur wurde beim Wort genommen und somit ihres dialektischen Charakters beraubt. Man betonte die Schwäche und politische Unentschiedenheit des deutschen Bürgertums und sah die Herausbildung der Gefühlskultur in Empfindsamkeit und Sturm und Drang einseitig als Eskapismus und Resignation, als Flucht ins Private, in eine von allen politischen und sozio-ökonomischen Zielsetzungen gereinigte Innerlichkeit. Der Sturm und Drang wurde

dabei ebenso oft wie unzulässig den Entartungserscheinungen der Empfindsamkeit, Tränenseligkeit und Empfindelei zugeschlagen. Autonomieanspruch der Kunst und Genielehre des Sturm und Drang wurden mit der gesellschaftlichen Lage des deutschen Bürgertums kurzgeschlossen und als Kompensationsmechanismen für gesellschaftliche Ohnmacht gedeutet[52]; wenn man nicht gar gleich das ökonomistische Kunst-Ware-Argument in die sonst durchaus ertragreiche soziologische Debatte über die Herausbildung des literarischen Marktes im 18. Jahrhundert projizierte und damit jeglichen historischen Unterschied zwischen einer entwickelten Kulturindustrie und ihren geschichtlichen Vorstufen eliminierte.[53] Die Emanzipation der bürgerlichen Kultur im 18. Jahrhundert wurde jedenfalls als Ausdruck von Schwäche gedeutet und verfiel dem Verdikt, das in den späten sechziger Jahren oft über bürgerliche Kultur insgesamt gefällt wurde.
Gewiß handelte es sich dabei auch um eine bewußte Gegenposition zur DDR-Forschung. Der Impuls, sich von orthodoxer Erbeaneignung und Widerspiegelungstheorie abzusetzen, ist weder bei Mattenklott noch bei Lepenies zu übersehen.[54] Aber in mancher Hinsicht blieb auch diese rebellisch anti-bürgerliche Forschung einem in neuer Weise einseitigen Konzept von Widerspiegelung verpflichtet. Man betonte jetzt nicht die progressiven Momente bürgerlicher Entwicklung, sondern – mit den Worten von Lepenies – »jenen Aspekt der deutschen Misere, der sich aus der permanenten Verspätung der Bourgeoisie ergab«.[55] Die These von der verspäteten Entwicklung des deutschen Bürgertums und der *bloß* literarischen Revolution der Stürmer und Dränger findet sich allerdings auch in der DDR-Forschung, freilich nur dort, wo das Scheitern des Sturm und Drang erklärt werden soll. Mattenklott jedoch setzt Resignation nicht nur an den Endpunkt der Sturm-und-Drang-Bewegung, sondern versucht zu belegen, daß sie in Form von Melancholie den Geniekult erst eigentlich hervorgetrieben habe.[56] Mit Benjamin sieht Mattenklott im Trauerspiel des Sturm und Drang »nicht so sehr das Spiel, das traurig macht, als jenes, über dem die Trauer ihr Genügen findet: Spiel vor Traurigen«.[57] Die Reihenfolge von Sturm und Drang und Resignation ist damit radikal und einseitig auf den Kopf gestellt. Wenn man aber das Verstummen der Genies als »Rückkehr in den Ort ihres Aufbruchs« interpretiert[58], Melancholie also nicht als Folge, sondern als Ursache politischer Ohnmacht deutet, so wird die entscheidende Frage

abgeblockt, was denn die sozialhistorischen und sozialpsychologischen Voraussetzungen der Melancholie eigentlich sind.[59] Das Verdienst Mattenklotts besteht dennoch darin, dezidiert sozialpsychologische Gesichtspunkte in die Diskussion der Sturm-und-Drang-Dramatik eingebracht zu haben. Der richtige und bedeutsame Versuch, Entstehung und Ausbreitung psychischen Leidens auch sozialhistorisch für die Sturm-und-Drang-Epoche zu fundieren, konnte freilich nicht glücken; die damals von Mattenklott noch nicht reflektierten Prämissen der Kritischen Theorie – die geschichtsphilosophisch begründete und in der Auseinandersetzung mit dem deutschen Faschismus gewonnene These von der unheilvollen Dialektik der Aufklärung – sowie die Abhängigkeit von Walter Benjamins *Ursprung des deutschen Trauerspiels* bildeten den Horizont dieser Darstellung und ließen keinen Raum für die Einsicht in die emanzipatorischen Momente der Gefühlskultur der siebziger Jahre, blockierten somit die Erkenntnis der Widersprüchlichkeit des Sturm und Drang.

Überhaupt hat ja die These von der Schwäche des deutschen Bürgertums im 18. Jahrhundert und deren Reflex in Kunst und Literatur eine respektable Tradition. Schon Germaine de Staël, die sich dabei auf Goethe und August Wilhelm Schlegel berufen konnte, analysierte die Folgenlosigkeit von Literatur in Deutschland und kritisierte die unpolitische Haltung und Weltfremdheit vieler deutscher Schriftsteller, wenn sie in ihrem Buch *Über Deutschland* schrieb: »Da es keine Hauptstadt gibt, in der sich die gute Gesellschaft des gesamten Deutschland zusammenfindet, so hat der gesellschaftliche Geist wenig Macht: die Herrschaft des Geschmacks und dic Waffe des Spotts sind ohne Einfluß. Die Mehrzahl der Schriftsteller und Philosophen arbeitet in stiller Abgeschiedenheit oder höchstens inmitten eines kleinen Kreises, den sie beherrschen. Jeder für sich, überlassen sie sich ganz den Eingebungen einer nicht beengten Einbildungskraft, und wenn in Deutschland überhaupt vom Einfluß der Mode die Rede sein kann, so zeigt er sich einzig und allein in dem Bestreben jedes einzelnen, sich ganz und gar von allen andern verschieden zu zeigen.«[60] An anderer Stelle heißt es: »Sie [die Deutschen] haben das Interesse an den Ereignissen durch das Interesse an den Ideen ersetzt.«[61] Unter direktem Bezug auf de Staëls Deutschland-Buch stellte Heinrich Heine rund dreißig Jahre später den hier angedeuteten Gegensatz von französischer politischer Kultur und deutscher geistiger Radikalität ins Zentrum

seiner Schriften über Deutschland. Friedrich Engels sprach im Hinblick auf Schiller von der Vertauschung der platten mit der überschwenglichen Misere, und Karl Marx betont immer wieder, daß die »ideelle Erhebung über die Welt« der Verschleierung realer Ohnmacht dienen kann. Besonders Literatursoziologen und Kulturhistorikern sind solche Gedanken seit langem vertraut. So beschrieb W.H. Bruford 1935 die unsoziale, unpolitische und unnationale Tendenz der deutschen Literatur.[62] Arnold Hauser prangerte in seinem Standardwerk *The Social History of Art* die gesellschaftliche Isolation und das mangelnde Klassenbewußtsein der Literaten an[63], und Hans Jürgen Haferkorn sprach gar von einem »Zustand politischer Heimatlosigkeit«[64] des deutschen Bürgertums im 18. Jahrhundert. Auch Norbert Elias, dessen Hauptwerk *Über den Prozeß der Zivilisation* schon 1939 erstmals erschien, betonte den Kompensationscharakter literarischer Aktivitäten im 18. Jahrhundert.[65]
Dies sind nun in der Tat gewichtige Zeugen für die in den sechziger Jahren wiederaufgelebte These von Innerlichkeit und Gesellschaftslosigkeit der deutschen Literatur im späten 18. Jahrhundert. Die Schärfe und Überzogenheit dieser neueren Version der Eskapismusthese jedoch ist nur adäquat zu verstehen, wenn man als wissenschaftspolitischen Kontext die damalige »Krise der Germanistik« und die vor allem von jüngeren Wissenschaftlern unternommenen Versuche einer hinter 1933 zurückgehenden Vergangenheitsbewältigung beachtet. Der Gedanke, daß innenpolitisch nicht erst die gescheiterte Revolution und der Klassenkompromiß von 1848 die fatale ins Dritte Reich mündende Fehlentwicklung Deutschlands zu verantworten habe (Lukács), sondern daß die Wurzeln dieser Fehlentwicklung bis in die Aufbruchsjahre der klassischen deutschen Kultur zurückführen, hat – abgesehen einmal von seinem problematischen Wahrheitsgehalt – in der BRD den konkret politischen und durchaus positiven Sinn gehabt, die ideologische Legitimationsfassade zu durchlöchern, mit der vor allem in den fünfziger Jahren die Leistungen der deutschen Kultur apologetisch gegen die Verbrechen des Dritten Reichs aufgerechnet wurden. Diesen kulturpolitischen Zusammenhang muß man zumindest zur Kenntnis nehmen, bevor man die Eskapismus- und Innerlichkeitsthese als historisch einseitigen Soziologismus attackiert, wie es jüngst Gerhart von Graevenitz getan hat.[66]
In der Tat ist es ja höchst problematisch, Innerlichkeit und Öf-

fentlichkeit einander strikt entgegenzusetzen und den gesamten, für ein Verständnis des 18. Jahrhunderts so entscheidenden Komplex der Innerlichkeit mit dem Verdikt von Eskapismus und Flucht vor der Realität zu belegen. In dieser Schärfe war dies in der älteren kulturhistorischen Forschung nie behauptet worden. Weder ist Innerlichkeit eine ausschließlich »bürgerliche« Angelegenheit, noch auch ist sie per se ein rein ideologischer Mechanismus – im Sinne von »falschem Bewußtsein« – zur Verschleierung von Realität. So hatte das auch Habermas nicht gemeint, als er 1962 sein einflußreiches Modell vom Strukturwandel der Öffentlichkeit erstmals vorlegte. In diesem Modell steht Innerlichkeit zwar ein für den Privatbereich einer bürgerlichen Sphäre, die sich von der feudal absolutistischen repräsentativen Öffentlichkeit bewußt absetzte. Aber die Ausprägungen dieser Sphäre des Privaten und Innerlichen bildeten nach Habermas den Keim für die Herausbildung einer bürgerlichen Öffentlichkeit, die zwar nicht explizit politisch ist, aber deswegen nicht rundweg als eskapistische Flucht ins Private abgetan werden kann. So ist es ja kein Zufall, daß Habermas die sich herausbildende Intimsphäre der bürgerlichen Kleinfamilie als »publikumsbezogene Privatheit«[67] interpretiert und den Idealen der bürgerlichen Gefühlskultur – Tugend, Liebe, Bildung – durchaus Realitätsgehalt zuspricht, anstatt sie von vornherein als falsches Bewußtsein zu denunzieren. Habermas leugnet nie das Interdependenzgeflecht von Öffentlichkeit und Innerlichkeit, und auch ein zweiter Gewährsmann der hier behandelten Forschungsrichtung, Reinhart Koselleck, hätte vor einem Überziehen der Innerlichkeitsthese warnen können. In Kosellecks Studie *Kritik und Krise* heißt es ausdrücklich: »Der Aufbruch der bürgerlichen Intelligenz erfolgt aus dem privaten Innenraum, auf den der Staat seine Untertanen beschränkt hatte. Jeder Schritt nach außen ist ein Schritt ans Licht, ein Akt der Aufklärung. Die Aufklärung nimmt ihren Siegeszug im gleichen Maße als sie den privaten Innenraum zur Öffentlichkeit ausweitet. Ohne sich ihres privaten Charakters zu begeben, wird die Öffentlichkeit zum Forum der Gesellschaft, die den gesamten Staat durchsetzt.«[68] Auch wenn Koselleck hier eher englische Verhältnisse vor Augen gehabt haben mag, bleibt festzuhalten, daß auch in Deutschland Aufklärung, Innerlichkeit und Öffentlichkeit historisch miteinander verknüpft und nicht gegeneinander auszuspielen sind.

In seiner Kritik an der Entgegensetzung von Öffentlichkeit und

Innerlichkeit beruft sich von Graevenitz vor allem auf Habermas, dessen Kontrastierung von repräsentativer und bürgerlicher Öffentlichkeit er durch ein komplexeres Modell zwar nicht widerlegt, aber doch entscheidend modifiziert. Jedwelche Hypostasierung *des* Bürgertums als einheitlicher Klasse im 18. Jahrhundert lehnt Graevenitz ab. Er verweist auf die Vielzahl von keineswegs immer nur machtlosen Positionen, die Bürger infolge der territorialstaatlichen Besonderheiten Deutschlands innehatten. Vor allem anhand pietistischer Quellen weist von Graevenitz dann nach, daß die von Habermas modellartig eingeführte Trennung von bürgerlicher und repräsentativer Öffentlichkeit, die häufig dazu herhalten mußte, die Eskapismusthese der sechziger Jahre abzustützen, historisch nicht haltbar ist. Bürgerliche Privatheit, Selbstdarstellung und Innerlichkeit blieben nämlich zuweilen der repräsentativen Öffentlichkeit des Adels engstens verhaftet und sind keineswegs als deren autonomer Widerpart zu deuten. Nach von Graevenitz verhalf »repräsentative pietistische Innerlichkeit« repräsentativer Öffentlichkeit erst eigentlich zur Vollendung, »indem sie gerade die Formulierungen des ›Privaten‹, des dem ›Öffentlichen‹ Entgegengesetzten zum repräsentativen Zwecke unternahm«.[69]
Auf die enge Gebundenheit der bürgerlichen Öffentlichkeit an die Charakteristika adlig repräsentativer Öffentlichkeit im 18. Jahrhundert verweist auch Paul Mogs psychogenetisch orientierte Studie *Ratio und Gefühlskultur*. Mit Hilfe von Norbert Elias' Kategorien deutet Mog das Entstehen bürgerlicher Rationalität, die ja mit der Herausbildung häuslicher Empfindsamkeit Hand in Hand geht, als Kontrafaktur von höfischer Rationalität: »Die gegen die repräsentative Öffentlichkeit des Adels herausgekehrte Privatheit ist keineswegs autonom. Auch in der Phase der Dissoziation [des Bürgertums vom Adel] bleibt die gegen die höfische Welt gerichtete bürgerliche Selbstdarstellung vom Adel abhängig, indem sie als Kontrafaktur des Bekämpften Profil gewinnt.«[70] Nicht nur treffen von Graevenitz und Mog die historische Realität besser als die Vertreter der Eskapismus-These; sie widerlegen am konkreten Material auch deren theoretische Voraussetzungen. Aus beiden Studien geht hervor, daß Innerlichkeit und Privatheit gerade wegen ihrer Gebundenheit an adlig repräsentative Öffentlichkeit objektiv Kampfformen bürgerlicher Emanzipation vom Adel sind, auch wenn ein klares Bewußtsein von dieser Lage häufig fehlte. Gerade hier werden die

Widersprüche bürgerlicher Emanzipation in Deutschland besonders deutlich. Gleichzeitig arbeitet Mog anhand einer Analyse von Rousseaus exemplarischem Narzißmus den von den Eskapismus-Theoretikern meist übersehenen Abstand zwischen Empfindsamkeit und Sturm und Drang heraus. Während es der Empfindsamkeit idealiter um die Erhaltung eines sorgfältig ausbalancierten Gleichgewichts zwischen Empfindung und Verstand, Leidenschaft und Nüchternheit ging und sie derart durchaus in das System der Aufklärung und der sich entwickelnden kapitalistischen Gesellschaft eingebunden blieb, enthielt die Gefühlskultur der siebziger Jahre die Ahnung eines grundsätzlich besseren Zustandes, die utopisch über die Lebenswirklichkeit der gesamten adlig-bürgerlichen Zivilisation hinauswies: »Das neue Existenzgefühl und Glücksverlangen ist geistesgeschichtlich durch die Säkularisierung des Pietismus, als Verweltlichung ursprünglich religiös gebundener Gefühlsenergien nicht zulänglich zu erklären, es sprengt auch jene bereits herausgearbeiteten Affektmodellierungen, die sich etwa auf die Kontrafaktur höfischer Rationalität und die Kleinfamilie als Nährboden bürgerlicher Gefühlskultur zurückbeziehen ließen. [...] Die ›Natürlichkeit‹ des neuen Subjektivismus ist ein ›Spätprodukt‹ (Spaemann) der bürgerlichen und höfischen Zivilisation und formiert sich als Gegenposition zu deren Realitätsprinzip.«[71] Hier kommt die Einsicht zur Geltung, daß der Sturm und Drang nicht nur antagonistisch gegen die höfische Welt steht, sondern schon die Grundlagen der bürgerlichen Zivilisation selbst angreift – Askese, Affektkontrolle, Aufschub von Gratifikation, Triebunterdrückung und Sparsamkeit in jeder Hinsicht. Der Sturm und Drang ist in der Tat die erste radikale Kritik an der bürgerlichen Aufklärung, eine Kritik, deren Berechtigung sich gerade an der andauernden Verkennung und Verketzerung dieser Bewegung erwies. Der Sturm und Drang ist Resultat der Dialektik der Aufklärung, nicht jener Dialektik freilich, in der die menschliche Beherrschung der Natur zur Herrschaft der instrumentellen Vernunft führt und schließlich in Barbarei umschlägt, sondern jener anderen humaneren Dialektik, die in der anti-zivilisatorischen Berufung auf natürliches Leben und Glück einen utopischen Horizont aufscheinen läßt, der das jeweils Bestehende grundsätzlich transzendiert. In dieser Hinsicht birgt der Sturm und Drang in der Tat etwas von dem, was die deutsche Klassik in kontrollierter, gebändigter Form weiterentwickelt hat.

Die dem Sturm und Drang und der Klassik innewohnende Gefahr, zu affirmativer Kultur zu gerinnen, wie es dann später vor allem der Klassik widerfuhr, ist Teil der Rezeptionsgeschichte und nicht ein Versagen schon im Ansatz. Gerade den Widerstand bürgerlicher Literaturgeschichtsschreibung gegen den Sturm und Drang gilt es ja aufzuschlüsseln, eine Aufgabe, die man sich mit der These von Eskapismus und *bloß* literarischer Revolution gründlich verstellt. Zu fragen wäre, ob dieser Widerstand gegen den Sturm und Drang nicht darin begründet liegt, daß der Sturm und Drang einerseits eben die pathologischen Elemente bürgerlicher Gesellschaft hervortreibt, die diese Gesellschaft notwendigerweise produziert, die sie aber unter Verschluß zu halten sucht und vor denen sie eine selbst wieder pathologische Angst entwickelt; daß der Sturm und Drang andererseits aus dem Leiden an bürgerlicher Gesellschaft die Ahnung eines utopischen Zustandes entwickelt, der die Grundlagen des Prozesses höfischer und bürgerlicher Zivilisation insgesamt in Frage stellt.

II. DER STURM UND DRANG ALS KRITIK DER AUFKLÄRUNG

1. Historische Voraussetzungen

Aus Wissenschaftsgeschichte und Periodisierung ergibt sich, daß es bei dem Versuch, den Sturm und Drang als Kritik der Aufklärung zu deuten, um zweierlei nicht gehen kann. Einerseits ist der Rückfall in eine Polarisierung von Sturm und Drang und Aufklärung, von Gefühlskultur und Verstandeskultur zu vermeiden, ob es sich nun um den reaktionären Mythos von der gegen westliche Demokratie gerichteten deutschen Kulturbewegung handelt oder um die Kontrastierung von eskapistischer Innerlichkeit mit progressiv politischer Öffentlichkeit, deren Vorbild in England und Frankreich lokalisiert wird. Andererseits ist die These vom Sturm und Drang als fortgeführter (Lukács) oder dynamisch gesteigerter (Werner Krauss) Aufklärung nur begrenzt brauchbar, da deren einseitig festgeschriebenes Aufklärungskonzept der Radikalität der ästhetischen wie weltanschaulichen Neuerungen des Sturm und Drang nicht ausreichend Rechnung trägt. Zwar hat die marxistische Forschung mit Recht die Bedeutung journalistischer Tagesschriftstellerei und politischer Lyrik in den siebziger Jahren herausgestellt (Schubart, Schlözer, Bürger, Voß), in denen in der Tat plebejische und radikal aufklärerische Tendenzen dominieren. Da in diesen Gattungen das gegen Adel und Hof gerichtete und an alltäglichen Auseinandersetzungen orientierte kämpferische Moment der zeitgenössischen literarischen Produktion sichtbar an der Oberfläche liegt, läßt sich hier noch am ehesten von fortgeführter und radikalisierter Aufklärung sprechen. Demgegenüber ist festzuhalten, daß die Kontinuitätsthese an Gattungen wie dem Drama oder an der Jugendlyrik Goethes zu Bruch kommen muß. Das Drama aber war die herausragende Gattung der Sturm-und-Drang-Periode und eignet sich deshalb besser als Roman, Lyrik oder Tagesschriftstellerei, den Gesamtcharakter der Bewegung zur Sprache zu bringen. Die These vom Sturm und Drang als Kritik der Aufklärung wird im Kommentarteil an den poetologischen und dramatischen Texten von Goethe und Herder, Lenz und Wagner, Klinger und Schiller entwickelt, ließe sich aber auch ohne weiteres an anderen Gattungen der zeitgenössischen Literaturproduktion durchführen.

Der Sturm und Drang ist trotz zahlreicher englischer und französischer Einflüsse ein im Verhältnis zur europäischen Literaturentwicklung gesehen einzigartiges Phänomen. Was sich in den sechziger und siebziger Jahren an Einflüssen akkumulierte – von Shaftesbury's Gedanken vom Künstler als zweitem Schöpfer zu Edward Youngs *Conjectures on Original Composition* (1759), von James Macphersons *Fragments of Ancient Poetry, collected in the Highlands* (1760–63,endgültige, vermehrte Fassung 1773), die unter dem Namen *Ossian* bekannt wurden, bis zu Thomas Percys *Reliques of Ancient English Poetry* (1765), von Diderots und Merciers Dramentheorien, Rousseaus Romanen *Emile ou de l'éducation* (1762) und *La Nouvelle Héloïse* (1761) bis zum säkularen Ausmaß der Shakespeare-Wirkung – trat in Deutschland in eine spezifische kulturelle und gesellschaftliche Konstellation ein, die um 1770 zu jenem explosionsartigen Ausbruch führte, der im westlichen Europa, wo die Aufklärung insgesamt stärker war, keine Parallele hat. Substanzielle Kritik an der historischen Aufklärung, verbunden mit tiefen Einsichten in die Schattenseiten rationaler Aufklärung überhaupt, konnte sich paradoxerweise gerade in Deutschland entfalten, da hier die Bedingungen für die praktische Verwirklichung von Aufklärung nicht gegeben waren. Im Gegensatz zu England war Aufklärung nicht mit einer zügig fortschreitenden Emanzipation des Bürgertums aus den Fesseln des Feudalismus und veralteter Produktionsverhältnisse verknüpft; und im Gegensatz zu Frankreich erlebte absolutistische Herrschaft in Deutschland seit 1720 eher einen Aufschwung als eine Krise. Gegenüber der u. a. von Leo Balet vertretenen These, daß der deutsche Absolutismus schon um die Mitte des 18. Jahrhunderts den Höhepunkt seiner Macht überschritten und sich mit der Macht des unternehmerischen und handeltreibenden Bürgertums im Gleichgewicht befunden hätte, sind wohl Zweifel angebracht. Diese Argumentation vernachlässigt nicht nur die großen regionalen Unterschiede innerhalb Deutschlands, sondern läuft in ihrer allzu unvermittelten Parallelisierung von Wirtschaft, Klassenbewußtsein und Literatur immer wieder auf die Theorie der »vorrevolutionären Lage« des deutschen Bürgertums hinaus. Das aber ist eine Sicht, in der Deutschland – ganz ähnlich wie bei der Kontinuitätsthese – zu nahe an westeuropäische Verhältnisse herangerückt wird. Gewiß, die Unzufriedenheit mit der gesellschaftlichen und wirtschaftlichen Lage war besonders in den siebziger Jahren allgemein; sozialgeschichtlich jedoch gibt es keinerlei Basis für die Behauptung einer vorrevolutionären Lage, eine Behauptung, die überdies nur dazu verleitet, die Schuldigen auszumachen, die die Weiterentwicklung von der vorrevolutionären zur revolutionären Lage verhindert haben. Wobei man dann nach bekannter Manier bei den Kleinbürgern und Intellektuellen landet.

Wie hätte die Lage in einem ökonomisch, politisch und kulturell derart zersplitterten Land, wie Deutschland es damals war, auch insgesamt vorrevolutionär sein können. Zahlreiche Positionen westlicher Aufklärung, die wie der französische Materialismus und Atheismus vorrevolutionär wirkten, wurden vom deutschen Bürgertum nie akzeptiert, oder sie wurden wie der englische Sensualismus nicht rezipiert, da sie sich mit dem abstrakten Denksystem der deutschen Aufklärung nicht vermitteln ließen. Wiederum andere Positionen westlicher Aufklärung waren in Deutschland durch Adel und Hof selbst besetzt und büßten somit ihren Gebrauchswert für den bürgerlichen Emanzipationskampf weitgehend ein. Man denke nur an Friedrichs II. Verhältnis zur französischen Aufklärung und ganz allgemein an das Konzept des aufgeklärten Absolutismus, das selbst in der bürgerlichen Literaturwissenschaft späterer Zeiten noch zahlreiche Fürsprecher fand. Die weitgehend ungebrochene Macht des deutschen Absolutismus förderte einerseits die für Deutschland typische Ausprägung des Adelskompromisses, wobei das Bürgertum mit Hilfe von Fürst und Adel zu erreichen suchte, was ihm aus eigener Kraft zu erreichen versagt blieb. Andererseits aber hatte gerade diese Konstellation schon sehr früh eine im zeitgenössischen England und in Frankreich kaum vorstellbar scharfe Kritik an der Aufklärung bewirkt, die nicht nur anti-höfisch, sondern schon in einem substantiellen Sinn anti-bürgerlich orientiert war. Gerade der deutlich empfundene und erlittene Mangel konkret praktischer Veränderungsmöglichkeiten auf der Basis der Vernunft ließ in Deutschland eine Literatur entstehen, deren beste Werke die deutsche Misere schonungslos offenlegten, oder aber von solcher Kritik her zum Entwurf eines alternativen Lebens fortschritten, zu einer bürgerlichen Vision einer Gesellschaft der Gleichen und Freien, die im 18. Jahrhundert Utopie, nicht legitimatorische Mystifikation war.

2. Zur Begriffsgeschichte

Wenn der Sturm und Drang hier unter dem Aspekt einer Kritik der Aufklärung vorgestellt wird, sind einige Anmerkungen zur Begriffsgeschichte unumgänglich. Der Begriff Aufklärung wurde im 18. Jahrhundert selbst noch nicht als Epochenbegriff benutzt, hatte auch keineswegs die zentrale Position inne, die ihm später von Historiographie und Literaturgeschichtsschreibung zugeschrieben wurde. Häufig gebrauchte Parallelbegriffe waren Kultur, Bildung, Zivilisation, Wissenschaft, Philosophie, Erziehung. Die bekanntesten deutschen Definitionen von Aufklärung, die Mendelssohns und die Kants, wurden erst im Jahre 1784, also in der Abschlußphase des Sturm und Drang, in der *Berlinischen Monatsschrift* veröffentlicht. Einer der ersten Versuche, die Aufklärung historisch festzulegen, setzte den Beginn der Periode der Aufklärung erst nach der »Periode des Genies und der Phantasie« an.[1] Da kann es dann auch nicht überraschen, wenn sich im Jahre 1780 ein Definitionsversuch nachweisen läßt, in dem Aufklärung direkt mit der Gefühlskultur jener Jahre verknüpft wird und nicht nur als Erleuchtung des Verstandes, sondern auch als Erwärmung des Herzens bezeichnet wird.[2] Überhaupt lassen sich zeitgenössische Definitionen – auch die Mendelssohns und Kants – nicht auf einen Nenner bringen. Zwischen Erkenntnistheoretikern und Pädagogen, Moralisten und Rationalisten bestanden größte Meinungsverschiedenheiten.

Festzuhalten bleibt hier zweierlei: erstens richtet sich die Kritik der Stürmer und Dränger nicht gegen die Aufklärung als gegen eine historische oder gar abgeschlossene Epoche, die es zu überwinden gälte. Zweitens war der allgemeine Begriff Aufklärung um 1770 noch viel zu amorph und vieldeutig, als daß man behaupten könnte, der Sturm und Drang sei eine Kritik *der* Aufklärung. *Die* Aufklärung gab es ebensowenig wie es *das* Bürgertum gab. Was der Sturm und Drang angriff und zu überwinden suchte, waren bestimmte mit Aufklärung verknüpfte geistige und gesamtgesellschaftliche Tendenzen der Zeit, wie sie sich in Deutschland ausgeprägt hatten. Ohne Frage hielten die Stürmer und Dränger am klassenspezifischen emanzipatorischen Interesse des Zeitalters fest, aber gerade der unter den drückenden deutschen Verhältnissen nur schleppende Fortschritt der Emanzipation sowie der Mangel an praktisch politischen Betätigungsmöglichkeiten ließen die Schattenseiten der Aufklärung deutlicher ins Bewußtsein treten, als es etwa bei den im politischen Tageskampf stärker gebundenen französischen Intellektuellen denkbar war. So bildeten die Stürmer und Dränger nicht trotz, sondern auf Grund ihrer Lebenserfahrungen mit der deutschen Wirklichkeit ein frühes Verständnis dessen aus, was Max Weber sehr viel später als Entzauberung der Welt bezeichnet hat und was bei Adorno und Horkheimer unter dem Signum von instrumenteller Vernunft und Herrschaftswissen als Dialektik der Aufklärung dem Verdikt der Barbarei anheimfällt. Ebenso wie Adorno jedoch an einem substantiellen Begriff von Wahrheit und Vernunft festhielt, so richtete sich die Kritik der Stürmer und Dränger nicht gegen Vernunft per se, sondern nur gegen ein einseitiges auf Ratio allein gegründetes Menschenbild, zumal wenn dabei der engstirnige in Deutschland dominierende Rationalismus der Wolffschen Schule den Bezugspunkt bildete. Die Stürmer und Dränger begriffen, wenn auch oft nur diffus und ansatzweise, daß die Befreiung von Autorität im Zeichen bürgerlicher Ratio zu neuer Unterordnung bzw. zu perpetuierter Unfreiheit führte.

So hat das hier vorgeschlagene Konzept vom Sturm und Drang als Kritik der Aufklärung einen doppelten Vorzug. Einerseits verdeutlicht es die Verbundenheit des Sturm und Drang mit der zeitgenössischen aufklärerischen Kritik. Wobei Kritik sich jetzt freilich nicht mehr nur gegen traditionelle Autoritäten, Lehren, Bindungen, Konventionen und Institutionen wendet, sondern gegen die neue Autorität der Aufklärung, der Herrschaft der Ratio selbst. Zum anderen verweist der Begriff, der hier in einem historisch spezifischen Kontext gebraucht wird, auf eine bis heute nicht abgegoltene Problematik, die jeglicher Aufklärung inhärent zu sein scheint. Gemeint ist der Umschlag von Aufklärung in Dogma und Herrschaft, von Befreiung in Unterdrückung, über die hinauszudenken Aufgabe jeglicher »aufklärerischer« Kritik bleibt. Die Bedeutung des Sturm und Drang liegt in eben solch einem Hinausdenken, im Erstellen eines utopischen Entwurfs, in den allerdings infolge seiner Verwurzelung in der deutschen Wirklichkeit der siebziger und achtziger Jahre pathologische Züge tief und deutlich eingeschrieben sind. Das Scheitern des Sturm und Drang erklärt sich dann letztlich aus dem kaum durchhaltbaren Widerspruch, Aufklärung radikal kritisieren und gleichzeitig an ihren radikalisierten Idealen festhalten zu müssen; aus dem intensiv erlebten Gefühl, die Rechte des Individuums gegen die Zwänge der Gesellschaft einklagen zu müssen und der Unmöglichkeit, diese Naturrechte des Individuums innerhalb der höfisch-bürgerlichen Gesellschaft verwirklichen zu können.

3. Abdrängung von Arbeitskraft und literarische Eruption

Dieser Widerspruch nun wurde von den jungen Sturm-und-Drang-Rebellen sehr viel intensiver empfunden, ja erlitten als von den akademisch und publizistisch etablierten Vertretern etwa der Berliner Aufklärung eines Ramler oder Nicolai. Um zu verstehen, wie es zur Eruption der siebziger Jahre kam, ist konkret an der gesellschaftlichen Lage der Intellektuellen anzusetzen, die Träger der neuen Gefühlskultur waren. Wie überhaupt kam es dazu, daß die Stürmer und Dränger über das Theater so redeten, als machten sie die Revolution? Wieso wurde gerade das Drama zur Ausdrucksform der Erneuerung des Menschen? Warum wurde die Bühne zum Ausgangspunkt des angestrebten Aufbruchs, zum Zeichen einer Zeitenwende, die thematisch in Goethes *Götz* ihren prägnantesten, wenn auch nicht unproblematischen Ausdruck erhielt? Wie ist die im Vergleich zu Frankreich, wo das politische und philosophische Schrifttum dominierte, so bedeutsame Verschiebung kreativer Energien ins Literarische zu erklären? Die Tatsache, daß sich die Kritik an der deutschen Aufklärung fast ausschließlich im

Bereich der schönen Literatur niederschlug (wobei Drama und essayistische Abhandlung im Zentrum standen), ist eben nicht als »bloß literarisch« abzutun, sondern aus konkreten, auch und gerade ökonomischen Verhältnissen zu erläutern.

Unter den deutschen Intellektuellen gab es seit den sechziger Jahren einen vorrevolutionären Erwartungshorizont, was durchaus nicht dasselbe ist wie eine vorrevolutionäre Lage. Dieser Erwartungshorizont war geprägt durch ein intensives Interesse an kulturellen Erscheinungen des nachrevolutionären England, durch die verstärkte Rezeption der französischen Aufklärung, besonders Rousseaus, Diderots und Merciers, und durch das durchdringende Gefühl einer sich auch in Deutschland anbahnenden Zeitenwende. Es entwickelte sich so etwas wie eine objektive Emanzipationsphantasie, die sich in Deutschland jedoch keinen materiellen Ausdruck verschaffen konnte. Die Gründe dafür waren vielfältig. Die bürgerlichen Intellektuellen lebten zumeist weit voneinander entfernt und waren regional sehr unterschiedlichen geistigen und politischen Einflüssen ausgesetzt. Die kulturelle Lage Rigas (Herder) war von der Frankfurts (Goethe, Klinger) ebenso verschieden wie letztere vom aufgeklärt schwäbischen Pietismus Württembergs (Schubart, Schiller). Noch die prekären und lockeren Gruppenbildungen von Intellektuellen in Straßburg und in Frankfurt um Goethe, Herder und Merck legen Zeugnis davon ab, wie schwierig es im damaligen Deutschland war, eine avantgardistisch emanzipatorische Bewegung zu initiieren. Noch stärker aber schlug die Tatsache zu Buche, daß sich bürgerlichen Intellektuellen kaum Chancen boten, im Verwaltungs- und Staatsapparat einflußreiche Positionen zu besetzen. Ausnahmen bestätigen hier nur die Regel. Im Gegensatz zu Frankreich, wo bürgerliche Verwaltungsbeamte dem Adel Machtpositionen abgerungen hatten, waren in Deutschland die wichtigsten Stellen in Staat und Verwaltung durchweg von Adligen besetzt. Die Zersplitterung des Reichs, die ungebrochene Macht der Fürsten und des Adels, die beharrenden Kräfte in Reichsstädten, Zünften und veraltenden Institutionen (man denke nur an Goethes Erfahrungen mit dem Reichskammergericht in Wetzlar) standen einer selbst ansatzweisen Verwirklichung emanzipatorischer Phantasien im Wege. Goethes Scheitern in Weimar ist dafür nur das herausragende Beispiel. Ebenfalls zu erwähnen sind hier Lenz' unrealisierbare Reformpläne zum Thema Soldatenehe, Klingers Emigration in russische Dienste, Maler Müllers Exil in Rom und der Abstieg Herders vom Höhenflug seines breit angelegten Kulturentwurfs im Journal der Seereise in die Niederungen seiner Bückeburger Existenz. Der Prozeß materieller und gesellschaftlicher Produktion war insgesamt in Deutschland so unterentwickelt, daß er den Schub sich akkumulierender intellektueller Energien, die größtenteils von der Aufklärung in Gang gesetzt worden waren, nicht absorbieren konnte. Die auf den Siebenjährigen Krieg (1756–63) folgende Wirtschaftskrise sowie die große Hungersnot anfangs der siebziger Jahre machten deutlich, daß von der deutschen Aufklärung, schwach wie sie war, nicht viel erwartet werden konnte. So ist es auch kulturgeographisch bedeutsam, daß sich der Sturm und Drang fern von den Zentren der Aufklärung etablierte: weder im sächsischen Leipzig, der Stadt Gottscheds, Gellerts und der Buchmessen, noch im prosperierenden Hamburg, der Stadt einer bedeutsamen Lesekultur und des ersten durch Lessing berühmten Versuchs, ein deutsches Nationaltheater zu etablieren, noch auch im preußischen Berlin, der Stadt friderizianischer Aufklärung. Konzentriert im südwestdeutschen Raum – in Goethes und Klingers Geburtsstadt Frankfurt, der französischen Garnisons- und Universitätsstadt Straßburg und der vom regierenden Fürsten verlassenen Residenzstadt Mannheim – war der Sturm und Drang auch geographisch bewußt auf Abgrenzung von der deutschen Aufklärung bedacht. Weniger noch als Leipzig, Hamburg oder Berlin boten diese Städte begründete Aussichten auf gesellschaftlich und politisch relevante Tätigkeiten. Alle Energien, alle Arbeitskraft und schöpferische Phantasie dieser jungen Intellektuellen des Sturm und Drang wurden somit in den Bereich der schönen Literatur abgedrängt.

Dies geschah zu einer Zeit, in der die schöne Literatur auch rein quantitativ die Bedeutung der religiösen und moralisierenden Literatur der frühen Aufklärung zusehends überflügelte. Daß im Sturm und Drang das Drama die Führung übernahm, hängt vor allem damit zusammen, daß diese Gattung dank Lessing schon auf der Höhe der Zeit stand, was trotz Wieland und Klopstock von Roman und Lyrik nicht behauptet werden kann. Auch das Potential des Theaters, durch Darstellung bürgerlicher Werte, Haltungen und Interessen eine bürgerliche Öffentlichkeit zu fördern, spielte eine wesentliche Rolle. Dem widerspricht durchaus nicht, daß viele Stücke der Stürmer und Dränger damals gar nicht oder nur verspätet (und dann oft in entstellter Form wie

Wagners *Kindermörderin*) auf die Bühne gelangten. Schon im Falle von Lessings Tätigkeit als Dramaturg in Hamburg hatten anfängliche Hoffnungen die Realisierungsmöglichkeiten weit übertroffen. Begünstigt wurden die Hoffnungen der Stürmer und Dränger gewiß durch die seit Ende der sechziger Jahre sprunghafte Entwicklung des literarischen Marktes und des Lesepublikums. Der Markt schien den Intellektuellen die Möglichkeit zu bieten, aus ihren oft drückenden Stellungen als Hofmeister und Theologen, Beamte und Pfarrer auszubrechen und sich als freie Schriftsteller zu etablieren. Die häufigen Klagen der Autoren über Verleger, unautorisierte Nachdrucke und finanzielle Schwierigkeiten können nicht darüber hinwegtäuschen, daß man die Möglichkeiten des literarischen Marktes zunächst überschätzte. Sie belegen es geradezu. Zu fragen wäre hier jedoch, ob das Scheitern des Sturm und Drang, das so oft unzulänglich aus dem Verpuffen pubertärer Energien abgeleitet wurde, nicht adäquater durch Einbeziehung literatursoziologischer Aspekte zu erklären ist. Zu untersuchen bleibt, inwieweit das Versiegen der Produktivität so vieler Stürmer und Dränger wesentlich von dem Widerspruch zwischen Erwartung und Realität des literarischen Marktes, zwischen Hoffnung auf und Enttäuschung durch die Interessen des Lesepublikums bestimmt war. Abgesehen einmal von dem Erfolg von Goethes *Götz* und *Werther* gelang es dem Sturm und Drang trotz bester Intentionen nicht, eine breite zeitgenössische Öffentlichkeit aller Stände anzusprechen. Dies verbindet ihn avant la lettre mit zahlreichen avantgardistischen Kunstströmungen seit der Französischen Revolution.

Bei den gegebenen deutschen Verhältnissen kann eine solche Abdrängung intellektueller Arbeitskraft und Kreativität in den kulturellen, speziell literarischen, Bereich kaum überraschen. Schon die deutschen Aufklärer schrieben und dachten ja mehr, als daß es ihnen gelungen wäre, ihre Ideen zu verwirklichen. Nur teilte der Sturm und Drang nicht mehr den optimistischen Glauben an die Macht der Vernunft, für richtig Erkanntes auch in Realität umsetzen zu können, ein Glaube, der für die Aufklärung zumindest der Gottsched- und der Gellert-Periode durchweg charakteristisch war. Die Erfahrung andauernden Zwiespalts zwischen Denken und Tun, emanzipatorischer Phantasie und gedrückter Lebenswirklichkeit produzierte einen eruptiv sich Luft machenden Tätigkeitsdrang, der bei den stagnierenden

Verhältnissen schließlich auf sich selbst zurückschlagen mußte. Besonders die Stücke Klingers bringen die pathologische Seite eines Verbal- und Sexualaktivismus zum Ausdruck, der sich letztlich zerstörerisch gegen den auf Tat und Handlung drängenden Helden wendet. Dennoch ist die ins Literarische abgedrängte Kreativität der Stürmer und Dränger nicht einfach krankhaft oder kompensatorisch, von Eskapismus ganz zu schweigen. Die besten Werke der Zeit sind ein Resultat eben dieser Verdrängung von Arbeitskraft und der damit notwendig sich ergebenden Konzentration auf die Utopie eines alternativen Lebens. Das schon im Aufbruch erreichte Niveau Herders und Goethes, Lenz' und Schillers, und die dramatischen Leistungen Leisewitz' und Klingers, Wagners und Maler Müllers wären ohne eine solche Konzentration aller Energien aufs Literarische gar nicht möglich gewesen. Es bleibt künftigen Untersuchungen vorbehalten, das, was hier als Abdrängung von intellektueller Arbeitskraft bezeichnet wurde, in sozialgeschichtlichem Kontext an exemplarischen Lebensläufen zu dokumentieren und von daher auch die Relationen von Biographie, Sozialgeschichte und literarischem Text neu zu definieren.

4. Individualität und allgemeine Menschlichkeit

Der Sturm und Drang hatte die historisch wichtige Funktion, die Identitätsbildung des deutschen Bürgertums über kleinstaatliche Grenzen hinweg zu fördern; gleichzeitig wollte er das in der Aufklärung vorherrschende Konzept allgemeiner Menschlichkeit durch eine stärkere Betonung des Individuellen kritisieren und erweitern.
Infolge der politischen und ökonomischen Zerrissenheit des Landes überlagerte das Bedürfnis nach nationaler Identität und nach allgemeiner Menschlichkeit häufig das spezifischere Interesse des Bürgertums an Klassenidentität, für das weder die ökonomischen noch die machtpolitischen Voraussetzungen gegeben waren. Deshalb auch das Bemühen um eine nationale Bühne, die den Bildungsauftrag der gesamten Nation, aller Stände, zu erfüllen hätte. Der Vergleich mit Frankreich ist hier aufschlußreich. Dem französischen Bürgertum wurde nationale Identität schon vom absolutistischen Staat zur Verfügung gestellt. In diesem Rahmen konnte das französische Bürgertum seine Klasseninteressen als spezifische Interessen gegen den schon unter Lud-

wig XIV. entmachteten Landadel sowie gegen den dekorativ-parasitären Hofadel direkt vertreten und sowohl philosophisch-literarisch wie politisch erfolgreich zum Ausdruck bringen. Die Konzentration nationaler Macht in Paris machte das Ancien Régime, das sich seit 1720 von Krise zu Krise fortschleppte, überdies für einen Frontalangriff besonders anfällig. All dies war in Deutschland anders: weder gab es eine die abgestandenen Verhältnisse zur Gärung bringende Hauptstadt, noch auch gab es ein im Nationalen verankertes selbstbewußtes Bürgertum, dessen Kapitalbildung der merkantilistische Staatsapparat des Absolutismus gefördert hätte. Auch die Förderung von Manufakturen und die merkantilistische Wirtschaftspolitik Friedrichs des Großen können nicht als Äquivalent gelten, da sie sozialgeschichtlich in einem ganz anderen Kontext verankert waren als der französische Merkantilismus seit Colbert. Unter Friedrich dem Großen wurde nämlich der unter seinem Vorgänger Friedrich Wilhelm I. teilweise entmachtete Landadel wieder in seine alten Rechte eingesetzt, und Manufakturen dienten vor allem der Luxuswarenproduktion (Porzellan) oder der Heeresversorgung. Das Bürgertum blieb hier weitgehend einflußlos. Und auch in den westlichen Territorien, in denen der Hofadel die einflußreichen Positionen in Verwaltung und Staatsapparat innehielt, standen die Dinge nicht viel besser.
Die dominante Stoßrichtung der bürgerlichen Literatur gegen den höfischen Adel nun brachte es vor allem im westlichen Deutschland mit sich, daß Vertreter des seine Güter bewirtschaftenden Landadels oder andere anti-höfische Adlige gelegentlich als Bundesgenossen bürgerlicher Interessen angerufen wurden. Man denke nur an Odoardo Galotti oder den Grafen Appiani bei Lessing, an Götz und Egmont bei Goethe oder an das patriarchalische Familienidyll in Leisewitz' *Julius von Tarent*, wo der Adel sich einen bürgerlichen Verhaltenscode und Tugendkanon angeeignet hat und eher nach dem Prinzip bürgerlicher Privatheit als nach den Regeln repräsentativer Öffentlichkeit handelt. Dem entgegen steht andererseits die sozialgeschichtlich ebenso gültige Darstellung feudalen Herrschergebarens in Klingers *Zwillingen* sowie dümmlicher Borniertheit des Landadels in Lenz' *Hofmeister*. Abgesehen einmal von Unterschieden in der Rolle des Landadels in Ostelbien und in den westlichen Territorien, die nicht geleugnet werden sollen, ist die Verbürgerlichung des Adels im 18. Jahrhundert durchweg Ausnahme. Die

relative Häufigkeit verbürgerlichter Adliger in der Literatur zeugt eher von dem subjektiven Bedürfnis bürgerlicher Intellektueller nach einer tragfähigen anti-höfischen Allianz als von sozialgeschichtlich relevanten Verschiebungen.

Aber selbst wenn die Verbürgerlichung der Kultur- und Kommunikationsformen im 18. Jahrhundert auch größere Teile des Adels affiziert hätte, wäre doch nicht daran zu zweifeln, daß das Bedürfnis nach nationaler Identität sowie die aufklärerische Betonung allgemeiner Menschlichkeit in bürgerlichem Klasseninteresse verwurzelt und nicht als klassentranszendent anzusehen sind. Die dominierende Betonung des Allgemein-Menschlichen ist dabei in doppelter Weise Ausdruck der Schwäche des deutschen Bürgertums. Da es keine ausgebildete sozio-ökonomische Basis für ein spezifisch bürgerliches Klasseninteresse gab, kam in Deutschland das Konzept allgemeiner Menschlichkeit zu tragender Bedeutung, ein Konzept, das dem abstrakt totalisierenden Denken der deutschen Aufklärung entsprach und unter deutschen Bedingungen fast zwangsläufig zum Adelskompromiß führen mußte. Darüber hinaus konnte das Allgemein-Menschliche in christlichem Sinne ausgelegt werden: Vernunft und Offenbarung erscheinen im Gedanken der Gleichheit aller Menschen vor Gott miteinander versöhnt. Dies war insofern wichtig, als die deutsche Aufklärung stärker als die französische traditioneller Religiosität verpflichtet blieb, die besonders im deutschen Kleinbürgertum ungebrochen fortlebte. Es versteht sich von selbst, daß der Gedanke der Gleichheit vor Gott in Verbindung mit protestantisch-lutherischer Obrigkeitshörigkeit kaum in Richtung politischer Veränderung wirksam werden konnte. Das Konzept des Allgemein-Menschlichen, das in Lessings Dramaturgie in der Theorie der sich fühlenden Menschlichkeit seinen literarisch bedeutendsten Ausdruck fand, entsprach somit den Entstehungsbedingungen der deutschen Aufklärung. Der Gedanke anthropologischer Gleichheit setzte sich nicht direkt um in politische Egalitätsforderungen, sondern prägte sich vornehmlich im ästhetischen und moralischen Bereich aus. Gleichzeitig jedoch schien dieses Konzept sich zur Identitätsbildung der Nation unter bürgerlichen Vorzeichen gut zu eignen und markiert somit das, was man als bürgerliche Vision einer klassenlosen Gesellschaft bezeichnen könnte, eine Vision, die noch die Humanitätsphilosophie Herders und der deutschen Klassik bestimmte.

Die Kritik des Sturm und Drang am aufklärerischen Konzept

allgemeiner Menschlichkeit manifestiert sich nicht zuletzt in Lenz' Ablehnung von Lessings Mitleidstheorie und in Schillers grundsätzlichem Zweifel an der individuell moralischen Wirkungsmöglichkeit der Schaubühne.[3] Lessing selbst schon hatte das Abgleiten sich fühlender Menschlichkeit in bloße Empfindelei und Selbstgenuß kritisiert. Der Sturm und Drang jedoch attackierte nicht nur die Entartungserscheinung, sondern die abstrakten Grundlagen des Konzepts selbst. Gegenüber dem Allgemein-Menschlichen machte der Sturm und Drang das Partikular-Menschliche geltend – die Individualität des einzelnen Menschen, seine Sinnlichkeit, die Totalität von Herz und Kopf, von Vernunft, Phantasie und Gefühl. Die Radikalität dieser Kritik am Allgemein-Menschlichen läßt sich in den verschiedensten Bereichen fassen – im Wandel der Naturrechtslehre ebenso wie in der Verschiebung von einer normativen Gattungspoetik zum Originalitätskonzept, im Geniekult ebenso wie in der sich wandelnden Charakterdarstellung im Drama, in der Forderung nach Kunstautonomie ebenso wie in einem neuen Geschichtsverständnis.

Stark wirkten der angelsächsische Sensualismus und Rousseaus Naturrechtslehre in Deutschland, wo Moral und Sittlichkeit der Wolffschen Schulphilosophie gemäß abstrakt deduziert wurden und wo die bürgerliche Naturrechtstradition in die traditionelle Staatsrechtslehre eingebunden blieb. Sowohl Pufendorf als auch Christian Wolff, zwei der bedeutendsten Theoretiker der deutschen Aufklärung, stellten das allgemeine Staatsinteresse über individuelle Freiheit und trugen somit dazu bei, den absolutistischen Staatszwang naturrechtlich zu legitimieren. Die Abstraktheit der Moralphilosophie und der Legitimationscharakter der deutschen Aufklärung vor Lessing waren Vorbedingung für die Eruption des Sturm und Drang. Die Abdrängung kreativer Energien, die sich bei schwindendem Aufklärungsoptimismus immer schärfer ins Bewußtsein prägte, sowie das Leiden an einer als drückend empfundenen und keineswegs vernünftig organisierbaren Alltagswirklichkeit mußte die jungen Rebellen empfänglich machen für eine Naturrechtslehre, die immer auch auf das Individuum in seiner sinnlichen Ausdehnung abzielte, und für eine Moralphilosophie, die wie die englische auf Sinnlichkeit und Erfahrung gegründet war. Die aufs allgemeine Wohl des Staates statt auf individuelle Freiheit ausgerichtete Staats- und Naturrechtslehre sowie die rein rationalistisch deduzierende Moralphilosophie der deutschen Aufklärung ließen die Stürmer und Dränger etwas von der rationalistischen, individuelle Lebensäußerungen unterdrückenden Arbeitsteilung der Sinne ahnen, die als Prinzip der kapitalistischen Produktionsweise zugrunde liegt, damals aber in Deutschland weniger im Produktionsbereich als vielmehr im Kommunikationsbereich sichtbar wurde. Gerade die Abgetrenntheit der deutschen Aufklärungsphilosophie vom Produktionsprozeß und von politischer Praxis, ihr Mangel an konkret verarbeiteter Sinnlichkeit und Erfahrung trieb die radikale Aufklärungskritik des Sturm und Drang hervor. Ziel des Sturm und Drang war es, jene Arbeitsteilung der Sinne zu überwinden, auf der die deutsche Aufklärungstheorie beruhte und die sich in der gesellschaftlichen Realität erst in den folgenden Jahrhunderten mit voller Wucht entfalten sollte. Ihre Lebens- und Alltagserfahrungen stießen die Stürmer und Dränger nicht auf allgemeine Menschlichkeit, sondern auf individuell erlittenes Unrecht, auf Unterdrückung, auf äußerliche und internalisierte Zwänge. Emphatisch machten sie die Rechte und das Potential des individuellen Menschen gegen eine abstrakte Ratio geltend, ohne dabei zunächst absehen zu können, wie eine Gesellschaftsordnung aussehen müßte, in der Individuum und Allgemeinheit nicht in unversöhnlichem Gegensatz zueinander ständen. Gerade ihr Individualitätsanspruch ließ politische Denker des Sturm und Drang wie F. C. von Moser und Justus Möser immer wieder in eine Verherrlichung veralteter ständischer Gesellschaftsstrukturen zurückfallen und führte in der Literatur, etwa im *Götz, Egmont* oder *Werther*, zu Gemeinschaftsidyllen, die der Realität des 18. Jahrhunderts längst nicht mehr entsprachen. Die sich in solchen Gemeinschaftsidyllen niederschlagende Vorstellung von einem alternativen Leben sind aber nicht einfach reaktionär, sondern enthalten gerade in ihrer Verklärung des Vergangenen die Antizipation einer besseren Zukunft. Was die Stürmer und Dränger erfaßten, war die Abstraktheit und Einseitigkeit eines für individuell menschliche Praxis blinden Rationalismus, der die aufklärerische Theorie in Deutschland bestimmte, lange bevor er auch den Produktionsprozeß beherrschte. Die Kritik des Sturm und Drang an Aufklärung ist heute gerade deshalb so relevant, weil es sich nicht nur um eine interne Auseinandersetzung im 18. Jahrhundert handelt, sondern um eine Kritik, die weit über das 18. Jahrhundert hinaus Geltung beanspruchen darf, wenn auch in einem Sinne, den die

Stürmer und Dränger noch gar nicht voll erfassen konnten. Paradoxerweise war ihr Individualitätsanspruch ja zugleich Ausdruck ihrer Kritik an der Aufklärung wie theoretisches Resultat des mit der Aufklärung Hand in Hand gehenden Geschichtsprozesses, der die Freisetzung von Individualität aus den feudalen Abhängigkeitsverhältnissen erforderte. Gerade weil die Stürmer und Dränger die Gebundenheit ihres Individualitätsanspruchs an die sich entwickelnden kapitalistischen Produktionsverhältnisse noch gar nicht erkennen konnten, förderte ihre Aufklärungskritik den Emanzipationsprozeß des Bürgertums und hielt diesem zugleich ein kritisch utopisches Gegenbild vor – das Bild des allseitig entwickelten und harmonischen Individuums.

5. Das Individualitätsprinzip in der Ästhetik: Genie, Originalität und Autonomie der Kunst

Der Geltungsanspruch des Individuums und die Forderung uneingeschränkter Entfaltung der Persönlichkeit verschafften sich im Sturm und Drang ihren emphatischsten und gültigsten Ausdruck in Ästhetik und Dichtung. Dabei weist der ästhetische Zentralbegriff Genie – verbunden mit der Originalitäts- und Autonomieforderung – weit über den Bereich der Kunst hinaus und zielt ab auf ein neues, ständische Grenzen und traditionelle Einschränkungen jeglicher Art radikal aufbrechendes Lebensverständnis. Ziel ist der ganzheitliche Mensch, die schöpferisch tätige, allseitige Persönlichkeit. Daß es hier nicht einfach um das elitäre Konzept des Ausnahme-Menschen geht, sondern daß Veranlagung zum Genie allen Menschen zugeschrieben wird, läßt sich aus Herders Schrift *Vom Erkennen und Empfinden der menschlichen Seele* deutlich ablesen: »Das Genie schläft im Menschen, wie der Baum im Keime: es ist das einzeln bestimmte Maß der Innigkeit und Ausbreitung aller Erkennungs- und Empfindungsvermögen *dieses* Menschen, wie es auch der Name sagt, seine Lebenskraft und *Art.*«[4] In einem weiteren europäischen Kontext läßt sich dieses Konzept des allseitig entwickelten Menschen mit Marx als »heroische Illusion« des auf Emanzipation drängenden Bürgertums deuten. Wichtiger im Kontext der siebziger Jahre in Deutschland jedoch ist die implizierte Kritik an der Aufklärung, die in der Herderschen Anerkennung der Gleichberechtigung von Erkennen und Empfinden steckt. Herder überwindet damit die aufklärerische Hierarchie von oberen und un-

teren Seelenkräften, der im sozialen Bereich die Trennung in Gebildete und Ungebildete entsprach. Insofern ist Kritik der Aufklärung auch hier Voraussetzung für die demokratische Genie-Utopie der Stürmer und Dränger.
In der gesellschaftlichen Realität blieb Genie in Deutschland jedoch auf den literarisch künstlerischen Bereich beschränkt, eine historische Tatsache, die sich dann in Kants berühmter Genie-Definition von 1789 auch philosophisch niederschlug. Die Trennung von Kunst und Leben, die für die Genie-Diskussion seit Kant bestimmend wurde und die man so oft in den Sturm und Drang rückprojizierte (Eskapismus-These), ist in der Genie-Utopie Herders und Goethes nicht angelegt, wohl aber in der realen gesellschaftlichen Lage Deutschlands seit den siebziger Jahren. Nur in diesem Sinne läßt sich sagen, daß die moderne Kunst-Leben-Aporie in der Tat vom Sturm und Drang ihren Ausgang nimmt.
Im Sturm und Drang wurde das vormals durch die Nachahmungsästhetik geregelte Verhältnis von Kunst und Wirklichkeit erstmals gesprengt. Das Genie wurde zum Garanten der angestrebten Authentizität von Leben und Kunst; im Genie verkörperte sich das Ideal einer Einheit von Leben und Kunst, das der Nachahmungsästhetik fremd gewesen war. Daß derartiger Authentizität in der Lebenswirklichkeit engste Grenzen gesetzt waren, wußten die Stürmer und Dränger nur allzu gut. Dieses Bewußtsein schrieb sich deutlich in die dramatischen Texte ein. Große Individuen, Selbsthelfer und Machtweiber kommen in den bevorzugten Gattungen der Tragödie und des bürgerlichen Trauerspiels durchweg zu Fall. Dramen, die das große Individuum ins Zentrum rücken, spielen zeitlich und räumlich meist in einer von der deutschen Gegenwart weit entfernten Sphäre (die meisten Stücke Klingers, Goethes *Götz, Urfaust* und *Egmont*, Schillers *Fiesko* und die Bühnenfassung der *Räuber*), während Gegenwartsstücke wie Lenz' Komödien oder Wagners Zeitstücke keine großen Individuen, sondern nur Gedrücktheit und Leiden einerseits, Borniertheit und Arroganz andererseits zur Darstellung bringen. Dieser scheinbare Gegensatz von individueller Größe (Vergangenheit) und gedrückter, determinierter Lebenswirklichkeit (Gegenwart) wird in Klingers *Zwillingen* auf einen gemeinsamen Nenner gebracht: Handeln und Nicht-Handeln, Größe und pathologische Verzerrung, Tatendrang und lähmende Melancholie sind hier dialektisch mitein-

ander vermittelt und verweisen indirekt und doch deutlich auf die pathologischen Gefährdungen des Sturm und Drang selbst. Auch bei der Diskussion des Individualitätsprinzips in Ästhetik und Dichtung ist ein übergreifender Gesichtspunkt geltend zu machen. Es charakterisiert ja die Entwicklung Deutschlands der letzten zwei Jahrhunderte insgesamt, daß der Individualitätsbegriff sich am entschiedensten im literarisch-kulturellen Bereich durchsetzte. Anders als im England schon des 17. Jahrhunderts und im Frankreich des 18. Jahrhunderts war der Gedanke individueller Rechte und Freiheiten nur marginal im ökonomischen und politischen Prozeß verwurzelt und wurde im Verlauf einer komplexen historischen Entwicklung, die hier nicht nachgezeichnet werden kann, zusehends in den Bereich der Innerlichkeit abgedrängt. Um es im Hinblick auf den Sturm und Drang thesenhaft zuzuspitzen: der Genielehre und dem Selbsthelfertum in der Literatur der Zeit entsprach in der gesellschaftlichen Realität kein selbstbewußtes, kapitalkräftiges Bürgertum, als dessen fortgeschrittenster ideologischer Ausdruck die Genielehre häufig angesehen wird. Der »Bürger Prometheus« blieb Mythos, und es ist sicher kein Zufall, daß Goethe sein geplantes Prometheus-Drama nicht vollendete. Die Abdrängung von Individualität und Kreativität in den Bereich des »Dichtens und Denkens« charakterisiert ja nicht nur den Sturm und Drang, sondern prägt auch die deutsche Klassik mit ihrem immerhin noch an antiker Polis orientierten utopischen Modell einer ästhetischen Erziehung des Menschen und die Romantik mit ihrer innerlichen Entgrenzung von Realität. In diesem Zusammenhang ist es durchaus sinnvoll, von einer Einheit der »Kunstperiode« (Heine) zu sprechen, wobei freilich nicht zu vergessen ist, daß sich hier kulturelle Haltungen ausbildeten, die über das Ende der Kunstperiode weit hinauswirkten. Die weniger glänzende Kehrseite der Medaille ist jene die Zeitenwende von 1776 und 1789 überdauernde Tradition von Obrigkeitsstaat und Untertanenmentalität, die sozialgeschichtlich nicht nur die Entwicklung des deutschen Bürgertums prägte, sondern auch den bürgerlichen Intellektuellen immer wieder Kompromisse aufnötigte, wenn sie nicht von vornherein das Exil vorzogen. Gerade hier wird deutlich, daß sich sozialgeschichtlich und kulturell nur mit Einschränkungen von der Verspätung Deutschlands gegenüber den westlichen Nationen sprechen läßt. Der Sturm und Drang schon legt offen, daß die Entwicklung des deutschen Bürgertums, seiner Wirtschafts-

weise und seines politischen Bewußtseins, seiner Kultur und Literatur qualitativ anders verlief als die Entwicklung des Bürgertums in Westeuropa. Der Sturm und Drang ist sowohl gültiger Ausdruck als auch erste radikale Kritik dieses Andersseins.
Es ist ebenso richtig wie unzulänglich zu sagen, daß sich in der Genielehre des Sturm und Drang das Emanzipationsstreben des deutschen Bürgertums Ausdruck verschaffe. Ebenfalls unzulänglich ist die Behauptung, der Geniekult sei nichts weiter als ein Kompensationsmechanismus, der der bürgerlichen Intelligenz dazu verholfen habe, sich im Bereich der Kunst ein Alibi für ihre Passivität und Wirkungslosigkeit in der Realität zu schaffen. Erst wenn man beide Behauptungen im Rahmen der oben skizzierten Abdrängungsthese zusammenschließt, läßt sich die Widersprüchlichkeit des Geniekonzepts im Sturm und Drang erfassen. Der Widerspruch liegt darin, daß sich im Genieverständnis etwa Herders und Goethes die Überzeugung von menschlicher Kreativität und Schaffenskraft ganz generell, d.h. über Standesgrenzen hinweg, kristallisierte, daß das von bürgerlichen Intellektuellen entwickelte Geniekonzept sich aber vornehmlich in dem Bereich ausprägte, in den kreative Energien und Emanzipationsphantasien dieser Intellektuellen abgedrängt wurden – in Literatur und Kritik. Diesen Widerspruch von vornherein festzuhalten ist insofern wichtig, als sich damit die von der George-Schule vertretene Sicht erledigt, derzufolge die Genielehre eine Art antidemokratischen und nietzscheanischen Elitekult habe begründen wollen.[5] Nachwirkungen dieser These, in der die gesamtgesellschaftliche Bedeutung des Sturm und Drang auf den Kopf gestellt wird, finden sich noch in Schneiders Sturm-und-Drang-Darstellung, in der die Stürmer und Dränger schlicht und falsch als »aristokratische Naturen«[6] bezeichnet werden. Andererseits verbietet die Abdrängungsthese auch die allzu umstandslose Ineinssetzung der Genielehre mit *der* Emanzipation *des* Bürgertums und verweist auf das Spannungsverhältnis nicht nur zwischen bürgerlich avantgardistischem Genie und dem noch im Ständischen verwurzelten Kleinbürgertum, sondern zwischen künstlerisch schaffendem Genie und instrumentell rational arbeitendem Bürger schlechthin. Handlung ist dem Sturm und Drang nicht identisch mit Handel. Tätigsein ist nicht dasselbe wie erwerbstätig sein. Künstlerische Produktion ist nicht identisch mit Mehrwertproduktion.
Die Geschichte des Geniebegriffs im 18. Jahrhundert ist außer-

ordentlich komplex und beginnt keineswegs mit dem Sturm und Drang. Wir müssen uns hier auf Wesentliches beschränken. Hält man sich nur an den Wortlaut zeitgenössischer Definitionen, so scheint der Abstand aufklärerischen Wortgebrauchs zu dem Herders oder Kants gar nicht so groß zu sein, abgesehen einmal von jenen klassizistischen Ästhetikern, die mit Batteux zwischen Genie und goût (Geschmack) keinerlei Unterschied machten und weiterhin nur von »Genie haben«, nicht aber von »Genie sein« sprachen. Häufig wurde Lessings Verdammung der Genie-Ästhetik im 96. Stück der *Hamburgischen Dramaturgie* bemüht, um einen absoluten Gegensatz zwischen Aufklärung und Sturm und Drang auch hinsichtlich der Geniekonzeption zu unterstellen. Übersehen wurde dabei zweierlei. Die abfälligen Bemerkungen von 1768 gegen jenes Geschlecht der Kritiker, »deren beste Kritik darin besteht, – alle Kritik verdächtig zu machen« [7], richteten sich spezifisch gegen Gerstenberg, nicht gegen den Sturm und Drang allgemein, dessen bedeutende Werke zu diesem Zeitpunkt auch noch gar nicht vorlagen. Zum zweiten vertritt Lessing in ebendiesem 96. Stück eine Geniekonzeption, die sich kaum von der des Sturm und Drang unterscheidet, wenn er sagt: »Nicht jeder Kunstrichter ist Genie: aber jedes Genie ist ein geborner Kunstrichter. Es hat die Probe aller Regeln in sich.«[8] Und schon im 34. Stück heißt es in einer Formulierung, der Herder kaum widersprechen könnte: »Dem Genie ist es vergönnt, tausend Dinge nicht zu wissen, die jeder Schulknabe weiß; nicht der erworbene Vorrat seines Gedächtnisses, sondern das was es aus sich selbst, aus seinem eigenen Gefühl, hervorzubringen vermag, macht seinen Reichtum aus.«[9] Die Gegensätze zwischen Lessing und dem Sturm und Drang sind eher in der unterschiedlichen Bewertung der aristotelischen Poetik und in der Bindung an bzw. Ablehnung normativer Gattungspoetik zu fassen als im jeweiligen Geniekonzept. Das ist auch insofern plausibel, als sowohl Lessing als auch Gerstenberg, Herder, Goethe und Lenz ihre Genieauffassungen vornehmlich aus ihrer Begegnung mit Shakespeares Werk gewannen.

Aber auch unter anderen Ästhetikern des 18. Jahrhunderts war die Vorstellung vom Genie als einer angeborenen Naturgabe nichts Außergewöhnliches. Baumgarten bezeichnete sie als »ingenium aestheticum connatum«, und Sulzer sah wie Herder im Genie eine natürliche Gabe. Herder selbst hat die Baumgarten-Sulzersche Definition einmal lobend hervorgehoben.[10] Der Unterschied zwischen Aufklärung und Sturm und Drang liegt anderswo. Für Aufklärer wie Lessing ist Genie zwar nicht mehr an eine mechanische Befolgung von Gattungsregeln gebunden, ist aber – und hier liegt der Unterschied zu Herder – von rational einsehbarer Gattungspoetik nicht zu trennen. Das Genie setzt und bestätigt die Norm; Genie und Gesetz befinden sich für Lessing in Übereinstimmung. Lessing nahm somit eine gewichtige Übergangsstellung ein zwischen normativem Klassizismus und Sturm und Drang, der erstmals in Deutschland die gesamte traditionelle normative Gattungspoetik in Frage stellte. Kants berühmte Definition des Geniebegriffs in der *Kritik der Urteilskraft* (1789) hat dann den Sturm und Drang schon verarbeitet und dabei den Geniebegriff in bezeichnender und folgenreicher Weise aufs Ästhetische eingeengt und im Ansatz fetischisiert. In § 46 der *Kritik der Urteilskraft* heißt es: »Genie ist das Talent (Naturgabe), welches der Kunst die Regel gibt. Da das Talent, als angebornes produktives Vermögen des Künstlers, selbst zur Natur gehört, so könnte man sich auch so ausdrücken: Genie ist die angeborne Gemütslage (ingenium), durch welche die Natur der Kunst die Regel gibt.«[11] Da das geniale Werk aus keiner Regel oder Vorschrift ableitbar ist, ist seine erste Eigenschaft Originalität. Diese Originalität freilich muß exemplarisch sein. Bloße Willkür oder originaler Unsinn sind nicht genial. Bis hierhin könnte Lessing wohl noch mit Kant übereinstimmen. Dann jedoch folgt eine dritte Bestimmung des Genialen, die aus Kants gegenüber der Aufklärung verändertem Verständnis der Beziehung zwischen Natur und Kunst resultiert und die Kant in der Tat dem Sturm und Drang anzunähern scheint. Er behauptet nämlich, daß das Genie, »wie es sein Produkt zu Stande bringe, selbst nicht beschreiben, oder wissenschaftlich anzeigen könne, sondern daß es als Natur die Regel gebe; und daher der Urheber eines Produkts, welches er seinem Genie verdankt, selbst nicht weiß, wie sich in ihm die Ideen dazu herbei finden, auch es nicht in seiner Gewalt hat, dergleichen nach Belieben oder planmäßig auszudenken«.[12] Das widerspricht nun eklatant Lessings These, daß jedes Genie auch ein geborener Kunstrichter sei, und es setzt die Ideologie von der »natürlich« organischen und unbewußten Genese des Kunstwerks in die Welt, die in der Folgezeit fälschlicherweise immer wieder dem Sturm und Drang insgesamt zugeschrieben wurde. Im Gegensatz zu Hamann, auf den solche Forschung sich oft berief, glaubte jedoch etwa Herder keineswegs, daß der künstlerische Schaffensprozeß unbewußt vor sich gehe. Gewiß ist bei den Stürmern und Drängern häufig von Eingebung, Inspiration, göttlicher Schöpferkraft die Rede, und gerade Herders Auffassungen sind oft uneinheitlich und diffus. Aber wie das Shakespeare-Verständnis der Stürmer und Dränger beweist, sahen sie künstlerisches Genie weder als nebelhaft unergründlich, noch auch als gesetzlos willkürlich, wie es spätere Attacken auf die Genieästhetik immer wieder suggerieren. Paradoxerweise entspricht Kants dritte Bestimmung des Genies einer populären Vorstellung vom Sturm und Drang eher als die Definitionen der Stürmer und Dränger selbst.

Die Auffassung des Sturm und Drang vom künstlerischen Genie kritisierte Normen, Regeln und oktroyierten Geschmack, widersetzte sich aber keineswegs per se ästhetischer Gesetzmäßigkeit. Im Gegenteil. In den Auseinandersetzungen mit Shakespeare, Lessing, Aristoteles und dem Theater der Griechen geht es immer um das Auffinden ästhetischer Gesetze. Nur hält man sich nicht mehr an die traditionell normative Poetik, sondern zielt ab auf die Herausbildung einer historischen Gattungspoetik, welche die real gesellschaftlichen, d. h. historisch variablen Grundlagen jeglicher künstlerischer Tätigkeit in Rechnung stellt.[13] Höchste Aufgabe des Genies ist es – und daran arbeiteten ob bewußt oder nicht alle Stürmer und Dränger –, der historisch gesellschaftlichen Lage ihren adäquaten künstlerischen Ausdruck zu verleihen. Der historische Abstand des griechischen Theaters vom elisabethanischen Drama wird erstmals erkannt, und Shakespeare steht nun gleichberechtigt neben Sophokles, gleichberechtigt nicht im normativen, sondern im historischen Sinn. Die auf den klassischen Vorbildern beruhende normative Gattungspoetik erwies sich in Deutschland als besonders hinderlich für die Herausbildung einer nationalen Kultur, die der Sturm und Drang als seine Aufgabe begriff. Sie verwies immer auch auf den dem bürgerlichen Emanzipationsanspruch im Wege stehenden französischen Klassizismus, der in Deutschland viel stärker als in Frankreich als Ausdruck höfisch-aristokratischer Kultur gesehen wurde. Schließlich bestimmten Imitationen französischer Kultur den deutschen Duodezabsolutismus in einem Maße, daß sich bürgerliches Nationalbewußtsein nur in bewußtem Gegenzug gegen einen solchen in Deutschland klassenspezifisch rezipierten Klassizismus bilden konnte.

In diesen Zusammenhang ist auch die These zu stellen, daß das Genie nicht mehr die Natur nachahmt, wie die traditionelle Poetik es wollte, sondern daß es selbst naturhafte Kraft ist. Nachahmung, sofern man überhaupt daran festhielt, betraf nicht mehr ›natura naturata‹ (geschaffene Natur), sondern vielmehr ›natura naturans‹ (schaffende Natur). Diese Sicht war in einer problematischen Ineinssetzung von Kunstwerk und natürlichem Organismus begründet, die zu Mystifizierungen führte, sobald das, was sie angriff, seine Wirkungskraft eingebüßt hatte. Der Naturbegriff des Sturm und Drang jedoch enthält, vermittelt vor allem durch Rousseaus *Discours*, ein gesellschaftskritisches Moment, welches garantiert, daß auch naturhafte Kunst in den gesamtgesellschaftlichen Kontext eingebunden bleibt. Die Lehre vom naturhaften Originalgenie richtet sich im Sturm und Drang kritisch gegen jegliche normative Poetik und gegen die mit solcher Poetik verflochtene Gesellschaftsordnung, was sich gut in Goethes polemischer Entgegensetzung der »charakteristischen« gegen die »polierte« Nation fassen läßt.[14]
Daß es im Sturm und Drang durchaus um ästhetische Regeln und Gesetze ging, beweisen Herders Schriften zur Genüge. Schon in den *Fragmenten über die neuere deutsche Literatur* heißt es scheinbar ganz in Lessings Sinn: »Genies, ihr müßt die Regeln durch euer Exempel gültig machen!«[15] Regel wird hier nicht mehr im Sinne der Gottschedschen *Critischen Dichtkunst* verstanden, denn was das Kunstschaffen anbelangt, hat das Genie Priorität, nicht aber die Regel. In den *Kritischen Wäldern* dann postuliert Herder die harmonische Übereinstimmung von Genie und Theorie: »Was in der Theorie wahrhaftig unwidersprechlich ist, [...] wird nie von einem Genie widerlegt werden, zumal wenn die Theorie in unseren unerkünstelten Empfindungen läge.«[16] Der Geniebegriff ermöglicht somit bei Herder nicht nur ein historisches, anti-normatives Verständnis künstlerischen Schaffens, sondern impliziert obendrein die Historizität aller Theorie. In seiner Preisschrift *Ursachen des gesunkenen Geschmacks bei den verschiedenen Völkern, da er geblühet* (1775) setzt Herder gar den konventionellen Geschmacksbegriff mit Genie in Verbindung. Geschmack ohne Genie ist ihm ein Unding, und er bezeichnet den Geschmack, den er von gekünstelter Geschmäcklerei geschieden wissen will, als »Steuerruder auf dem wüsten Meer des Zufalls« und fährt dann fort: »Daß jeder sich Bahn wählen und auf ihr mit Inbrunst streben könne, ist

Werk der Natur; daß er sich richtige Bahn wähle, und auf ihr zu edeln, erreichbaren, nutzenden Zwecken strebe, ist Werk des Versuchs und der Erfahrung.«[17] Man muß also nicht einmal Herders explizite Kritik an Übersteigerungen und Banalisierungen des Geniekults bemühen, die er in seiner Schrift *Vom Erkennen und Empfinden der menschlichen Seele* (1778) geltend machte, um zu sehen, daß dieser kunstverständige Kritiker dem Genie keine Lizenz auf Willkür, anarchische Gesetzlosigkeit und ungezügeltes Sich-Austoben erteilte.

Herders Auffassungen können auch in anderer Hinsicht als symptomatisch für den Sturm und Drang angesehen werden. Grenzen, Einschränkungen und Gefährdungen jeglichen Genies sind Herder voll bewußt. Der Theoretisiererei »von dem angeborenen Enthusiasmus, der heitern, immer strömenden und sich selbst belohnenden Quelle des Genies« hält er entgegen: »Der wahre Mensch Gottes fühlt mehr seine Schwächen und Grenzen, als daß er sich im Abgrund seiner ›positiven Kraft‹ mit Mond und Sonne bade.«[18] Herders säkulares Erweckungserlebnis auf der Seereise von Riga nach Nantes, das den Durchbruch seines eigenen Sturm und Drang markiert, ist nicht von fröhlichem Genieoptimismus begleitet, sondern von einer tiefen Identitätskrise: »Welch neue Denkart! aber sie kostet Thränen, Reue, Herauswindung aus dem Alten, Selbstverdammung!«[19] Ganz ähnlich Lenz' Feststellung in den *Anmerkungen übers Theater*, die freilich spezifischer auf die Wirkungsbedingungen von Literatur abzielt: »Wenn wir das Schicksal des Genies betrachten (ich rede von Schriftstellern) so ist es unter aller Erdensöhne ihrem das bängste, das traurigste.«[20] Der Lebensweg vieler Stürmer und Dränger entspricht in der Tat eher einer Genieauffassung, die vorrangig die gesellschaftliche und psychische Problematik genialen Schaffens betont. Zwar nicht im Hinblick auf den Sturm und Drang, aber doch hier besonders im Recht hat Adorno einmal gegen idealistische Genieverherrlichung eingewandt: »Die Produzenten bedeutender Kunstwerke sind keine Halbgötter sondern fehlbare, oft neurotische und beschädigte Menschen.«[21]

Widersprüche und Unsicherheiten in den Texten sowie neurotische Fixierungen und pathologische Übersteigerungen im Leben der Stürmer und Dränger müssen aus dem gesamtgesellschaftlichen Kontext erläutert werden. Schon Lessing beklagte 1754 in der Vorrede zu den Schriften seines im Elend verstorbenen Vetters Christlob Mylius das unglückliche Los des Genies in Deutschland: »Nehmen Sie an, mein Herr, daß ein solches Genie in einem gewissen Stande geboren wird, der, ich will nicht sagen, der elendeste, sondern nur zu mittelmäßig ist, als daß er noch zu der sogenannten güldnen Mittelmäßigkeit zu rechnen wäre. Und Sie wissen wohl, die Natur hat ein Wohlgefallen daran, aus eben diesem immer mehr große Geister hervorzubringen, als aus irgend einem anderen. Nun überlegen Sie, was für Schwierigkeiten dieses Genie, in einem Lande als Deutschland, wo fast alle Arten von Ermunterung unbekannt sind, zu übersteigen habe. Bald wird es von dem Mangel der nötigsten Hülfsmittel zurück gehalten; bald von dem Neide, welcher die Verdienste auch schon in ihrer Wiege verfolgt, unterdrückt; bald in mühsamen und seiner unwürdigen Geschäften entkräftet.«[22] Der Stolz auf die geistigen und schöpferischen Fähigkeiten des Bürgertums, dem Genies vorzüglich entstammen, verbindet sich schon hier mit der klaren Erkenntnis, daß miserable gesellschaftliche Zustände das kreative Potential der Menschen verkümmern lassen. In dieser Kritik sind sich Lessing und der Sturm und Drang durchaus einig. Nur war dem Aufklärer Lessing die Rolle als Schriftsteller und Kritiker trotz gelegentlich geäußerter Zweifel unproblematischer und selbstverständlicher als den Stürmern und Drängern. Aufklärungskritik verband sich bei ihnen mit einer gesteigerten Sensibilität für psychische Verletzungen und Beschädigungen, die durch die empfindsame Phase der Aufklärung vorbereitet war. Goethe hat es einmal als »Fehler« der Aufklärung bezeichnet, »daß sie Menschen Vielseitigkeit gibt, deren eindeutige Lage man nicht ändern kann«.[23] Diese der Aufklärung verdankte Vielseitigkeit, die sich unter anderem in dem hohen Stand lebhafter theoretischer Diskussionen niederschlug, verband sich bei den Stürmern und Drängern mit einem intensiv erlittenen Ungenügen an der eindeutigen Lage. Die Abdrängung genialer Begabung in den literarisch künstlerischen Bereich als Folge gesellschaftlicher Zustände war dem Sturm und Drang einschließlich Goethe nie Grund zum Jubeln, sondern immer Problem. Dies um so mehr, als sich in dem lebhaft rezipierten zeitgenössischen englischen und französischen Schrifttum Zeichen einer historischen Wende größten Ausmaßes ankündigten, die den emanzipatorischen Horizont auch der deutschen Intellektuellen bestimmten. Es ist das tragische Paradox, an dem viele Stürmer und Dränger scheiterten, daß sie, die auf Aktivität, Tun, gesellschaftliche Praxis drängten und die abstrakte Gelehrsamkeit der Aufklärung als ungenügend ablehnten, dazu verurteilt waren, ihre Genialität, soweit vorhanden, als Schriftsteller und Dichter zu verwirklichen. Man denke nur an Herders bittere Selbstcharakterisierung als »Tintenfaß von gelehrter Schriftstellerei« zu Beginn des *Journals meiner Reise*, an Götz' Attacken auf Federfuchserei, Lenz' Ausführungen im Götz-Essay, Karl Moors Rede vom »tintenklecksenden Säkulum« und schließlich an Fausts Drang aus der Bücherstube in die Weite des Lebens. Nirgendwo zeigt sich dieser Widerspruch zwischen Intention und Realität deutlicher als im genialen Herderschen Weltentwurf im *Journal meiner Reise*, wo jede Seite Tatendrang atmet und die ständige Klage über bloß gelehrte Schriftstellerei dann doch wieder in ein unrealisierbares pädagogisches Reformprogramm einmündet.

Das utopische Zentrum der Geniekonzeption jedoch bleibt von diesen realen Widersprüchen relativ unberührt. Es resultiert geradezu aus ihnen. Noch in Goethes Abrechnung mit dem Sturm und Drang in *Dichtung und Wahrheit*, die in der Schärfe der Formulierungen auf die auch Goethe gefährdende pathologische Seite des Genietreibens der siebziger Jahre verweist, wird der nie aufgegebene Grundgedanke deutlich: »Naturvorzüge aller Art sind am wenigsten zu leugnen, und doch gestand der gemeine Redegebrauch damaliger Zeit nur dem Dichter Genie zu. Nun aber schien auf einmal eine andere Welt aufzugehn, man verlangte Genie vom Arzt, vom Feldherrn, vom Staatsmann und bald von allen Menschen, die sich theoretisch oder praktisch hervorzutun dachten.« Die Grenzen des damals Möglichen jedoch bezeichnet Goethe, wenn er fortfährt: »Es war noch lange hin bis zu der Zeit, wo ausgesprochen werden konnte: daß Genie diejenige Kraft des Menschen sei, welche, durch Handeln und Tun, Gesetz und Regel gibt.«[24] Gleichwohl wurde eben dieser Gedanke schon in den siebziger Jahren deutlich, wenn auch mit anderen Konnotationen, artikuliert. Herder schrieb in *Vom Erkennen und Empfinden der menschlichen Seele*: »Jeder Mensch von edeln lebendigen Kräften ist Genie auf seiner Stelle, in seinem Werk, zu seiner Bestimmung, und wahrlich, die besten Genies sind außer der Bücherstube.«[25] Herders auf eine ganzheitlich geistige und sinnliche Ausbildung menschlicher Fähigkeiten abzielender Bildungsentwurf im *Journal meiner Reise* forderte gar eine systematische pädagogische Produktion genialer Menschen: »Das ist der Weg, Originale zu haben, nehmlich sie in ihrer Jugend viele Dinge und alle für sie empfindbare Dinge ohne Zwang und Präoccupation auf die ihnen eigne Art empfinden zu lassen. Jede Empfindung in der Jugendseele ist nicht blos was sie ist, Materie, sondern auch aufs ganze Leben Materie: sie wird nachher immer verarbeitet, und also gute Organisation, viele, starke, lebhafte, getreue, eigne Sensationen, auf die dem Menschen eigenste Art, sind die Basis zu einer Reihe von vielen starken, lebhaften, getreuen, eignen Gedanken, und das ist das Original Genie. Dies ist in allen Zeiten würksam gewesen, wo die Seele mit einer grossen Anzahl starker und eigenthümlicher Sensationen hat beschwängert werden können: in den Zeiten der Erziehung fürs Vaterland, in grossen Republiken, in Revolutionen, in Zeiten der Freiheit, und der Zerrüttungen wars würksam.«[26] Aber auch hier ist sich Herder der historisch gesellschaftlichen Bedingungen Deutschlands bewußt, wenn er direkt fortfährt: »Diese [Zeiten] sind für uns weg. [...] Diese Phänomena sind meistens schwach, gemein, unwichtig, aus einer bequemen, üppigen Welt, wo die Regierung der Staaten, und alle grosse Handlungen des Menschlichen Geschlechts geheim, oder verborgen, oder gar verschwunden sind: und also ihr Anblick kein Zunder zu grossen Thaten geben kann.«[27] Nicht einmal Zunder also, von großen Taten selbst ganz zu schweigen. Der Gegensatz zwischen dem Geniekonzept des Sturm und Drang, das auf Ganzheit und Totalität menschlicher Schaffenskraft und somit gegen die Arbeitsteiligkeit bürgerlicher Gesellschaft gerichtet ist, und dem auf die schönen Künste eingeengten Geniekonzept Kants wird vielleicht nirgends so deutlich wie hier.

Auch die englischen und französischen Geniedefinitionen der Zeit waren ja nicht aufs Künstlerische allein eingeschränkt. Edward Young etwa führte in seinen einflußreichen *Conjectures on Original Composition* (1759, dt. Übersetzung 1760) drei Naturwissenschaftler bzw. Philosophen (Bacon, Boyle und Newton) als Originalgenies auf, und zwar noch vor Shakespeare und Milton. Und Herders materialistisches Verständnis der Empfindungen, die das Originalgenie ausmachten, hat seine direkte Entsprechung im Artikel »Genie« der französischen Enzyklopädie, der ebenfalls auf den genialen Menschen, nicht auf den genialen Künstler abzielt. Edith Braemer hat darauf aufmerksam gemacht, daß besonders drei Momente der französischen

Geniekonzeption in Deutschland wichtig wurden, und zwar das »erkenntnistheoretische Moment des Primats der Natur«, das »sensualistisch-materialistische Moment einer Schöpfungskraft, die nicht aus göttlicher Einwirkung abgeleitet wird, sondern aus einer höchst gesteigerten Aufnahmebereitschaft gegenüber der Realität« sowie »das Moment der Aktivität künstlerischen Schaffens«.[28] Dennoch ist nicht zu übersehen, daß in Deutschland der Einfluß Shaftesburys und Youngs stärker zum Tragen kam als der der französischen Materialisten. Die religiöse Färbung des Geniebegriffs bei Young (das Genie als göttlich, erfüllt von göttlicher Begeisterung) verband sich in Deutschland mit einem auch im Sturm und Drang noch religiös gebundenen Denken; und Shaftesburys Identifizierung des Künstlers mit Prometheus, seine Verherrlichung des Dichters als zweiten Schöpfers unter Jupiter mußte in dem Land, in dem geniale Begabung in die Kunst abgedrängt wurde, auf besonderes Verständnis stoßen. Die spätere Divinisierung des Genies, in der das Genie als gottähnliches, den bürgerlichen Gesellschaftszusammenhang transzendierendes höheres Wesen verehrt wurde, hat hier ihre Grundlage. Gegenüber solchen späteren irrationalistischen Verstellungen, die obendrein den französischen Einfluß durchweg ignorieren, bleibt Braemer historisch im Recht, wenn sie auf die sensualistisch-materialistischen Züge im Geniekonzept des Sturm und Drang, besonders Herders, verweist. Wenn die Stürmer und Dränger häufig von göttlicher Schöpferkraft und Inspiration sprechen, so ist dabei nicht zu vergessen, daß der Gottesbegriff selbst sich aus orthodox theologischen Bindungen emanzipierte und in den siebziger Jahren vor allem bei Herder und Goethe unter dem Einfluß Spinozas ins Pantheistische hinüberspielte, d.h. materialistisch gefaßt wurde. Auch Herders scharfe Ablehnung der in Kreisen des orthodoxen Protestantismus vertretenen These vom göttlichen Ursprung der Sprache[29] verweist darauf, daß Youngs Auffassung von der göttlichen Inspiration des Genies Herders Denken durchaus zuwiderlief.

Mit der Geniediskussion sind gleichzeitig das Konzept der Originalität und die Vorstellung von der Autonomie der Kunst angeschnitten, die im Sturm und Drang immer wieder beschworen, jedoch nie in einen systematischen Zusammenhang gebracht werden.[30] Dies blieb der idealistischen Ästhetik vorbehalten, die hier allerdings wesentliche Anregungen vom Sturm und Drang empfing. Schließlich hatte der Originalitätsbegriff vor der Geniezeit keine Geltung. Gleiches läßt sich vom Autonomiebegriff sagen, der zwar immer schon mitgedacht werden muß, seit Baumgarten die Ästhetik als eigenständigen Theoriebereich von Metaphysik, Ethik und Logik getrennt hatte, der aber andererseits überhaupt erst als Reflex späterer ästhetischer Debatten in eine historische Darstellung des Sturm und Drang einzubringen ist.

Natürlich gab es auch vor dem Sturm und Drang originale Werke. Niemandem würde es einfallen, das zu leugnen. Wichtiger ist jedoch die Frage, warum der Originalitätsbegriff sich erst in der zweiten Hälfte des 18. Jahrhunderts durchsetzte. Zentral ist dabei sicher die Veränderung des literarischen Marktes seit Ende der sechziger Jahre, als sich die wesentlichen Grundlagen des modernen Verlagsbuchhandels auszubilden begannen. Kritisch verweist Adorno auf diesen Zusammenhang, wenn er sagt: »Ist aber Originalität historisch entsprungen, so ist sie auch mit dem historischen Unrecht verflochten: mit der bürgerlichen Prävalenz der Konsumgüter auf dem Markt, die als immergleiche ein Immerneues vortäuschen müssen, um Kunden zu gewinnen.«[81] Und Hans Jürgen Haferkorn lokalisiert im Genie- und Originalitätsbegriff den literatursoziologischen Übergang vom ständischen zum freien Schriftsteller, der für einen anonymen Markt produziert. Nun darf man freilich die Originalitätsforderung nicht einfach aus ökonomischen Faktoren ableiten wollen. Wie schon die Diskussion des Geniebegriffs zeigte, ist Werk-Originalität nicht kapriziös Neues um des Neuen, d. h. des Marktes willen, sondern adäquate Darstellung eines Objektiven im Medium des künstlerischen Subjekts. Wie Genie so ist auch Originalität immer nur in einem gesamtgesellschaftlichen Kontext gültig, den sie avantgardistisch zum Ausdruck bringt. Der Herdersche Begriff der Ganzheit, die das Originalwerk des Genies auszeichnet, mag dafür einstehen.

Ein weiterer Aspekt schlägt zu Buche. Die Entwicklung des literarischen Marktes fiel in den sechziger und siebziger Jahren mit einer Theorieentwicklung zusammen, die – in Frankreich schon sehr viel früher mit der Querelle des Anciens et des Modernes einsetzend – zur Auflösung der seit der Renaissance herrschenden normativen Poetik führte und somit den Spielraum dichterischer Phantasie und Produktivität wesentlich erweiterte. Genie und Originalität sind nicht einfach Ausdruck von rezenten Marktbedürfnissen, sondern auch Gipfelpunkte langwieriger theoretischer Auseinandersetzungen, die das alte Nachahmungspostulat in seiner doppelten Form als imitatio naturae und als Nachahmung der Alten zusehends aushöhlten, um es schließlich mit Herder ganz aufzugeben.[32] Die Hauptstoßrichtung des Sturm und Drang ging dabei nicht gegen das Alte als Ladenhüter, sondern gegen ein Kunstverständnis, das den historischen Erkenntnissen und Bedürfnissen bürgerlicher Intellektueller nicht mehr genügen konnte.

Kritik an der Aufklärung also auch hier. Man lehnt eine Literaturauffassung ab, die auf Erfüllung abstrakter Moralnormen und Wirkungsabsichten ausgerichtet ist und deren Regeln und Normen zusehends als Hindernis für die freie Entfaltung von Individualität empfunden werden. Genie- und Originalitätsbegriff setzen dabei nicht nur ein aus alten Bindungen – auch aus der abstrakten Allgemeinheit der Aufklärung – sich emanzipierendes Subjekt voraus, sondern dienen vornehmlich dazu, der in Ansätzen sich herausbildenden historischen Gattungspoetik theoretische Fixpunkte zu verleihen. Entsprechend ist auch der Gedanke von der Autonomie der Kunst im Sturm und Drang nicht einfach mit dem l'art pour l'art des 19. Jahrhunderts gleichzuschalten; in den siebziger Jahren des 18. Jahrhunderts richtet sich die Autonomieforderung gegen die Zweckgebundenheit aufklärerischer Dichtung ebenso wie gegen die bloße Amüsierhaltung des Rokoko. Im Sturm und Drang wird eine Eigenständigkeit und Ernsthaftigkeit der Kunst innerhalb gesellschaftlicher Verhältnisse erarbeitet, die der Kultur im Absolutismus fremd war und die bis heute alle ästhetischen Diskussionen in Gang hält.

Gerade die Zentralität der Begriffe Genie, Individualität und Originalität macht aber auch das Dilemma des Sturm und Drang evident, normativer Allgemeingültigkeit zunächst nur historische Einmaligkeit entgegensetzen zu können. Das historische Denken und der geschichtliche Prozeß selbst waren noch nicht so weit fortgeschritten, als daß die Dialektik von individueller Erscheinung und allgemeiner Entwicklung hätte auf den Begriff gebracht werden können. So lief der Sturm und Drang ständig Gefahr, sich den utopischen Horizont zu verstellen, der ja nur als geschichtlicher vorstellbar ist und somit auf Allgemeingültiges, auf Evolution und Progreß angewiesen bleibt. In Herders Werk liegt dieser Widerspruch deutlich zutage, und auch

Lenz' Unfähigkeit, die von ihm geforderte Tragödie der Zukunft positiv zu bestimmen, bezeichnet diesen Verlust an Vision. Im Hinblick auf die Entwicklung der deutschen Literatur nach dem Scheitern des Sturm und Drang wäre zu fragen, inwieweit sich nicht die Rückkehr der Weimarer Klassik zu einer idealisch vorbildhaften Antike als Resultat eben dieses Dilemmas interpretieren läßt; und inwieweit diese Rückkehr selbst nicht notwendigerweise in der noch weiter verschärften Aporie enden mußte, die sich in Schillers *Über naive und sentimentalische Dichtung* sowie in Friedrich Schlegels *Über das Studium der griechischen Poesie* artikulierte und dort endgültig in die Moderne einmündete.

Insgesamt dürfte klargeworden sein, daß dem Sturm und Drang jene Genie-Ideologie nicht zu unterstellen ist, die, wie Adorno sagt, dem privilegierten Genie stellvertretend zuspricht, was die Realität den Menschen allgemein verweigert, und die dem Kunstrezipienten mit Persönlichkeitskult und Kitschbiographik den Zugang zum Werk verstellt.[33] Mit Recht wendet sich Adorno gegen die Kantsche Ästhetik als Urheberin eines solchen Geniebegriffs, demzufolge Genie als naturhaftes Residuum im Künstler, im ästhetischen Individuum, der Kunst die Regel gibt und infolgedessen als deren bewußtloses Organon funktioniert: »Falsch aber ist der Geniebegriff, weil Gebilde keine Geschöpfe sind und Menschen keine Schöpfer. Das bedingt die Unwahrheit der Genie-Ästhetik, welche das Moment des endlichen Machens, der τέχνη an den Kunstwerken zugunsten ihrer absoluten Ursprünglichkeit, quasi ihrer natura naturans unterschlägt und damit die Ideologie vom Kunstwerk als einem Organischen und Unbewußten in die Welt setzt, die dann zum trüben Strom des Irrationalismus sich verbreitert.«[34] Gegenüber solch blinder Ineinssetzung von künstlerischer Authentizität mit individueller Spontaneität, die in den Theorien der Stürmer und Dränger zwar gelegentlich anklingt, aber nie ins Zentrum rückt, hält Adorno an einem substantiellen Begriff des Genialen fest, der den folgenden Drameninterpretationen als Fluchtpunkt mitgegeben werden kann: »Geniales ist ein dialektischer Knoten: das Schablonenlose, nicht Repetierte, Freie, das zugleich das Gefühl des Notwendigen mit sich führt, das paradoxe Kunststück der Kunst und eines ihrer verläßlichsten Kriterien. Genial heißt soviel wie eine Konstellation treffen, subjektiv ein Objektives, der Augenblick, da die Methexis des Kunstwerks an der Sprache die

Konvention als zufällig unter sich läßt. Signatur des Genialen in der Kunst ist, daß das Neue kraft seiner Neuheit scheint, als wäre es immer schon dagewesen.«[35] Da derartige Neuheit sich im Kunstwerk nur selten rein verwirklichen kann, spricht nichts gegen den Versuch, sie auch in solchen Texten des Sturm und Drang aufzuspüren, wo sie sich nur in Ansätzen manifestiert – gebrochen und fragmentarisch unzulänglich vielleicht, aber doch Gegebenes auf einen utopischen Horizont hin transzendierend.

6. Das Individualitätsprinzip in der Dichtung: großer Kerl, Selbsthelfer und Machtweib

Der Genielehre in der Ästhetik des Sturm und Drang entspricht der Typus des großen Kerls, begrenzt auch der des sogenannten Machtweibs, in der Dichtung. Vor allem im Drama schlug sich das Streben der Stürmer und Dränger nach Aktivität und Unabhängigkeit emphatisch nieder. Das heißt nun nicht, daß die Stürmer und Dränger sich selbst als Genies in die Selbsthelferdramen projiziert hätten. Daß schon die eingängige Parallelisierung von ästhetischer Genielehre und konkretem Selbstverständnis der Stürmer und Dränger problematisch ist, wurde bereits betont. Geniehaftes Schaffen bildete einen anzustrebenden Horizont, nicht ein Erreichtes. Der einzige, den die Stürmer und Dränger als ein Shakespeare vergleichbares Genie anerkannten, war Goethe. Lenz' Literatursatire *Pandaemonium Germanicum* führt das anschaulich vor Augen. Ähnlich vermittelt ist die Beziehung zwischen Stürmern und Drängern und ihren typischsten Kunstfiguren, den großen Individuen und Selbsthelfern. Es fällt ja in der Tat auf, daß die Stürmer und Dränger nicht ein einziges Mal ein Künstlergenie ins Zentrum ihrer Dichtung rücken – sehr im Gegensatz zur Romantik, die serienweise Künstlerromane produzierte. Kunst hatte sich im Bewußtsein der Stürmer und Dränger noch nicht so weit von der Lebenswirklichkeit entfremdet, daß künstlerisches Schaffen wesentlich auf Selbstdarstellung zurückgeworfen worden wäre. Obwohl das Künstlergenie in der Dichtung des Sturm und Drang keine Rolle spielt, gibt es zwischen Genielehre und Selbsthelferfiguren einen gemeinsamen Nenner. Es ist der durch Rousseau vermittelte Naturbegriff. Ähnlich wie das Genie als naturhafte Kraft Werke hervorbringt, die den Horizont des gesellschaftlich jeweils Gegebenen ebenso zum Ausdruck bringen wie sprengen, so bewältigt

der Selbsthelfer das Leben im Einklang mit einer Natur, deren nicht weiter hinterfragte Wahrheit sich grundsätzlich gegen gesellschaftlich-zivilisatorische Konvention richtet. Nur im Rückgriff auf eine derart emphatisch als Garant von Authentizität und Wahrheit verstandene Natur wird der Selbsthelfer als Typus der Sturm-und-Drang-Dichtung voll verständlich. Das große Individuum ist dichterische Verkörperung jener Kritik der Aufklärung, die den für aufklärerische Kultur konstitutiven Zwiespalt zwischen Sinnlichkeit und Vernunft zu überwinden sucht und auf ein ganzheitliches Menschenbild abzielt. In der Gebrochenheit der meisten Selbsthelferfiguren jedoch, die sich zwar auf Natur berufen, sie aber nie ganz verkörpern, erweist sich die fortbestehende Macht der Gesellschaft über Natur.
Als Naturmensch steht der Selbsthelfer gegen den Menschen der Zivilisation, die mit Rousseau uneingeschränkt als korrupt und verderbt angesehen wird. Sinnlichkeit und Leidenschaften des Naturmenschen haben ihre eigene, jeweils individuelle Berechtigung, ja ihre eigene Tugend, die der auf Allgemeingültigkeit beruhenden Morallehre der Aufklärung durchaus widersprechen und sie außer Kraft setzen kann. Nicht mehr rational wissenschaftlich überprüfbare Gesetzlichkeit durchdringt diesen Naturbegriff, sondern der Impuls, das Herrschaftsmoment des wissenschaftlichen Naturbegriffs zu unterlaufen. Die Stürmer und Dränger begriffen nämlich sehr genau, daß der Gedanke von der Beherrschbarkeit einer von unumstößlichen Gesetzen regulierten Natur auch die Herrschaft über menschliche Natur legitimierte und auf die Unterdrückung spontaner Sinnlichkeit und Empfindung hinauslief. Trotz ihrer Bindungen an die Aufklärung war ihnen der Fortschritt aufklärerischer Zivilisation immer auch mit Rousseau fortschreitende Denaturierung des Menschen. Die von der Aufklärung angestrebte Befreiung von Herrschaft sahen sie notwendigerweise in neue Herrschaft einmünden. Daß der Sturm und Drang keine Chance hatte, diese Erkenntnisse gegen die Macht der historischen Entwicklung in Praxis umzusetzen, spricht nicht gegen den Wahrheitsgehalt des Erkannten, erklärt jedoch das schnelle Scheitern und Verstummen dieser ersten emanzipatorischen Bewegung, die das kritische Potential der Aufklärung gegen Aufklärung selbst richtete.
Die Aporie dieser rousseauisch anti-zivilisatorischen Naturauffassung liegt natürlich darin, daß sie selbst Spätprodukt einer fortgeschrittenen Zivilisation ist. Wie Robert Spaemann richtig

bemerkt hat, ist die bürgerliche Gesellschaft unabdingbare Voraussetzung für die rousseauische Freisetzung von Natur als Subjektivität.[36] Rousseau und Herder waren sich dessen durchaus bewußt und glaubten keineswegs an die Möglichkeit einer problemlosen Wiedergewinnung des Naturzustandes, zumal Rousseau diesen ja als methodologische Hypothese artikuliert, nicht aber als historische Realität verstanden hatte. Als Kritik gesellschaftlichen und intellektuellen Lebens im 18. Jahrhundert konnte jedoch das »Zurück zur Natur« mit seinem Ideal unverstellten und allen Zwängen entzogenen natürlichen Lebens seine Sprengkraft entfalten. Nahm man es beim Wort, mußte es in pathologische Entfremdung münden, um so eher, als es selbst schon Ausdruck solcher Entfremdung war. Dieses pathologische Moment ist sowohl in Rousseaus Werk *(Confessions, Rêveries du Promeneur solitaire)* als auch in zahlreichen Selbsthelferfiguren des Sturm-und-Drang-Dramas deutlich sichtbar als Narzißmus und Selbstüberschätzung, als Schwermut und Entfremdung von der Realität.

Mit dem Verweis auf die pathologischen Züge der Selbsthelferfiguren von Götz bis Guelfo und Karl Moor, auf ihre Gebrochenheit und Verwundbarkeit, erledigt sich die orthodox-marxistische These, derzufolge »die Helden dieser Literatur von unvergleichlichem Optimismus getragen sind, weil hier Triumphe gefeiert werden, die weit über die Grenzen hinausreichen, die bürgerlicher Entwicklung historisch gesetzt sind«.[37] Die Selbsthelfer des Sturm-und-Drang-Dramas sind gerade *keine* positiven Helden. Ihr Scheitern und Sterben läßt sich nicht einfach in ein »Fanal gesellschaftlich-moralischer Überlegenheit und zukünftigen Sieges« umdeuten, wie Edith Braemer das tut.[38] Im Recht ist Braemer nur, wo sie den Zusammenhang des literarischen Selbsthelfermotivs mit der Isoliertheit einer Avantgarde betont, »die sich auf keine organisierte Massenbasis stützen konnte«.[39] Die im engeren Sinne gesellschaftliche Grundlage des Selbsthelfermotivs ist damit erfaßt: Selbsthilfe wird dort notwendig, wo kollektive Hilfe ausbleibt. Die sich aus dieser Situation ergebende psychische Problematik der Selbsthelferexistenz, die im Sturm-und-Drang-Drama durchweg gestaltet wird, findet in einer Darstellung keinen Raum, die vorwiegend die optimistischen Momente des Selbsthelfertums betont. Was im Typus Selbsthelfer über die historischen Grenzen bürgerlicher Entwicklung hinausweist, ist weniger der Optimismus des Helden als vielmehr die in Isoliertheit, Entfremdung und Scheitern der Helden sich manifestierende Kritik an einer rational instrumentellen Zivilisation, die alles Individuelle abdrängt und marginalisiert, bzw. es durch Unterordnung unter das Allgemeine eliminiert. Die von den Stürmern und Drängern erlittene und in ihren Werken ästhetisch zum Ausdruck gebrachte Marginalisierung des Individuums ist eben nicht nur eine Frage damals möglicher Bündnispolitik oder des Zweifrontenkampfes bürgerlicher Intellektueller gegen Adel und Kleinbürgertum; es handelt sich vielmehr um das Problem sozio- und psychogenetisch weiter zu erforschender historischer Entwicklungen, die solche gesellschaftliche und psychische Isolation systematisch produzierten und weiterhin produzieren. In dem Maße, in dem der Sturm und Drang schon in dieser frühen Phase bürgerlicher Gesellschaft in Deutschland gegen den rationalen und instrumentalen Prozeß der Zivilisation insgesamt das Recht und das Leiden des Individuums geltend machte und abgedrängter und unterdrückter Subjektivität pathetisch Ausdruck verschaffte, ist er bis heute weder in der bürgerlichen noch in der sozialistischen Wissenschaft »aufgehoben«; obwohl die Ablehnung des Sturm und Drang durch die Wissenschaft heute allgemein durch Akklamation im Rahmen der Kontinuitätsthese ersetzt ist, verbleibt der Sturm und Drang in der Außenseiterstellung, die er immer schon innehatte, und sperrt sich gegen die Reduktion auf Aufklärung ebenso, wie er in seiner Wirkungsgeschichte im 20. Jahrhundert die Reduktion auf Irrationalismus und deutsches Wesen überwunden hat.

Besser als die gängige Rede von Optimismus und Verherrlichung des Individuums im Sturm und Drang trifft daher der Außenseiterbegriff auch den Kern des Selbsthelfermotivs. Außenseiter sind oder werden sie alle – Götz, Faust und Egmont bei Goethe, von Brand, Guelfo, Grisaldo und Julio bei Klinger, Karl Moor und Ferdinand Walter bei Schiller. Unlösbare Konflikte mit der Gesellschaft, mit der Welt des Hofes (Götz, von Brand, Julio) oder der Familie (Karl Moor) oder beider (Ferdinand Walter) treiben sie in den von vornherein zum Scheitern verdammten Versuch, Abhilfe zu schaffen und Konventionen zu durchbrechen, ihre Individualität zu behaupten gegen eine Welt von Lüge und Korruption, Unterdrückung und Unrecht. Noch das jeweilige Scheitern der Sturm-und-Drang-Helden jedoch wurde in der Forschung gegen sie gekehrt, wo es bestenfalls als Kritik

des Autors an übersteigerter Subjektivität, meist aber als Unfähigkeit des Autors wie des Helden gedeutet wurde, sich dem geltenden Realitätsprinzip anzupassen. Nur als Stufe auf dem Weg der jungen Rebellen zu klassischer Ausgewogenheit und Bescheidung ließ man die Subjektivität der Selbsthelfer gelten. Verkannt wurde dabei, daß die Einsicht des großen Kerls in die Notwendigkeit des eigenen Falles der Berechtigung seines Selbstbehauptungsversuchs keinerlei Abbruch tut. Der tragische Fall des großen Individuums im Drama legitimiert nicht die Gesellschaft, sondern verweist noch in der Katastrophe auf deren Legitimationsdefizit. Das Leiden der Stürmer und Dränger am Realitätsprinzip der bürgerlich-höfischen Gesellschaft in Zustimmung zum status quo umzudichten, ist Hohn auf den Wahrheitsgehalt ihrer Werke. Das Verhältnis zwischen naturhaft großem Individuum und Gesellschaft bleibt über tragische »Lösungen« hinaus ein gespanntes, am deutlichsten vielleicht bei Goethes Götz, dessen Tod keine individuelle Schuld im Sinne klassischer Tragödie abgilt, sondern nur als gesellschaftliche Katastrophe adäquat zu begreifen ist.
Waren es die Einschränkungen der gesellschaftlichen Lage in Deutschland, die in Verbindung mit gesamteuropäischen Emanzipationsphantasien das literarische Selbsthelfermotiv und die Genielehre in ihrer spezifisch deutschen Fassung hervortrieben, so war die Erkenntnis dieser Einschränkungen Voraussetzung dafür, daß die großen Individuen und Selbsthelfer, ob sie in den Dramen nun in ferner Vergangenheit angesiedelt waren oder nicht, jeweils zu Fall kamen. Unter diesem Gesichtspunkt ist dann auch die herkömmliche Einteilung der Sturm-und-Drang-Dramen in zwei distinkte Gruppen nur bedingt aufrechtzuerhalten. Unterschieden wird allgemein das Drama des großen Kerls, das in historischer Vergangenheit *(Götz, Faust, Egmont, Golo und Genoveva)* und/oder in geographischer Ferne *(Die Zwillinge, Sturm und Drang, Simsone Grisaldo, Julius von Tarent, Fiesko)* spielt, vom realistischen Zeitstück *(Die Soldaten, Der Hofmeister, Die Kindermörderin, Die Reue nach der Tat)*, das gesellschaftliche Zustände der deutschen Gegenwart zum Vorwurf nimmt und allein deshalb schon keine großen Individuen aufweisen kann. Eine gewisse Sonderstellung nehmen dabei Schillers *Räuber* und *Kabale und Liebe* ein, beides Stücke, die in der deutschen Gegenwart angesiedelt sind und doch mit Karl Moor und Ferdinand Walter große Individuen in Erschei-

nung treten lassen. Aber noch die Ausnahme bestätigt die Regel. Ferdinand von Walter ist kein nur positiv zu interpretierender ›Naturmensch‹, wie z. B. Götz von Berlichingen oft gedeutet wird, und er ist auch nicht in vergleichbarer Weise Zentrum des Stücks, auf welches der ursprüngliche Titel *Louise Millerin* besser verweist. Und die Handlung von Schillers *Räubern* wurde aus Zensurerwägungen für die Uraufführung aus der deutschen Gegenwart in eine ferne Vergangenheit verlegt. Derartige Vorsichtsmaßnahmen, die ja Resultat politischer Verhältnisse sind, verdeutlichen einmal mehr, daß der den status quo herausfordernde große Kerl im zeitgenössischen Deutschland nicht nur literarisch, sondern auch sozialhistorisch keine Chance hatte, sich wirksam zu entfalten. So scheint denn die These berechtigt, daß diese beiden scheinbar so deutlich voneinander unterscheidbaren Dramengruppen thematisch enger miteinander verflochten sind, als es zunächst den Anschein hat. Beide Typen resultieren aus der Unmöglichkeit, im Deutschland des 18. Jahrhunderts Selbsthelfer zu sein. Beide ergeben sich aus der Abwesenheit von Größe, des Zunders zu großen Taten, wie Herder im Tagebuch seiner Seereise sagte. Die Selbsthelferdramen müssen deshalb schon aus Gründen der Wahrscheinlichkeit in zeitlicher oder geographischer Ferne angesiedelt werden, in der große Taten möglich waren. Dennoch bleiben auch diese Stücke insofern auf die zeitgenössische deutsche Gegenwart bezogen, als das naturhaft große Individuum auch hier auf gesellschaftliche Schranken stößt, die es zwar herausfordern, aber nicht durchbrechen kann. Auch in die Selbsthelferdramen hat sich somit die deutsche Gegenwart der siebziger und achtziger Jahre deutlich eingeschrieben. Über Isolation, Entfremdung und Scheitern ihrer Protagonisten sind sie mit der Gruppe der realistischen Gegenwartsstücke vermittelt. Schillers *Räuber*, in der Druckfassung freilich, sind dabei die Probe aufs Exempel.

Allerdings ist hier ein wesentlicher Unterschied zu den Zeitstükken festzuhalten. Während die Isolation der Selbsthelfer aus ihrer anti-gesellschaftlichen Haltung, aus dem Bewußtsein eigener Kraft und eigenen Rechts entspringt und ihr Scheitern immerhin Ergebnis eines Aufbegehrens ist, sind die Protagonisten der Gegenwartsstücke – Läuffer, Marie Wesener, Evchen Humbrecht, Fridericke Walz – von vornherein fest in gesellschaftliche Verhältnisse eingeschnürt, in denen jede Regung der Individualität, jedes Geltendmachen individueller Bedürfnisse mit schärfsten Sanktionen belegt wird. Gerade diese realistischen Zeitstücke, die das Leiden und Verstummen bürgerlicher Menschen ins Zentrum rücken, machen ja evident, warum die Sturm-und-Drang-Utopie des großen Individuums, wollte sie nicht im schlechten Sinne utopisch sein, sich vornehmlich in Adligen, zumal solchen vergangener Zeiten, verkörpern mußte; wenn man nicht gar wie Goethe im Prometheus-Fragment eine mythische Figur bevorzugte.

Damit wird natürlich wieder die Frage akut, inwiefern diese adligen Selbsthelfer und großen Kerls Ausdruck bürgerlicher Emanzipation sind. Denn daß sie dies sind, daran kann füglich nicht gezweifelt werden. Abgesehen werden kann hier von einer Forschung, die jeglichen Klassenkonflikt aus der bürgerlichen Literatur des 18. Jahrhunderts zu eliminieren sucht und die, indem sie sich auf die Ideologie allgemeiner Menschlichkeit zurückzieht, die Schranken bürgerlichen Denkens des 18. Jahrhunderts nur mehr reproduziert.[40] Wichtiger ist die kulturpsychologisch und sozialgeschichtlich orientierte Forschung, die mit Brüggemann von der Überbürgerlichkeit des adligen Selbsthelfers oder mit Braemer von der Adelsutopie spricht.[41] Diese Adelsutopie des Sturm und Drang beruhe, so Braemer, auf der Tatsache, daß es einige wenige Adlige gab, die bürgerlich dachten und handelten, sowie auf der Hoffnung, daß es deren mehr geben möge. Da diese Hoffnung sich als illusorisch erwies, hat der Sturm und Drang in Braemers Deutung an jenem oft beschworenen realgeschichtlichen Adelskompromiß teil, der aus der Schwäche des deutschen Bürgertums resultierte. Damit aber verstellt sich Braemer die Sicht auf das, was den Sturm und Drang radikal von jenem Adelskompromiß trennt, der das deutsche 18. Jahrhundert sozialgeschichtlich in der Tat charakterisiert.

Überzeugender ist da Peter Szondis These, derzufolge es sich bei einem Teil der bürgerlichen Dramatik der Zeit um eine den Publikumserwartungen entsprechende Nobilitierung typisch bürgerlicher Konflikte handele, eine These, die den stufenweisen Übergang von klassischer Tragödie zu bürgerlichem Trauerspiel in Rechnung stellt. Braemer geht von der Sozialgeschichte aus und erklärt die adligen Helden im Drama mit der Existenz eines Adels, der verbürgerliche und sich mit dem Bürgertum verbünde. Da sie jedoch genau weiß, daß es einen solchen Adel in statistisch relevantem Ausmaß nicht gab, muß sie die Existenz dieses Adels im Drama auf Illusionen der Autoren rückbeziehen, denen dann konsequent falsches Bewußtsein unterstellt wird. Szondi geht den umgekehrten Weg. Er setzt bei der Gattungsgeschichte und bei der daraus resultierenden Erwartung eines bürgerlichen Publikums an, die eigene Welt mit ihren Konflikten in adlig überhöhter Form dargestellt zu sehen. Folgt man dieser These, so lassen sich vorschnelle Schlußfolgerungen von Adelskompromiß vermeiden, und es wird plausibel, daß der bürgerliche Emanzipationsanspruch auch adligen Figuren eingeschrieben sein kann.

All dies gilt freilich vor allem von Sturm-und-Drang-Dramen, in denen familiäre Konflikte im Zentrum stehen wie in Klingers *Zwillingen* oder Schillers *Räubern*. Besonders aber von Leisewitz' *Julius von Tarent* läßt sich mit Szondi sagen, daß hier das Bürgertum triumphiert, »indem es den eigenen Sozialcharakter am verbürgerlichten Adel bewundern kann«.[42] Jedoch weder im *Götz von Berlichingen* noch im *Simsone Grisaldo* oder im *Fiesko* geht es um Konflikte *innerhalb* der Familie. Und selbst wo die Wandlungen der Familienstruktur, die das bürgerliche Trauerspiel erst ermöglichten, und die damit einhergehende Privatisierung des Lebens im Zentrum stehen wie in Klingers *Zwillingen* und Schillers *Kabale und Liebe*, läßt sich das große Individuum nicht ohne weiteres als verkleideter Bürger ausmachen. Auf die Bürgerlichkeit eines Guelfo oder eines Ferdinand von Walter möchte man nicht bedenkenlos bauen, auch wenn nicht daran zu zweifeln ist, daß die Subjektivität beider Helden aus der bürgerlichen Gefühlskultur stammt.

Auch das bürgerliche Trauerspiel, bei Lenz Komödie genannt, folgt ja im Sturm und Drang keineswegs dem von Szondi an Diderots *Père de famille* exemplifizierten Modell. Insofern das bürgerliche Trauerspiel des Sturm und Drang eine bewußte Radikalisierung dieser der Aufklärung entstammenden Gattung vornahm, die weit über Diderot und Lessing hinausging, verhält sich der Adel in diesen Gegenwartsstücken der Lenz und Wagner im durchweg schlimmsten Sinne adlig, die Bürger verhalten sich in wenig schmeichelhafter Weise bürgerlich. Weit davon entfernt, seinen eigenen Sozialcharakter in adliger Überhöhung bewundern zu können, wird das bürgerliche Publikum hier in schärfster Weise auf den Klassenkonflikt gestoßen. Dabei schneidet das Bürgertum vor allem in Lenz' Stücken so elend ab, daß dem Publikum noch die warmen Tränen des Mitleids in den Augen erfrieren müßten. Nicht Mitleid, sondern Beklemmung scheint hier die adäquate Publikumsreaktion zu sein. So überrascht es kaum, daß die Stücke eines Lenz, aber auch Wagners *Kindermörderin*, den Erwartungen eines Publikums nicht entsprachen, das sich durch rührselige Versöhnungstableaus besser bedient fühlte als durch die Darstellung seiner eigenen Ausweglosigkeit.

Festzuhalten bleibt, daß allgemeine Behauptungen über *den* adligen Helden im Drama des Sturm und Drang nicht erlaubt sind. Es gilt, von Fall zu Fall zu differenzieren. Die großen Kerls bringen Unterschiedliches zum Ausdruck, was ja in einer Zeit allgemeiner geistiger und psychischer Verschiebungen nicht weiter erstaunt. Am ehesten wäre vielleicht auch hier eine Art Abdrängungsthese zu veranschlagen. Da es den großen Bürger, gar Citoyen, in Deutschland nicht gab, waren die Stürmer und Dränger an jenen sozialen Bereich verwiesen, in dem Größe zumindest historisch verbürgt schien. So entnahmen sie ihre Helden dem Adel. Gleichzeitig aber unterlegten sie dem adligen Konzept von repräsentativer Größe ihr eigenes bürgerliches Verständnis von individueller und naturhafter, anti-höfischer und anti-kleinbürgerlicher, wenn nicht gar allgemein anti-zivilisatorischer Größe. Daß dabei gelegentlich janusköpfige Mischcharaktere herauskamen, ist kaum weiter verwunderlich und entspricht durchaus dem Übergangscharakter der höfisch-bürgerlichen Gesellschaft im 18. Jahrhundert. Der Abstand zwischen einem volksverbundenen Helden wie Egmont und einer pathologisch ich-bezogenen Gestalt wie Guelfo ist so groß, daß die Signatur vom großen Individuum und Kraftkerl mehr verschleiert als aufdeckt.

Anders und eindeutiger verhält es sich allerdings bei den weiblichen Entsprechungen des großen Kerls, bei denen durchweg die negativen Züge überwiegen. Diese sogenannten Machtweiber, Furien und Medeen, wie sie oft im Brustton männlichen Erschreckens genannt werden, sind fast ausnahmslos von Adel. Das gilt schon von Lessings Marwood und Orsina und setzt sich fort mit Donna Solina in Klingers *Die neue Arria*, Mathilde in Maler Müllers *Golo und Genoveva*, Adelheid im *Götz* und Milford in Schillers *Kabale und Liebe*. Einzige Ausnahme scheint die Justizrätin Langen aus Wagners *Die Reue nach der Tat* zu sein, die zum gehobenen Bürgertum zählt, andererseits aber den Standesdünkel des Adels zum eigenen Verhaltensprinzip gegenüber dem Kleinbürgertum macht. Nie kann bei diesen Frauen die Rede davon sein, daß sie, die Adligen, rührende bürgerliche Familienkonflikte verkörpern, daß sich mithin in ihnen bürgerliches Verhalten ins Adlige überhöht widerspiegele. Im Gegenteil. Was einem bürgerlichen Publikum am großen Kerl – sei er nun Adliger, verbürgerlichter Adliger oder Bürger von Adel – imponieren konnte, nämlich Tatkraft, Selbständigkeit und Freiheitsstreben, das verkehrt sich in den entsprechenden Frauengestalten bürgerlicher Autoren in Ehrgeiz, Herrschsucht, Besessenheit und Rachsucht. Das mag übertrieben klingen, wenn man sich an die noblen Züge der Lady Milford erinnert oder an Goethes Sympathien für Adelheid, die, zumindest in der Erstfassung, dem Götz ebenbürtig war. Als weitere Ausnahme mag man auch Klingers Donna Solina erwähnen, die ganz rousseauisch gesehen ist, dabei allerdings ein merkwürdiges, abstrakt männliches Verhalten an den Tag legt. Trotz Einschränkungen und Ausnahme ist grundsätzlich festzuhalten, daß, was am großen Individuum Mann gelobt wird, sich beim großen Individuum Frau in Fratze verkehrt. Es ist leicht einzusehen, daß sich hier die männliche Misogynie der patriarchalisch bürgerlichen Gesellschaftsordnung Ausdruck verschafft, die Größe und Individualität der Frau nicht in die Utopie einbeziehen kann und weibliche Ausbruchsversuche grundsätzlich mit doppelten Sanktionen belegt. Nicht nur gehen diese Frauen wie die männlichen Helden zugrunde; ihnen wird obendrein die Sympathie des Publikums entzogen. Dies wird um so evidenter, wenn man an die positiven Frauengestalten der zeitgenössischen Dramatik denkt, die sich durchweg durch Häuslichkeit, Unterwürfigkeit und Unterdrückung von Sinnlichkeit auszeichnen und nur in Ausnahmefällen – etwa Goethes Klärchen oder Schillers Luise Millerin – die Schranken bürgerlichen Lebens und Denkens teilweise durchbrechen.[43] Im Machtweib schlägt bürgerliche Unterdrückung der Frau doppelt auf diese zurück. Erstens werden die passiv leidenden Frauengestalten seit Sara Sampson häufig Opfer der Anschläge jener Rasenden. Die Frau als Opfer der Frau! Zweitens aber werden die Machtweiber selbst Opfer einer männlich beherrschten Gesellschaft, die ihre Ausbruchsversuche bestraft. Gewiß, auch die Rebellion des großen Kerls muß scheitern. Aber das Scheitern eines Götz, eines Karl Moor, selbst eines Guelfo wird monumental verklärt. Das Scheitern der Machtweiber jedoch wird in die Nebenhandlung verlegt

(Adelheid), nicht wirklich ausgeführt (Milford) oder dämonisiert (Mathilde). Die große Frau schien den bürgerlichen Autoren nur als lasterhafte aristokratische Buhlerin denkbar zu sein. Deshalb konnte sie im bürgerlichen Drama nicht anders denn als eine Adlige erscheinen, die sich durchweg im Gegensatz zu bürgerlichen Frauen befindet und somit ganz und gar auf ihren sozialen Status festgelegt ist. Der bürgerlichen Emanzipation des Mannes entspricht im Drama keine Forderung nach der bürgerlichen Emanzipation der Frau. Am Unterschied der Darstellung des Machtweibes zu der des männlichen Selbsthelfers erweist sich einmal mehr der illusionäre Charakter bürgerlicher Gleichheitsforderung im 18. Jahrhundert, dem selbst die Stürmer und Dränger verhaftet blieben.

ZEITTAFEL

1766/67 Gerstenberg, H. W.: *Briefe über Merkwürdigkeiten der Literatur*
Auch Schleswigische Literaturbriefe genannt. Entstanden 1766–1770. Nachtrag 1770.

1766/68 Herder, J. G.: *Fragmente über die neuere deutsche Literatur*
Entstanden 1765–1767.

1768 Gerstenberg, H. W.: *Ugolino. Eine Tragödie*
Anonym erschienen. Entstanden 1767/68. Aufführung 22. Juni 1769 in Berlin, Döbbelinsche Truppe. Umgearbeitete Fassung in Gerstenbergs *Vermischten Schriften*, Bd. 1, Altona 1815.

1769 Herder, J. G.: *Kritische Wälder*
Begonnen Sommer 1768. 1.–3. Wäldchen 1769. 4. Wäldchen erst 1846.
Herder, J. G.: *Journal meiner Reise im Jahre 1769*
Erstdruck 1846. Entstanden nach der Seereise von Riga nach Paimboeuf (Juni/Juli 1769) in Nantes (Juli bis Oktober) und Paris (November bis Dezember).

1771 Goethe, J. W.: *Rede zum Schäkespears Tag*
Konzipiert zur Feier des Namenstages von William Shakespeare am 14. Oktober 1771. Erst 1854 veröffentlicht.

1772 Herder, J. G.: *Abhandlung über den Ursprung der Sprache*
Entstanden 1770. Beantwortung einer Preisfrage der Berliner Akademie der Wissenschaften für das Jahr 1770. Im Juni 1771 erhielt Herder den Preis zugesprochen.

1773 Herder, J. G. (Hrsg.): *Von deutscher Art und Kunst. Einige fliegende Blätter*
Enthält 1. Herder: *Auszug aus einem Briefwechsel über Ossian und die Lieder alter Völker*. Entstanden Sommer 1771 in Bückeburg. 2. Herder: *Shakespeare.* Entstanden September 1771. Mehrfach umgearbeitet.

3. Goethe: *Von deutscher Baukunst.* Entstanden August 1772 und separat als anonyme Flugschrift schon 1772 erschienen. 4. Frisi: *Versuch über die gotische Baukunst* (Übersetzung eines Aufsatzes aus dem Italienischen). 5. J. Möser: *Deutsche Geschichte.* Entstanden Oktober 1772.

GOETHE, J. W.: *Götz von Berlichingen mit der eisernen Hand. Ein Schauspiel*
Anonym erschienen. Erstfassung entstanden Jahresende 1771: *Geschichte Gottfriedens von Berlichingen mit der eisernen Hand, dramatisiert.* Umarbeitung Januar/Februar 1773. Erstdruck der ersten Fassung aus Goethes Nachlaß 1832. Aufführung 12. 4. 1774 in Berlin, Kochsche Truppe, historisches Kostüm. Später im selben Jahr in Hamburg, Schrödersche Truppe.

GOETHE, J. W.: *Prometheus*
Erstdruck 1830 in der Ausgabe letzter Hand. Entstanden Sommer/Herbst 1773.

LENZ, J. M. R.: *Über Götz von Berlichingen*
Erstdruck 1901. Entstanden zwischen Juni 1773 und Februar 1775. Vortrag für die Straßburger Société de philosophie et des belles lettres.

GOETHE, J. W.: *Satyros oder der vergötterte Waldteufel*
Erstdruck 1817.

1774 GOETHE, J. W.: *Jahrmarktsfest zu Plundersweilern*
Entstanden 1773.

GOETHE, J. W.: *Ein Fastnachtsspiel, auch wohl zu tragieren nach Ostern, vom Pater Brey, dem falschen Propheten*
Entstanden Frühjahr 1773. Vermutlich aufgeführt am Polterabend vor Herders Hochzeit am 2. Mai 1773.

GOETHE, J. W.: *Götter, Helden und Wieland*
Anonym erschienen. Entstanden Herbst 1773.

GOETHE, J. W.: *Künstlers Erdewallen*
Entstanden Herbst 1773.

GOETHE, J. W.: *Clavigo. Ein Trauerspiel*
Entstanden 1774. Aufführung 23. August 1774 in Hamburg, Schrödersche Truppe.

GOETHE, J. W.: *Die Leiden des jungen Werthers*
Entstanden Februar bis Mai 1774.

LENZ, J. M. R.: *Anmerkungen übers Theater*

Anonym erschienen. Entstanden seit 1771 in Straßburg. Schlußteil kurz vor Veröffentlichung hinzugefügt.
LENZ, J. M. R.: *Der Hofmeister oder Vorteile der Privaterziehung. Eine Komödie*
Anonym erschienen. Entstanden im Sommer 1772 im Elsaß (Erstfassung). Aufführung 12. 4. 1778 in Hamburg, Schrödersche Truppe, Bearbeitung durch Schröder. Bearbeitung von Bertolt Brecht. Aufführung 15. 4. 1950, Berliner Ensemble.
LENZ, J. M. R.: *Lustspiele nach dem Plautus fürs deutsche Theater*
Anonym erschienen. Entstanden seit 1772.
LENZ, J. M. R.: *Der neue Menoza oder Geschichte des cumbanischen Prinzen Tandi. Eine Komödie*
Anonym erschienen. Entstanden vermutlich 1773/74.

1775 LENZ, J. M. R.: *Rezension des Neuen Menoza, von dem Verfasser selbst aufgesetzt*
Frankfurter Gelehrten Anzeigen, 11. Juli 1775.
WAGNER, H. L.: *Die Reue nach der Tat. Ein Schauspiel*
Anonym erschienen. Aufführung 5. Dezember 1775 in Hamburg, Schrödersche Truppe, und 11. Dezember 1775 in Berlin. In Wien von der Zensur verboten.
WAGNER, H. L.: *Prometheus, Deukalion und seine Rezensenten*
Anonym erschienen. Entstanden Winter 1774/75.
KLINGER, F. M.: *Otto. Ein Trauerspiel*
Anonym erschienen. Entstanden Sommer 1774.
KLINGER, F. M.: *Das leidende Weib. Ein Trauerspiel*
Anonym erschienen. Entstanden Winter 1774/75. Eine Bearbeitung Klingers für die Seylersche Bühne (1777) blieb unaufgeführt.
LEISEWITZ, J. A.: *Die Pfandung*
Eine Szene. Göttinger Musenalmanach 1775. Entstanden 1774.
LEISEWITZ, J. A.: *Der Besuch um Mitternacht*
Eine Szene. Göttinger Musenalmanach 1775. Entstanden 1774.
HERDER, J. G.: *Ursachen des gesunknen Geschmacks bei den verschiednen Völkern, da er geblühet*

Entstanden als Preisschrift für die Königliche Akademie der Wissenschaften in Berlin 1773. Erster Preis.

LENZ, J. M. R.: *Pandaemonium Germanicum. Eine Skizze*

Erstdruck in entstellter Fassung 1819. Entstanden Frühsommer 1775. Kritische Ausgabe von Erich Schmidt, Berlin 1896.

LENZ, J. M. R.: *Briefe über die Moralität der Leiden des jungen Werthers*

Erstdruck 1918. Entstanden um 1775. Am 1. März 1776 in der Deutschen Gesellschaft in Straßburg vorgetragen.

GOETHE, J. W.: *Urfaust*

Erstdruck 1887. Entstanden 1772–75.

1776 LEISEWITZ, J. A.: *Julius von Tarent. Ein Trauerspiel*

Anonym erschienen. Entstanden 1774 in Göttingen. Eingereicht bei der 1775 von F. L. Schröder und dem Hamburger Theater veranstalteten Dramenausschreibung. Aufführung am 19. Juni 1776 in Berlin, Döbbelinsche Truppe.

KLINGER, F. M.: *Die Zwillinge. Ein Trauerspiel*

Entstanden 1775 als Beitrag für Schröders Hamburger Dramenausschreibung. Erster Preis. Aufführung 23. Februar 1776 in Hamburg, Schrödersche Truppe.

KLINGER, F. M.: *Die neue Arria. Ein Schauspiel*

Anonym erschienen. Entstanden 1775/76.

KLINGER, F. M.: *Simsone Grisaldo. Ein Schauspiel*

Anonym erschienen. Entstanden 1776.

KLINGER, F. M.: *Sturm und Drang. Ein Schauspiel*

Entstanden Juni bis September 1776 in Weimar. Titel von Christoph Kaufmann. Ursprünglicher Titel »Wirrwarr.« Entgegen der Angabe des Druckes erschien die Ausgabe erst 1777. Aufführung 1. April 1777 in Leipzig, Seylersche Truppe.

LENZ, J. M. R.: *Die Soldaten. Eine Komödie*

Anonym erschienen. Entstanden Winter 1774/75. Aufführung 26. Dezember 1863 in Wien, Burgtheater, unter dem Titel *Soldatenliebchen*, bearbeitet von Eduard von Bauernfeld. Oper von Alois Zimmermann. Aufführung Köln 1965. Bearbeitung von Heiner Kipphardt. Aufführung Düsseldorf 1968.

LENZ, J. M. R.: *Die Freunde machen den Philosophen. Eine Komödie*
Anonym erschienen. Entstanden 1775/76.
WAGNER, H. L.: *Die Kindermörderin. Ein Trauerspiel*
Anonym erschienen. Entstanden Winter 1775/76. Aufführung Juli 1777 in Preßburg, Wahrische Truppe. Bearbeitung durch Karl Lessing für eine Aufführung am Deutschen Theater in Berlin. Aufführung verboten. Druck von Lessings Bearbeitung 1776.
Umarbeitung mit glücklichem Ende durch Wagner, *Evchen Humbrecht oder ihr Mütter merkt's euch*, 1777. Aufführung 4. September 1778 in Frankfurt am Main, Seylersche Truppe. Druck 1779. Bearbeitung von Peter Hacks 1957. Aufführung 1959.
WAGNER, H. L.: *Neuer Versuch über die Schauspielkunst. Aus dem Französischen. Mit einem Anhang aus Goethes Brieftasche*
Übersetzung von L. S. Merciers Du théâtre ou nouvel essay sur l'art dramatique (1773). Veröffentlicht ohne Angabe des Verfassers und Übersetzers.
GOETHE, J. W.: *Stella. Ein Schauspiel für Liebende*
Entstanden Februar bis April 1775. Aufführung 8. Februar 1776 in Hamburg. Schrödersche Truppe.
1803 Umarbeitung in ein Trauerspiel. Aufführung 15. Januar 1806 in Weimar. Druck 1816.
MÜLLER, FRIEDRICH (Maler Müller): *Golo und Genoveva*
Veröffentlichung von nur zwei Szenen. Fertigstellung 1781 in Rom. Vollständige Ausgabe 1811 in *Gesammelte Werke*, hrsg. von L. Tieck.
BÜRGER, G. A.: *Aus Daniel Wunderlichs Buch*
Entstanden Februar 1776. Deutsches Museum, Mai 1776.

1778 MÜLLER, F. (Maler Müller): *Fausts Leben, dramatisiert*
Fragment. Entstanden 1776–78. Die Einzelszene *Situation aus Fausts Leben* bereits 1776 veröffentlicht.
WAGNER, H. L.: *Voltaire am Abend seiner Apotheose*
Anonym erschienen. Entstanden April/Mai 1778.
BÜRGER, G. A.: *Gedichte*
HERDER, J. G.: *Vom Erkennen und Empfinden der menschlichen Seele*

3. Fassung. 1. Fassung 1774. 2. Fassung 1775.

1778/79 HERDER, J. G.: *Volkslieder*
Neue umgearbeitete Ausgabe 1807, hrsg. von Johannes von Müller. Seitdem unter dem Titel *Stimmen der Völker in Liedern.*

1780 KLINGER, F. M.: *Stilpo und seine Kinder. Ein Trauerspiel*
Anonym erschienen. Entstanden 1777.

1781 SCHILLER, F.: *Die Räuber. Ein Schauspiel*
Anonym erschienen. Entstanden 1777–80. Das Motto »in tirannos« erst in 2. Auflage, 1782. Aufführung 13. Januar 1782 am Mannheimer Nationaltheater. Gekürzte Bühnenfassung verlegt Handlung ins 16. Jahrhundert. Kritische Selbstrezension Schillers im Wirtembergischen Repertorium 1782.

1782 SCHILLER, F.: *Über das gegenwärtige teutsche Theater*
Wirtembergisches Repertorium der Literatur 1782.

1783 SCHILLER, F.: *Die Verschwörung des Fiesko zu Genua. Ein republikanisches Trauerspiel*
Entstanden Sommer bis November 1782. Aufführung am 11. Januar 1784 am Mannheimer Nationaltheater in einer Bühnenbearbeitung mit verändertem Schluß.

1784 SCHILLER, F.: *Kabale und Liebe. Ein bürgerliches Trauerspiel*
Entstanden Sommer 1782 bis Juli 1783. Titel von Iffland. Ursprünglicher Titel »Louise Millerin«. Aufführung 13. April 1784 in Frankfurt am Main und 15. April 1784 in Mannheim, Nationaltheater.

1785 SCHILLER, F.: *Was kann eine gute stehende Schaubühne eigentlich wirken?*
Rheinische Thalia 1785. Vorgetragen am 26. Juni 1784 in einer Sitzung der Kurfürstlichen Deutschen Gesellschaft in Mannheim. Späterer Titel *Die Schaubühne als moralische Anstalt betrachtet.*

KOMMENTARE ZU EINZELNEN WERKEN

I. DRAMATURGISCHE SCHRIFTEN

1. Bruch mit Ästhetik und Dramaturgie der Aufklärung

Mit der programmatischen Aversion gegen jegliches deduktives aufklärerisches Theoretisieren verband sich im Sturm und Drang eine radikale Ablehnung abstrakt ästhetischer Klassifikationen, die die Regelpoetik bis in die sechziger Jahre weitgehend bestimmten. Diese Ablehnung konkretisierte sich historisch in der Rebellion gegen die auf klassischen Vorbildern beruhende normative Gattungspoetik und deren Nachahmungstheorie, die zusehends ungeeigneter schienen, eine den deutschen Verhältnissen angemessene und zeitgemäße Literatur hervorzubringen. Die pragmatische Anwendung konkreter Regeln zu einzelnen Dichtungsarten hingegen wurde keineswegs verworfen, vor allem dann nicht, wenn sie in der dichterischen Praxis bestätigt wurden.
Der Bruch im poetologischen Denken, der sich in den siebziger Jahren des 18. Jahrhunderts vollzog und weit ins 19. und 20. Jahrhundert hineinwirkte, ist in der älteren Literaturwissenschaft oft beschrieben worden. Man sah im Sturm und Drang den entscheidenden Durchbruch der Genieästhetik, eine Ewigkeitswert beanspruchende Verabsolutierung von Begriffen wie Individualität, Schöpfertum und Originalität. Man betrachtete den Sturm und Drang als wesentliche Stufe auf dem Wege der Kunst zu ihrer Autonomie von »kunstfremden« Bedürfnissen. Auf lange Zeit war mit dieser Sicht die These vom feindlichen Gegensatz von Sturm und Drang und Aufklärung verknüpft, die im Irrationalismus-Rationalismus-Schema als Ausdruck der Erbfeindschaft zwischen Deutschland und Frankreich ihre chauvinistische Steigerung fand. Weniger häufig wurde betont, daß die Kritik an der normativen Gattungspoetik nicht nur auf eine neue Bestimmung künstlerischen Schaffens abzielte, sondern eben durch die Entbindung der Kunst von einengenden Regeln und begrenzten Zwecken indirekt gesellschaftliche Verhältnisse

und Bewußtseinsformen wirksamer unterlief, als es den Aufklärern, selbst Lessing, möglich gewesen war. Die Zusammengehörigkeit von radikal sich wandelnden ästhetischen Anschauungen und sich verschärfender Gesellschaftskritik verweist sowohl auf die Kontinuität von Aufklärung und Sturm und Drang als auch auf deren Diskontinuität, die sich als Kritik an der Aufklärung manifestierte. Dabei kommt es darauf an, die heute oft geschmähten, damals aber emanzipatorischen Konzepte wie Autonomie der Kunst, Originalität, geniales Schöpfertum, Einfühlung etc. aus dem historischen Kontext ihrer anti-aufklärerischen Genese zu verstehen.

Den theoretisch, literarisch und gesellschaftlich bedeutsamen Bruch des Sturm und Drang mit der Aufklärung hat Peter Müller präzise benannt: »Zu den Besonderheiten der ästhetischen Theorie des Sturm und Drang zählt von Anfang an, daß sie sich als Wegbereiterin einer neuen ästhetischen Praxis generell in ein widerspruchsvoll-kritisches Verhältnis zur existierenden Literatur, ihrer Theorie und Praxis, setzen muß. Ihr muß es, im Unterschied zur allgemeinen theoretisch-weltanschaulichen Konzeptionsbildung um Operativität sowohl im Sinne der Fixierung und Propagierung der eigenen ästhetischen Muster und Grundsätze als auch im Sinne der Diskreditierung der traditionellen Literaturverhältnisse gehen; sie muß durch dieses Vorgehen Raum für die eigene literarische Produktion gewinnen helfen, indem sie das Publikum von den alten Mustern löst und an die neuen Normen heranführt und bindet. Ihr unmittelbar praktisches, auf die Veränderung der Literaturverhältnisse gerichtetes Anliegen verleiht den Texten zur ästhetischen Theorie ihren durchgehend polemischen Zuschnitt.«[1]

Theoretische Polemik gegen die klassizistischen Mustern verpflichtete Literatur der Aufklärung und gegen deren Verknüpfung von Moral und Ästhetik kam außer in den hier behandelten Texten auch in Unzer und Mauvillons Briefwechsel von 1771, in Rezensionen der *Frankfurter Gelehrten Anzeigen* des Jahres 1772 sowie in Gottfried August Bürgers *Über Volkspoesie. Aus Daniel Wunderlichs Buch* (1776) zum Ausdruck.[2] Diese theoretische Polemik verband sich im Schaffen der Stürmer und Dränger mit einer praktisch operativen Polemik, die sich einer Gattung bediente, die in der Aufklärung zu großer Bedeutung gelangt war und nun frech und aggressiv gegen die Aufklärer selbst gewendet wurde. Gemeint ist die dramatische

Literatursatire. Hervorzuheben sind hier Goethes *Götter, Helden und Wieland* (1774), ein Angriff auf eine wirklichkeitsferne Aufklärung, der mit der ironischen Gegenüberstellung des klassizistischen Wieland mit dem klassischen Herkules gipfelt, Wagners *Prometheus, Deukalion und seine Rezensenten* (1775), eine aggressive Verteidigung des *Werther* gegen Angriffe aus dem Lager der Aufklärung, und schließlich Lenz' *Pandaemonium Germanicum* (1775), Huldigung an Goethe und seinen Kreis und Kritik an den Aufklärern in einem.

In den Kommentaren zur dramatischen Theorie und Praxis der Stürmer und Dränger wird im folgenden herauszuarbeiten sein, wie sich die Polemik gegen die Literatur der Aufklärung auch und gerade in der formalen Gestaltung des Dramas niedergeschlagen hat. Höhepunkte solcher formal-literarischer Polemik gegen die Aufklärung sind das radikale Shakespearisieren in Goethes *Götz von Berlichingen*, die bewußte Verschiebung des bürgerlichen Trauerspiels zur grotesken Komödie in Lenz' *Der Hofmeister* und die immanente Radikalisierung des bürgerlichen Trauerspiels in Schillers *Kabale und Liebe*.

Daß die neue Auffassung von Dichtung, die den Sturm und Drang deutlich von Aufklärung und Klassizismus absetzt, hier anhand der Dramaturgie herausgearbeitet wird, widerspricht der älteren These, daß die Poetik des Sturm und Drang sich vornehmlich in der Neudefinition des Lyrischen kristallisiere. Für diese These spricht nur, daß sowohl Herders wichtige Odenabhandlung und seine Volksliedbegeisterung als auch die Lyrik des jungen Goethe chronologisch vor der Blüte der Dramatik und deren Theorie liegen, daß fernerhin Herders bahnbrechendes Shakespeare-Verständnis immer wieder auf seine Bestimmung des Lyrischen zurückzulaufen scheint. Aus der Retrospektive jedoch läßt sich ohne weiteres erkennen, daß das Drama für den Sturm und Drang wichtiger war als die Lyrik, wichtiger auch als der Roman, der mit Goethes *Die Leiden des jungen Werthers* (1774) nur einen einzigen einsamen Höhepunkt in der Sturm-und-Drang-Periode erreichte. Aus rein pragmatischen Erwägungen allein ist die These von der Dominanz der Lyrik im Sturm und Drang abzulehnen. Die Epoche wies entschieden mehr bedeutende Dramatiker als Lyriker auf, und das Drama gewährt einen weitaus umfassenderen Einblick in die Totalität der Bewußtseins- und Lebenswelt der Stürmer und Dränger als die Lyrik. Bei alledem soll die Bedeutung der Lyrik

für die Herausbildung der Sturm-und-Drang-Poetik nicht geleugnet werden. Wohl aber ist zumindest andeutungsweise auf die häufige Verbindung dieser Lyrik-These mit dem Rationalismus-Irrationalismus-Schema hinzuweisen. Die Ansicht der älteren Literaturwissenschaft, daß die Lyrik reinster Ausdruck deutschen Wesens sei, führte oft zur Abwertung des Sturm-und-Drang-Dramas, zu einer Identifikation des Sturm und Drang mit der Lyrik schlechthin und damit von gattungspoetischer Seite her zur These des unüberbrückbaren Gegensatzes von französischer Aufklärung und deutschem Sturm und Drang.
Nun zeichnet sich nicht nur das Sturm-und-Drang-Drama von Gerstenbergs *Ugolino* (1768)[3] bis zu Schillers Jugenddramen der frühen achtziger Jahre durch eine Vielzahl von formalen und thematischen Neuansätzen aus; auch in der Dramaturgie sind verschiedene Tendenzen und Traditionen wirksam, und die Schlagworte Shakespeare, Natur, Genie tragen nur wenig zu einer Klärung dramaturgischer Detailfragen bei. Gewiß kann man mit Siegfried Melchinger die Einheit der Sturm-und-Drang-Dramaturgie negativ definieren aus ihrer Opposition gegen die traditionelle Dichtungstheorie und Dichtungspraxis, aber Melchingers Perspektive ist noch stark geprägt von der geistesgeschichtlichen Konstruktion eines totalen Gegensatzes von Aufklärung und Sturm und Drang.[4] Bezeichnend sind Melchingers Schwierigkeiten, die Sturm-und-Drang-Dramaturgie positiv als einheitliches, kohärentes Ganzes zu erfassen. Seine generelle Behauptung, der Sturm und Drang fordere die Befreiung des Dramas vom Zweckgedanken, mag auf Goethe und Herder zutreffen; gewiß stimmt sie so nicht für Lenz, Wagner und Klinger. Ferner erkennt Melchinger zwar die Bedeutung von Lenz an und stellt dessen Definition des Charakterdramas als zentral für die Dramaturgie heraus. Dem hätte aber erstens Herder nicht zugestimmt, und zweitens müßte dann auch geklärt werden, warum die wichtigsten Stücke von Lenz selbst keine Charakterdramen sind.
Ähnlich problematisch ist Kurt Mays Versuch, aus Klingers Werk einen phänomenologischen Idealtypus des Sturm und Drang herauszupräparieren.[5] Problematisch nicht nur deshalb, weil es bei Klinger in auffälliger Weise an theoretischer Reflexion des neuen Dramentyps mangelt, sondern weil Klinger in seiner Jugenddramatik mit den verschiedensten dramatischen Formen experimentiert.[6]

Andere Forscher nahmen Herders Shakespeare-Aufsatz, Lenz' *Anmerkungen zum Theater*, Wagners Mercier-Übersetzung oder Goethes Äußerungen der frühen siebziger Jahre als Fixpunkt ihrer Definitionsversuche. Anstatt auf einer einheitlichen Sturm-und-Drang-Dramaturgie zu bestehen, dürfte es angebrachter sein, von einer Vielfalt sich kreuzender, paralleler, aber auch disparater Grundtendenzen auszugehen, wobei es sich empfiehlt, sich an die chronologische Abfolge zu halten.

Die dramaturgischen Neuansätze bildeten sich zunächst in enger Anlehnung an Shakespeares Werk und der damit verbundenen Ablehnung der französischen Dramatik von Corneille bis Voltaire heraus. Dies gilt für Gerstenbergs *Briefe über Merkwürdigkeiten der Literatur* (1766/67), Herders Shakespeare-Essay (1771/73), Goethes *Rede zum Schäkespears Tag* (1771) und Lenz' *Anmerkungen zum Theater* (1774). Erst mit Wagners Mercier-Übersetzung (1776) kommen dann auch die für die Entwicklung des bürgerlichen Trauerspiels insgesamt so entscheidenden Anstöße Diderots und Merciers im Sturm und Drang zur Wirkung. Schon Lessing war in seiner Kritik an der französischen Klassik der historischen Bedeutung dieser Dramatik nicht gerecht geworden. Die Schärfe der Kritik Lessings und der Stürmer und Dränger läßt sich freilich aus dramaturgischen Überlegungen allein nicht erklären. Gewiß spielt der Nationalgegensatz eine begrenzte Rolle; aber wenn etwa Goethe in den *Frankfurter Gelehrten Anzeigen* der herrschenden »polierten Nation« die »charakteristische Nation« gegenüberstellt[7], so kommt es ihm weniger auf den Gegensatz Deutschlands zu Frankreich an als vielmehr auf den Antagonismus höfischer Gesellschaft zur Lebenswelt der Bürger und Bauern. Da der Absolutismus in Deutschland die Nationalstaatlichkeit nicht förderte wie in Frankreich, sondern sie eher verhinderte, konnte die Kunst des Absolutismus der sich herauszubildenden bürgerlichen Kultur in Deutschland nicht als Vorbild dienen. Gerade auch die intensive Rezeption der bürgerlichen Aufklärer Diderot und Mercier im Sturm und Drang beweist, daß nicht der Nationalgegensatz, sondern der Klassengegensatz für die Ablehnung der französischen Hochkultur des Absolutismus maßgebend war. Nur von daher läßt sich die objektiv ungerechte Kritik an der französischen Klassik historisch rechtfertigen.

2. Heinrich Wilhelm Gerstenberg: Briefe über Merkwürdigkeiten der Literatur

Müßig ist heute der Streit darüber, ob Gerstenberg mit seinen sogenannten schleswigischen Literaturbriefen als Vorläufer des Sturm und Drang (bzw. als Übergangsfigur zwischen Aufklärung und Sturm und Drang) einzuordnen sei[1], oder ob man mit Gerstenbergs Werk die Umschichtung der ästhetischen und poetischen Grundbegriffe, die den Sturm und Drang von der Aufklärung abgrenzt, als vollzogen ansehen kann.[2] Alles hängt davon ab, ob man Kontinuität oder Diskontinuität des Sturm und Drang mit der Aufklärung betont. Aber selbst im Rahmen der hier vertretenen Diskontinuitätsthese, die den Umbruch erst mit Herders *Journal meiner Reise* ansetzt, muß eine Darstellung der Dramaturgie des Sturm und Drang auf Gerstenbergs Shakespeareverständnis zurückgreifen. Stärker als mit seinem Trauerspiel *Ugolino* (1768), das die Wirkungskraft der besten Sturm-und-Drang-Dramen nie erreichte, wurde Gerstenberg mit den Literaturbriefen ein wichtiger Anreger und Neuerer. Im Gegensatz zu Herder und Goethe blieb er dabei weitgehend der Aufklärung verhaftet, artikulierte jedoch viele für den Sturm und Drang charakteristische Urteile vernehmlich genug, wenn auch weder mit der rhapsodischen Sprachkraft eines Herder noch mit der bohrenden Denkanstrengung eines Lenz.

Schon rein äußerlich lassen sich Kontinuitäten und Wechselbeziehungen in der programmatischen Literaturdiskussion der sechziger und siebziger Jahre beobachten. Gerstenbergs *Briefe über Merkwürdigkeiten der Literatur*, deren erste und zweite Sammlung noch vor Lessings *Hamburgischer Dramaturgie* (1767-69) erschienen, lehnen sich in der Titelgebung und dem Genre der Briefkritik deutlich an Lessings *Briefe die neueste Literatur betreffend* (1759–65) an. Herders Abhandlung über Shakespeare war ihrerseits als Beitrag für die ins Stocken geratenen schleswigischen Literaturbriefe geplant, die der Hamburger Buchhändler Johann Joachim Christian Bode in seinen Verlag übernommen hatte. Die Briefform der ersten Fassung des Shakespeare-Aufsatzes (1771) läßt erkennen, daß es Herder um kritische Variationen zu Gerstenbergs Thesen über Shakespeare ging. Erst als sich Bodes Plan zur Fortsetzung der Gerstenbergschen Zeitschrift zerschlug, kam es zur Veröffentlichung der Shakespeare-Abhandlung, und zwar in dritter, völlig umgearbeiteter Fassung im Rahmen der Sammlung *Von deutscher Art und Kunst* (1773), die häufig als *die* Programmschrift der Sturm-und-Drang-Bewegung angesehen wird.

Aber nicht nur um eine äußerliche Kontinuität handelt es sich. Gerstenbergs Literaturbriefe versuchten gleichzeitig mit Herders *Fragmenten über die neuere deutsche Literatur* (1. Sammlung 1766) die kritische Diskussion über die Möglichkeiten und Notwendigkeiten einer deutschen Nationalliteratur fortzusetzen, die Lessing mit anderen Wertungen in seinen Literaturbriefen begonnen hatte.

Gleich zu Beginn seiner Auseinandersetzung mit Shakespeare im 14. Brief wendet sich Gerstenberg gegen Lessings These, daß das griechische Drama hinsichtlich der Erregung von Leidenschaften (Furcht und Mitleid) mit dem Shakespeares vergleichbar sei. Mit Edward Young konnte Lessing Shakespeare als Bruder des Sophokles bezeichnen, da es ihm weniger auf die äußere Form als auf die Wirkung des Dramas ankam. Und gleichzeitig benutzte er die Allianz Shakespeare/Sophokles als Kampfbegriff gegen die französierende hohe Tragödie, der er das bürgerliche Trauerspiel gegenüberstellte. Überraschenderweise ist nun bei Gerstenberg weder von der Auseinandersetzung um das bürgerliche Trauerspiel die Rede, noch auch diskutiert er je ernsthaft die Autorität des Aristoteles, die im Zentrum von Lessings Kampf gegen das französische Drama stand. Gerstenberg scheint es viel weniger um das Theater, das Drama, zu tun zu sein als um ein neues Verständnis von Dichtung, zu dem er sich mühsam vorzuarbeiten sucht. Dieser Eindruck wird nicht zuletzt dadurch bestätigt, daß er der auf Handlung beruhenden Gattung Trauerspiel das Dichterische rundweg abspricht (20. Brief) und in seinem Verständnis des Tragischen sich durchaus nicht auf der Höhe der zeitgenössischen Diskussionen bewegt. Sein Verständnis Shakespeares jedoch geht dennoch über das Lessings hinaus. Er spürt den unüberbrückbaren historischen Gegensatz zwischen dem Drama der Griechen und dem Shakespeares, wählt sich allerdings einen unglücklichen Ansatzpunkt zu dessen Beschreibung. Denn es ist keineswegs ausgemacht, ob nicht auch Shakespeares Tragödien Furcht und Mitleid im Sinne Lessings erregen können. Herder etwa war davon durchaus überzeugt.

Wichtiger als Gerstenbergs Angriff auf die aufklärerische Wirkungsdramaturgie ist seine positive Bestimmung Shakespeares.

Auf die Frage des Gesprächspartners, was denn für Shakespeare übrig bleibe, wenn es bei ihm an Erregung der Leidenschaften mangele, antwortet Gerstenberg: »Der Mensch! die Welt! Alles!«[3] Die höhere Absicht Shakespeares sei »die Zeichnung der Sitten«, die »sorgfältige und treue Nachahmung wahrer und erdichteter Charaktere«, das »kühne und leicht entworfene Bild des idealischen und animalischen Lebens«, Darstellung also einer Totalität des Lebens, die Gerstenberg nach einem Seitenhieb auf Gottscheds und Wielands rationalistische Klassifikationsversuche als »lebendige Bilder der sittlichen Natur«[4] bezeichnet. Was aber sind für Gerstenberg Bilder der sittlichen, d.h. menschlichen Natur? Aufschlußreich ist hier der Begriff des Sentiments, den Gerstenberg von Home übernahm. Im 15. Brief vergleicht er Shakespeares *Othello* mit Youngs Trauerspiel *The Revenge*. Young schildere die Natur des Eifersüchtigen, um Schauder, Entsetzen und Mitleiden zu erregen; Shakespeare bemühe sich, die feinsten Nuancen der Eifersucht zu entwickeln und ihre verborgene Mechanik aufzudecken. Young komme alles auf das Gemüt des Zuschauers an, während Shakespeare sein Stück so anlege, daß der jeweilige Effekt auf Othellos Gemüt den Gang des Ganzen bestimmte. Young schildere Leidenschaften, Shakespeare das mit den Leidenschaften verbundene Sentiment. Shakespeares Zweck sei die Natur der Eifersucht selbst, und sein Genie liege darin, daß er »jede Leidenschaft nach dem Eigenthümlichen des Charakters zu bilden«[5] vermag. Zentral für Gerstenbergs Shakespeare-Bild ist dementsprechend nicht Leidenschaft und Empfindung schlechthin, sondern deren Darstellung mittels individueller festumrissener Charaktere. Stücke wie *Lear, Macbeth, Hamlet* und *Othello* kommen nach Gerstenberg »der Natur des Charakterstücks weit näher als der der tragischen Fabel«.[6] Der Charakter ist nicht mehr Funktion der Handlung, wie Lessing es noch vorschrieb, sondern die Handlung Funktion des Charakters und aus diesem zu motivieren. Die Umwertung des Phänomens des Tragischen selbst, die damit verbunden ist, hat Gerstenberg freilich nicht erfaßt. Möglicherweise war es gerade seine Tendenz zur Psychologisierung des Dramas, die ihm eine tiefere Erkenntnis des Tragischen verbaute.[7]

Shakespeares Bilder der menschlichen Natur beruhen für Gerstenberg nicht auf Naturnachahmung, sondern auf Nachbildung, einer schweren Kunst, für die Eingebung die Vorausset-

zung sei. Gerstenberg definiert Genie geradezu als »Betrug einer höhern Eingebung«; Betrug (d.h. Trug, Illusion) ist die »Kraft, die Natur wie gegenwärtig in der Seele abzubilden« und beruht auf Imagination, Kraft der Beobachtung und Klugheit des Genies.[8] Die Eingebung wird hier noch weitgehend rational umschrieben, wie Gerstenberg überhaupt die Unzulänglichkeit seiner Geniedefinition keineswegs durch Berufung aufs Irrationale zu verschleiern sucht, sondern sie aus einem Mangel an psychologischem Wissen über das Schöpferische erklärt.[9] Während Gerstenbergs Verinnerlichung des Illusionsprinzips vor allem von Herder wiederaufgenommen wird, findet sich seine Auffassung vom Charakterdrama in Lenz' *Anmerkungen* wieder. Seine Definition des Genies jedoch – »Wo Genie ist, da ist Erfindung, da ist Neuheit, da ist Original; aber nicht umgekehrt«[10] – wirkte auf den Sturm und Drang insgesamt.
Gerstenbergs mangelndes Verständnis gattungspoetischer Probleme zeigt sich andererseits noch einmal deutlich, wenn er nur der Epopöe und der hohen Ode zugesteht, vermöge ihrer inneren Natur Poesie zu sein. Gerstenbergs Bild von Dichtung ist noch weitgehend ahistorisch, was einerseits der traditionellen Gattungspoetik, andererseits aber – hinsichtlich der Betonung innerer Natur – schon dem neuen universalen Naturbegriff entspricht, der dann erst von Herder rigoros historisiert wird. Und so landet Gerstenberg schließlich doch noch bei einer Gemeinsamkeit von Shakespeareschem und griechischem Drama, die er vage »aus der Natur eines Ganzen«[11] herleitet. Bei dieser Gelegenheit fällt er bezeichnenderweise in einen für den Sturm und Drang untypischen Klassifikationsfetischismus zurück und unterteilt Shakespeare-Dramen mechanisch nach sechs Kategorien. Diese Unterteilung hat Herder denn auch in seinem Shakespeare-Essay als bloßes Geschwätz kritisiert.

3. Johann Gottfried Herder: Von deutscher Art und Kunst

Daß Herder dennoch von Gerstenbergs Shakespeare-Deutung stark berührt wurde, bezeugen die älteren Fassungen seiner Shakespeare-Abhandlung, die sehr viel deutlicher auf Gerstenberg Bezug nehmen als die dritte Fassung, die in den fliegenden

Blättern *Von deutscher Art und Kunst* auf den einleitenden Ossianaufsatz folgt.

Wie Gerstenberg hat auch Herder keine Poetik des Sturm-und-Drang-Dramas geschrieben. Nicht auf dramaturgische Gesetzgebung kam es ihm an, sondern auf ein Erfassen der dichterischen Totalität des Shakespeareschen Werks. Herder jedoch verarbeitet die zeitgenössische Diskussion über die Stellung Shakespeares zu Griechen und Franzosen weitaus gründlicher und wirksamer als Gerstenberg. Mit diesem einig ist er sich in der Ablehnung der Einheiten von Ort, Zeit und Handlung, trennt aber hier mit Lessing das französische Drama deutlicher als Gerstenberg von dessen griechischem Vorbild. Den Unterschied zwischen Griechen und Shakespeare lokalisiert Herder nicht in einem poetischen Teilelement wie Gerstenberg (Erregung der Leidenschaften), sondern im historischen Abstand der Welt Shakespeares von der der athenischen Polis. Erst durch den Nachweis der unterschiedlichen historischen Genese des griechischen und englischen Dramas gibt Herder der Behauptung von der Verschiedenheit beider eine feste historische Grundlage. So gerät er gar nicht erst in das Dilemma, Aristoteles verurteilen zu müssen, um Shakespeare voll würdigen zu können. Im Gegenteil, er kann dem englischen Dramatiker gar einen neuen Aristoteles wünschen. Noch auch muß er wie Lessing den Franzosen eine Fehlinterpretation der aristotelischen Poetik nachweisen. Nicht nur das griechische Drama, sondern auch dessen Theorie sind für Herder geschichtlich einmalige Phänomene. Jegliche Nachahmung historischer Vorbilder muß also von vornherein zum Scheitern verurteilt sein. Herders historisches Denken geht damit einen entscheidenden Schritt über Lessing hinaus, der Shakespeare und Sophokles einander gleichsetzte, weil beide den Endzweck aller Tragödie, die Erregung von Furcht und Mitleid, erfüllten. Zwar stimmt Herder Lessing darin zu, daß die Tragödie Leidenschaften zu erregen habe, aber diese Ähnlichkeit der Argumentation kann doch nicht verdekken, daß Herders Hauptinteresse sich auf die geschichtliche Genese dichterischer Schöpferkraft richtet, von der Lessing noch kaum einen Begriff hatte. Die normative Gattungspoetik, der Lessing noch weitgehend verpflichtet bleibt, wird bei Herder außer Kraft gesetzt.

Das Eigentümliche der griechischen Tragödie – Simplizität der Fabel, Nüchternheit der Sitten, das Kothurnmäßige des Ausdrucks[1] – erklärt Herder mit dem Ursprung der Tragödie aus religiösem Chorgesang, dem Dithyrambus. Selbst die drei Einheiten waren nach Herder ursprünglich nicht künstlich, sondern entsprangen der Natur der Sache. Shakespeare hingegen fand in seiner geschichtlichen Welt nichts weniger vor als griechische Simplizität und ersetzte so »das Eine einer Handlung«, worauf noch Lessing bestand, durch das Ganze einer »Begebenheit«.[2] Damit gibt Herder wie Gerstenberg die traditionelle Ansicht preis, derzufolge Handlung für die Tragödie konstitutiv sei, beschränkt aber im Gegensatz zu Gerstenberg das moderne Drama nicht auf die Zentralität des Charakters. Herder läßt die Antithese von Handlungs- oder Charakterdrama, die bei Lenz wiederum eine große Rolle spielen wird, nicht gelten. Das Drama als Weltbegebenheit schließt sowohl Handlungen als auch Charaktere in größtmöglicher Mannigfaltigkeit ein.

Überhaupt sprengt Herders Shakespeare-Auffassung die Enge des Bühnenraums. Herder sieht Shakespeare als genialen Dichter des Weltganzen: »Mir ist, wenn ich ihn lese, Theater, Akteur, Koulisse verschwunden! Lauter einzelne im Sturm der Zeiten wehende Blätter aus dem Buch der Begebenheiten, der Vorsehung, der Welt!«[3] Solche Formulierungen weisen über Gerstenbergs »lebendige Bilder der sittlichen Natur« hinaus. Kunst ist mehr als Nachbildung – von Nachahmung ganz zu schweigen –, ist Neuschöpfung aus dem Geist der Geschichte. Die Tendenz geht bei Herder dahin, nicht nur die Schwelle zwischen Drama und Wirklichkeit aufzuheben, sondern allgemein Kunst und Leben ineins zu setzen. Freilich gelingt dies nur einem Genie wie Shakespeare. Vermittelnd zwischen Kunst und Leben tritt der schillernde Begriff der Natur. Damit ist einmal die eher äußere Natur von Gesellschaft und Kultur gemeint, deren geschichtliche Veränderung die Transformation des Dramas nach sich zieht: »Wie sich Alles in der Welt ändert: so mußte sich auch die Natur ändern, die eigentlich das griechische Drama schuf. Weltverfaßung, Sitten, Stand der Republiken, Tradition der Heldenzeit, Glaube, selbst Musik, Ausdruck, Maas der Illusion wandelte: und natürlich schwand auch Stoff zu Fabeln, Gelegenheit zu der Bearbeitung, Anlaß zu dem Zwekke.«[4] Diese Verschiedenheit der äußeren Natur begründet historisch den Abstand zwischen Griechen und Engländern. Aber gerade weil Sophokles und Shakespeare das jeweils Spezifische ihrer Epochen in ihren Werken zum Ausdruck bringen, kann

Herder sie ihrer inneren Natur nach doch wieder miteinander vergleichen: »Eben da ist also Shakespeare Sophokles Bruder, wo er ihm dem Anschein nach so unähnlich ist, um im Innern, ganz wie Er, zu seyn.«[5] Ihre innere Gemeinschaft liegt in ihrer Verschiedenheit, darin, daß sie in ihren Dramen »dies Urkundliche, Wahre, Schöpferische der Geschichte«[6] erreichen. Die Gestaltungskraft des genialen Schöpfers fließt ihm zu aus der dynamischen Schöpfungskraft der Geschichte, d.h. für Herder aus der Natur selbst. Natur wird von Herder geschichtlich begriffen, Geschichte andererseits ist ihm schöpferisch wie die Natur. Diese Naturalisierung von Geschichte war im 18. Jahrhundert als Kritik an der religiösen Legitimationsgrundlage des absolutistischen Staates durchweg progressiv, zumal sie ja von einer Historisierung der menschlichen Natur nicht zu trennen ist. Der geniale Dichter, der aus dem innersten Kern von Natur und Geschichte schöpft, ästhetisiert aber nicht das Leben, sondern verlebendigt und dynamisiert die Kunst, die als wesentlicher Teil des geschichtlichen Prozesses begriffen wird und je länger je weniger höfischer Machtentfaltung und Repräsentation verpflichtet bleibt.

In rhapsodischer Sprache führt Herder an Lear, Othello, Macbeth und Hamlet aus, daß die Einheit Shakespearescher Dramen nicht als äußerliche von Ort und Zeit begriffen werden kann; Einheit ist ihm das »Ganze der Begebenheit«, das »mit tiefster Seele fortgefühlt und geendet« wird.[7] Martini hat mit Recht bemerkt, daß Herder den dramaturgischen Handlungszusammenhang ersetzt durch den inneren Zusammenhang des vielfältigen Ganzen und damit eine Verinnerlichung der dramatischen Einheit vollzieht.[8] Herder fehlt es sogar an Worten, die jeweils einzelne »Hauptempfindung« zu umschreiben, »die also jedes Stück beherrscht, und wie eine Weltseele durchströmt«.[9] Die Wahrheit Shakespeares ist die eines Dieners der Natur, die der geniale Dichter im Werk sozusagen organisch sich entfalten läßt. Damit wird nun auch das Verhältnis von Bühnengeschehen und Publikum neu bestimmt, das man freilich nicht voll begreift, wenn man es in den Gegensatz von Wirkungsästhetik (Aufklärung und Klassiszismus) und Ausdrucksästhetik (Sturm und Drang) faßt. Das klassizistische Drama stellte eine kausal bestimmte Abfolge von Handlungen vor, die sich aus einer Psycho-Mechanik von Leidenschaften entwickelten. Die sorgfältig kalkulierte Illusion erforderte jene Distanz zwischen

Bühne und Zuschauer, die rationale Reflexion ermöglichen und durch Furcht, Mitleid und Katharsis auf moralische Besserung hinwirken sollte. Demgegenüber wird bei Herder das Illusionsprinzip verinnerlicht und die Distanz zwischen Bühne und Zuschauer aufgehoben. Der Zuschauer wird in das dramatische Geschehen hineingerissen. Die Repräsentation von Geschehen auf der Bühne bemächtigt sich der Imagination des Zuschauers, der im Bühnengeschehen Natur und Geschichte selbst am Werk sieht. Wenn Wirkungsästhetik nur auf moralische Besserung aus ist im Sinne von Aufklärung, dann ist das von Herder vertretene Identifikationsdrama allerdings nicht wirkungsästhetisch zu bestimmen. Dennoch ist ersichtlich, daß es Herder ganz entscheidend um Wirkung zu tun ist – Wirkung des mit Natur und Geschichte im Einklang schaffenden Genies auf die Seele des Zuschauers. Nicht nur dramatische Einheit und Illusionsprinzip, sondern auch die Wirkungsintention ist bei Herder verinnerlicht. Die Frage, inwieweit dabei dynamisches Bühnengeschehen illusionärer Ersatz für die Handlungsarmut und Begrenztheit bürgerlichen Lebens in Deutschland oder aber aktivierendes Vorbild war, bleibt strittig. Die progressiv utopischen Intentionen der Stürmer und Dränger jedoch lassen sich nicht leugnen. Entscheidend ist, daß Herder mit der geschichtlich bedingten Veränderlichkeit dramatischer Formen und Inhalte auch die Veränderbarkeit von Geschichte selbst erfaßte. Und dabei geht es Herder keineswegs nur um geschichtlichen Wandel in der Vergangenheit. Mit der Feststellung geschichtlichen Wandels von den Griechen zu Shakespeare ist gleichzeitig die Veränderbarkeit der Gegenwart impliziert. Der Shakespeare-Aufsatz bezeugt deutlich, daß Herder Shakespeare nicht als absolutes Vorbild aufstellte, sondern sich seines eigenen geschichtlichen Abstandes von Shakespeare schon schmerzlich bewußt war. Dem drohenden Veralten des Shakespeareschen Werks stellt er somit am Ende seiner Abhandlung Goethes *Götz* als aussichtsreichen Neubeginn dramatischen Schaffens entgegen. Nur aus dem Bewußtsein geschichtlichen Abstands von Shakespeare wird Herders briefliche Bemerkung über den *Götz* voll verständlich, Shakespeare habe Goethe ganz verdorben.

Wichtiger als der gattungsbezogene Streit der Gelehrten, ob Herder unzulässig dramatische Handlung mit epischer Begebenheit verwechsle[10] oder das Dramatische verfehle, indem er Shakespeares Stücke wie lyrische Gedichte ansehe[11], ist die Erkenntnis, daß Herder versucht, von einer normativen zu einer historischen Gattungspoetik vorzudringen, daß er dabei in das Dilemma gerät, das individuelle Werk nur als individuelles in seiner Hauptempfindung nachempfinden zu können, und eine Lösung darin sucht, die Gattungsbegriffe zu elementaren Ausdrucksformen von Dichtung und Leben umzudeuten – eine Ansicht, die bekanntlich in der deutschen Literaturwissenschaft weitreichende Folgen hatte.

4. Johann Wolfgang Goethe: Rede zum Schäkespears Tag

Auch Goethes Ansätze zu einer Dramentheorie in seiner Sturm-und-Drang-Phase entwickelten sich in der Auseinandersetzung mit dem Werk Shakespeares. Shakespeares Einfluß auf den jungen Goethe läßt sich kaum überschätzen, und auch in späteren Jahren ist Goethe immer wieder auf sein Shakespeare-Erlebnis zurückgekommen. Er hat es im 3., 4. und 5. Buch von *Wilhelm Meisters Lehrjahren* künstlerisch gestaltet, in der Darstellung der Straßburger Jahre in *Dichtung und Wahrheit* erinnernd beschrieben, in dem Gedicht *Zwischen beiden Welten* lyrisch gepriesen und in dem späten Aufsatz *Shakespeare und kein Ende* essayistisch abgehandelt. Theoretisches Dokument der durch Herder vermittelten Straßburger Shakespeare-Rezeption ist die berühmte Rede *Zum Schäkespears Tag* vom Herbst 1771, die erste vollständig erhaltene Prosaschrift Goethes. Goethe hat die Rede vermutlich für eine Festveranstaltung zu Ehren Shakespeares verfaßt, die er selbst angeregt hatte und die dann am 14. Oktober, dem protestantischen Namenstag für Wilhelm, im Rahmen von Salzmanns »Deutscher Gesellschaft« in Straßburg auch stattfand. Da Goethe zu dieser Zeit jedoch schon wieder in Frankfurt war, hielt sein Freund Lerse die Festrede, und es ist zweifelhaft, ob Goethes Aufsatz zusätzlich verlesen wurde. Statt dessen trug Goethe seine Huldigung am selben Tage in seinem Frankfurter Elternhaus vor, wo nach Ausweis des Haushaltungsbuchs des Rates Goethe ein »Dies Onomasticus Schackspear« stattfand. Eigentlich sollte bei dieser Gelegenheit Herders Shakespeare-Aufsatz vorgelesen werden, der dann später umgearbeitet in *Von deutscher Art und Kunst* erschien. Der Essay aber traf nicht ein, und so war Herder nur indirekt anwe-

send in Kerngedanken von Goethes Rede, die auf seine Anregungen zurückgingen und zugleich in bezeichnender Weise von seiner Shakespeare-Interpretation abwichen.
In noch geringerem Maße als Gerstenbergs *Briefe* oder Herders Aufsatz, von Lenz' *Anmerkungen* und Schillers frühen Aufsätzen zum Theater ganz zu schweigen, ist Goethes Shakespeare-Rede als eigentlich dramaturgischer Text zu verstehen. Es handelt sich vielmehr um ein feierndes Bekenntnis eines jungen Dichters zu seinem gefühlsmäßig erfaßten großen Vorbild, dessen Genie und Schöpferkraft er vorbehaltlos bewundert. Die fast totale Abwesenheit von dramaturgischen und gattungspoetischen Überlegungen im engeren Sinn läßt sich relativ leicht erklären. Obwohl Goethe sich in Leipzig schon an dramatischen Werken versucht hatte *(Die Laune des Verliebten, Die Mitschuldigen)*, bedeutete doch das Straßburger Shakespeare-Erlebnis einen derartig radikalen Umschwung in seinem Leben wie in seiner Dichtung, daß die Leipziger Arbeiten kaum mehr als Modell dienen konnten. Andererseits aber gab es 1771 noch keine deutschen Theaterstücke, die ihm als Anregung für die Entwicklung einer eigenen Dramaturgie hätten dienen können. Wichtiger jedoch scheint mir ein anderes Moment zu sein. Schließlich hätte Goethe auf Grund seiner Shakespeare-Lektüre durchaus eine neue Dramaturgie entwickeln und somit die von Lessing und Mendelssohn begonnene kritische Tradition fortsetzen können. Daß er das nicht tat, ist nicht als Mangel zu verstehen. Im Gegenteil. Goethes Shakespeare-Rezeption war selbst integraler Bestandteil jener radikal neuen Erfahrung von Leben und Dichtung, die den Sturm und Drang von der Aufklärung absetzte und alle traditionelle Gattungspoetik in Frage stellte. In der für den Sturm und Drang insgesamt konstitutiven Erfahrung von Natur, Schöpfung und Genie war jene Trennung von Kunst und Leben tendenziell aufgehoben, die jeglicher Nachahmungsästhetik sowie aller aufklärerischen Gattungspoetik noch zugrunde lag.
Daß Herders Shakespeare-Deutung Goethe entscheidend beeinflußte, ist ebenso bekannt wie die Tatsache, daß Herders Aufsatz dem Versuch entsprang, eine umfassende Deutung Shakespeares als Dichter des Weltgeschehens zu entwickeln, während Goethe aus dem Gefühl einer inneren schöpferischen Verwandtschaft heraus ein Bekenntnis ablegte, das sich wie ein Aufruf zu eigenem Schaffen liest. Die Eigenheiten des Goetheschen Ansat-

zes lassen sich vor allem aus dem Vergleich mit Herders Anschauungen ablesen, wobei an dieser Stelle nur die für die Dramaturgie wichtigen Gesichtspunkte zur Sprache kommen sollen. Mit Herder teilt Goethe die Ablehnung des klassischen französischen Dramas. Die Einheiten von Ort, Zeit und Handlung sind ihm »kerkermäßig ängstlich« und erschienen ihm »als Fesseln unserer Einbildungskraft«. Wie Herder sieht Goethe einen qualitativen Unterschied zwischen der klassischen griechischen Tragödie und deren französischen Nachbildungen, die er ebenso verächtlich wie ungerecht als »Parodien von sich selbst«[1] abtut. Abweichend von Herder, der Sophokles als Bruder des Shakespeare gelten läßt und die historische Bedeutung der aristotelischen Poetik explizit ausführt, bezieht Goethe Sophokles und Aristoteles in seinen Gedankengang kaum mehr ein. Goethes persönliche und unmittelbare Begegnung mit dem Genie Shakespeares tritt ganz in den Vordergrund und verdrängt zunächst die in Herders Deutung gewonnene Einsicht in die spezifisch historischen Dimensionen der griechischen und der shakespeareschen Dramatik. Herders geschichtliche Betrachtungsweise, die auch schon den Abstand des 18. Jahrhunderts von Shakespeares England mitreflektiert, ist in Goethes Rede nur noch implizit vorhanden, etwa in dem Hinweis darauf, daß das griechische Trauerspiel »einzelne große *Handlungen* der Väter«[2] vorstellte, während bei Shakespeare Charaktergestaltung und kolossalische Größe dominieren. Allerdings läßt sich gerade hier ein weiterer Unterschied zu Herder festmachen. Für Herder ist Shakespeare Dichter des Weltgeschehens und der Weltseele, Gestalter der von innen erfaßten Geschichte, in der Handlungen und Charaktere gleichermaßen zentral sind. Goethe hingegen legt stärkeres Gewicht auf Shakespeares Menschen- und Charaktergestaltung und nimmt damit einen Grundgedanken von Lenz vorweg. Schärfer als Herder sieht Goethe in Shakespeare den Bühnendichter und den dramatischen Gestalter großer individueller Schicksale. Nicht die epische Totalität der Weltbegebenheit, die Einheit und Ganzheit dramatischen Geschehens betont Goethe, sondern vielmehr den Ausschnittcharakter allen Bühnengeschehens, den ständigen Wechsel der Bilder und Situationen. Wenn Goethe Shakespeares Theater lobend als schönen »Raritätenkasten«[3] bezeichnet, so vermittelt er sein Shakespeare-Verständnis mit der Tradition des Volkstheaters und der Guckkästen der Jahrmärkte. Die Bühnenper-

spektive, die in Herders Ausweitung des Dramas zur Dichtung schlechthin verlorengegangen war, ist bei Goethe wiedergewonnen.
Andererseits hat man häufig und mit einigem Recht behauptet, daß Goethe den dramatisch bauenden Kunstverstand Shakespeares unterschätzte, wenn er seinen Stücken unterstellte, sie seien durchaus planlos. Hinter dieser Betonung der Planlosigkeit von Shakespeares Dramen steckt aber noch ein weiteres, weltanschauliches Argument. In der zeitgenössischen Diskussion verwies der Begriff des Plans nicht nur auf die formale Organisation des Kunstwerks, sondern hatte eine theologische Dimension, die auf dem Weg von der Aufklärung zum Sturm und Drang eine entscheidende Umwandlung durchmachte. Bei seinem Versuch, eine vernunftbegründete Gattungspoetik zu entwickeln, die in Shakespeares Werk die Gesetze der Tragödie besser erfüllt sah als in der französischen Tragödie, rechtfertigte Lessing den planenden Kunstverstand Shakespeares, ohne deshalb jedoch dessen Inkompatibilität mit der klassischen Regelpoetik zu unterschlagen. Shakespeares Drama war für Lessing Theodizee, eine aufklärerische Theodizee freilich, die den Vernunftplan der göttlichen Schöpfung zum Ausdruck bringt. Im 79. Stück der *Hamburgischen Dramaturgie* wird die künstlerische *und* theologische Doppelbedeutung des Begriffs ›Plan‹ besonders deutlich: »Aus wenigen Gliedern sollte er ein Ganzes machen, das völlig sich rundet, wo eines aus dem andern sich völlig erklärt; wo keine Schwierigkeit aufstößt, derentwegen wir die Befriedigung nicht in seinem Plane finden, sondern sie außer ihm, in dem allgemeinen Plane der Dinge suchen müssen; das Ganze dieses sterblichen Schöpfers sollte ein Schattenriß von dem Ganzen des ewigen Schöpfers sein.«[4] Herder ersetzte nun zwar Lessings Konzept einer gesetzlich geordneten Kunstwelt durch das der historischen Einmaligkeit künstlerischer Werke. Aber auch er hält am theologischen Gedanken des Plans fest. Nur ist es nicht mehr der Vernunftplan des Aufklärers Lessing, der sich im großen Werk durchsetzt, sondern der Plan selbst erscheint jetzt geheimnisvoll und undurchdringlich wie die Schöpfung Gottes. In der Hand des Künstlers Shakespeare sind die dargestellten Charaktere, was die Menschen »in der Hand des Weltschöpfers sind – unwissende, blinde Werkzeuge zum Ganzen eines theatralischen Bildes, einer Größe habenden Begebenheit, die nur der Dichter überschaut«.[5] Die gewisserma-

ßen übervernünftige Absicht des genialen Schöpfers wirkt »im Plane der Trunkenheit und Unordnung« und die dargestellten Charaktere und Handlungen sind »dunkle kleine Symbole zum Sonnenriß einer Theodizee Gottes«.[6]
Wenn nun Goethe zu Shakespeare bemerkt, »seine Plane sind, nach dem gemeinen Stil zu reden, keine Plane«[7], so weist er neben der aufklärerischen Poetik vor allem diesen zeitgenössischen Theodizee-Gesichtspunkt zurück und verschärft gegenüber Herder und Lessing die Dimension des Tragischen, die er auf Grund eigener Erfahrung auf Shakespeare projiziert. Bezeichnenderweise geht Goethe in der Shakespeare-Rede von der persönlichen Erfahrung der Vergänglichkeit und Begrenztheit menschlichen Handelns aus. Gegen die Unzulänglichkeit des aufklärerischen Glaubens an die problemlose Durchsetzbarkeit vernünftiger Ziele und allgemeiner Zwecke setzt er seine Sehnsuchts-Utopie des zeitüberdauernden selbstbewußten Ich: »Für nichts gerechnet! Ich! Der ich mir alles bin, da ich alles nur durch mich kenne! So ruft jeder, der sich fühlt, und macht große Schritte durch dieses Leben, eine Bereitung für den unendlichen Weg drüben.«[8] Trotz der terminologisch traditionellen Ausdrucksweise lassen sich die letzten Worte nicht als in christlichem Sinne jenseitsgerichtet interpretieren. Goethes Begriffe von Unendlichkeit und Unsterblichkeit sind – schon durch Herder vermittelt – von Spinozas ketzerischem Pantheismus geprägt, der durchaus materialistische Züge trug. Unendlichkeit und Unsterblichkeit sind bei Goethe säkularisiert und verweisen auf das Bleibende von Leistung und Wirkung der tätig schöpferischen Persönlichkeit, das sich auch dann noch durchsetzt, wenn der sterbliche Mensch »zur allgemeinen Nonexistenz zurückgeführt« zu sein scheint.[9] Genau das aber ist Shakespeares Fall.
Goethe findet nun den für die Erfahrungen der Stürmer und Dränger typischen Widerspruch zwischen Ich-Utopie und gesellschaftlichen und historischen Begrenzungen bei Shakespeare gestaltet. Wenig sinnvoll wäre es, ihm anzukreiden, daß er hier eigene Vorstellungen auf das Werk des Engländers projiziert. Wichtiger ist es zu betonen, daß Goethe bei Shakespeare nicht mehr Einheit und Ganzheit, sondern tragischen Konflikt sieht. Goethe entwickelt somit ein adäquateres Verständnis für das Tragische in Shakespeares Dramen, als es Herder möglich war. Allerdings bleibt Goethes Definition des Tragischen mit Herder-

schem Geschichtsverständnis engstens verknüpft. Die entscheidende Stelle der Shakespeare-Rede lautet: »Seine Stücke drehen sich alle um den geheimen Punkt (den noch kein Philosoph gesehen und bestimmt hat), in dem das Eigentümliche unsres Ichs, die prätendierte Freiheit unsres Wollens, mit dem notwendigen Gang des Ganzen zusammenstößt.«[10] Die vage Formulierung vom notwendigen Gang des Ganzen hat zu allerlei Deutungen Anlaß gegeben, die sich häufig durch ideologische Überfrachtung auszeichnen. So sah man in diesem notwendigen Gang des Ganzen etwa einen göttlich vorherbestimmten Weltplan, eine universale sittliche Weltordnung, eine objektive Vernunft, die sich gegenüber subjektivistischen menschlichen Prätentionen durchsetzt, oder einfach ein im Goetheschen Sinne dämonisches Schicksal. Demgegenüber scheint es mir sinnvoller zu sein, den Begriff des Ganzen zunächst von Herders Ganzheit her zu verstehen. Ganzheit bei Herder ist aber immer bezogen auf das Kontinuum von Zeit und Raum, d.h. auf Geschichte. Goethe selbst sagt ja, daß in Shakespeares Theater »die Geschichte der Welt vor unsern Augen an dem unsichtbaren Faden der Zeit vorbeiwallt«[11], und er ehrt Shakespeare als »größten Wandrer«[12], der mit gigantischen Schritten das Leben durchmißt. Bei Goethe wie bei Herder ist der Raum der der Geschichte die Zeit die von geographisch spezifischen Kulturformen. Raum und Zeit konstituieren erst das Ganze, innerhalb dessen das große Ich sich abarbeitet. Goethes Rede vom geheimen Punkt, den noch kein Philosoph gesehen und bestimmt hat, verweist dabei auf jene Grenze, die der Erkenntnis geschichtlicher Bewegungsprozesse im 18. Jahrhundert noch gezogen war. Entscheidend aber ist, daß das Verhältnis von Freiheit und Notwendigkeit schon beim jungen Goethe als Verhältnis von individuellem Wollen und geschichtlicher Notwendigkeit bestimmt wird, selbst wenn unklar bleibt, worin denn solche geschichtliche Notwendigkeit besteht. Dieselbe Unbestimmtheit findet sich auch noch in *Dichtung und Wahrheit*, wo Goethe das Problem von Freiheit und Notwendigkeit im Hinblick auf den gesellschaftlichen Lebenszusammenhang wieder aufgreift: »Unser Leben ist, wie das Ganze, in dem wir enthalten sind, auf eine unbegreifliche Weise aus Freiheit und Notwendigkeit zusammengesetzt. Unser Wollen ist ein Vorauskünden dessen, was wir unter allen Umständen tun werden. Diese Umstände aber ergreifen uns auf ihre eigene Weise. ...«[13] Die Betonung der Umstände

verweist auf geschichtliche, nicht auf transzendentale, übergeschichtliche Faktoren. So ist es zwar richtig zu sagen, daß Goethe bei aller Bejahung der Rechte des großen Individuums dessen Subjektivismus eine Grenze zieht, wenn er von der prätendierten Freiheit des Wollen spricht.[14] Aber es handelt sich hier keineswegs um den nur abstrakten Gegensatz von subjektivem Wollen und objektivem Sollen. Wie *Götz von Berlichingen* veranschaulicht, verknüpft Goethe mit seiner Kritik am Wollen des Einzelnen nicht unbedingt eine Bejahung der Notwendigkeit des Ganzen. Im Gegenteil. Die durch Herder neu gewonnene Achtung vor gewachsenen Formen der Geschichte mag Goethe zwar veranlassen, diese als notwendig und unumgänglich anzuerkennen, hält ihn aber durchaus nicht von deren Kritik ab. Es ging Goethe nicht darum, das Gegebene fatalistisch als notwendig zu legitimieren, vor Extremen zu warnen und Resignation zu empfehlen, sondern vielmehr darum, die Einschränkungen und Begrenzungen gesellschaftlicher und kultureller Formen zur Zukunft hin aufzubrechen oder zumindest offen zu halten. Das bezeugt der Götz deutlich genug, dessen emphatisches Leiden die Schlechtheit des notwendigen Ganzen anprangert. Götz geht unter, weil seine Kräfte nicht ausreichen, sein Wollen in Realität umzusetzen, und weil sein Wollen selbst historisch notwendigen Entwicklungen widerspricht. Dennoch repräsentiert dieses Wollen eine »promesse de bonheur«, eine wenn auch widersprüchliche Antizipation einer besseren Zukunft, die über die »notwendige« Gegenwart hinausweist.
Als Ausfluß von Goethes sich entwickelndem geschichtlichen Denken läßt sich auch jene Stelle der Shakespeare-Rede deuten, wo Goethe den abstrakt unhistorischen Dualismus von Gut und Böse in Frage stellt, wie er sich vor allem in christlicher Moral und in einem großen Teil des aufklärerischen Denkens niedergeschlagen hatte. Goethe versucht, die Dialektik von Gut und Böse zu erfassen, wenn er schreibt: »Das, was edle Philosophen von der Welt gesagt haben, gilt auch von Shakespearen, das, was wir bös nennen, ist nur die andre Seite vom Guten, die so notwendig zu seiner Existenz und in das Ganze gehört, als Zona torrida brennen Lappland einfrieren muß, daß es einen gemäßigten Himmelstrich gebe.«[15] Die Naturmetaphorik scheint nun allerdings anzudeuten, daß für Goethe noch das tragische Schicksal des überragenden Individuums in eine „natürliche« Harmonie des Weltganzen eingebunden bleibt, daß Goethe

mithin seinen pantheistischen Naturbegriff auf gesellschaftliche Verhältnisse überträgt. Eine solche Naturalisierung gesellschaftlicher Verhältnisse – wie immer begrenzt sie in ihrem Erkenntniswert auch sein mag – entspringt im 18. Jahrhundert progressivem Denken, da sie prinzipiell gegen die Auffassung von der Gottgewolltheit absolutistischer Herrschaft und gegen die Unnatur höfischer Gesellschaft gerichtet ist. Goethe geht es nicht um apologetische Harmonisierung. Das zeigt sich auch darin, daß er die Harmonie des Weltganzen nicht mehr als Theodizee begreift, was ja immer eine Möglichkeit zur Rechtfertigung von Unterdrückung und Leiden enthält. Tragik ist beim jungen Goethe wesentlich historisch und gesellschaftlich begründet und erhält von daher ihr radikales Moment. Goethes säkularisiertes Weltverständnis steht damit tragischer Erfahrung offener als etwa Lessings Ganzes des ewigen Schöpfers oder Herders gottgeschaffene geschichtliche Ganzheit.

5. Jakob Michael Reinhold Lenz: Anmerkungen übers Theater

Lenz entwarf seine *Anmerkungen übers Theater* im Jahre 1771, trug diese Erstfassung in der Société de Philosophie et Belles Lettres in Straßburg vor und überarbeitete und erweiterte den Essay in den folgenden Jahren mehrfach, bevor er ihn mit Hilfe von Goethes Vermittlung 1774 in der Weygandschen Buchhandlung in Leipzig veröffentlichte. Es handelt sich um einen in jeder Hinsicht schwierigen Text. Verständnisschwierigkeiten resultieren nicht nur aus Widersprüchen, die mit den verschiedenen Phasen der Entstehung[1] in Verbindung gebracht werden können, noch auch allein aus der rhapsodischen Form des Vortrags, der in typischer Sturm-und-Drang-Manier die sprunghaft assoziative Gedankenfolge systematischer Behandlung vorzieht und somit schon der Darstellungsweise nach die Regeln der rationalen Gattungspoetik unterläuft. Die Theorie eines neuzeitlichen Dramas, die Lenz hier experimentell zu entwickeln versucht, ist vielmehr selbst noch fragmentarisch. Die *Anmerkungen* sind ein theoretischer Vorentwurf zu Lenz' dramatischer Praxis, die sich erst ab 1774 voll entfaltete. Ihren vor-läufigen Charakter hat Martini stilkritisch sehr genau beschrieben: »Sie sind beredt und von sprachlicher Fülle, wo Lenz sich dem geistreich-witzigen, ironischen und parodierenden Spiel seiner Einfälle überläßt, überall dort also, wo es um Spott und Satire geht; sie sind ebenso beredt und nun emphatisch, wo sie in die Sprache einlaufen, die Herder und Goethe geprägt haben und die zu der dominierenden Sprache des Sturm und Drang wurde. Die *Anmerkungen* werden hingegen aphoristisch, abgebrochen, unsicher tastend dort, wo Lenz benennen und vermitteln will, was das ihm Eigene ist.«[2] Hält man sich dies vor Augen, verliert die meist in polemischem Kontext geäußerte Frage, ob denn nun Lenz' Stücke auch seiner Theorie entsprechen, viel von ihrer Schärfe. Aus der Chronologie die substantielle Priorität der Theorie vor der dramatischen Produktion abzuleiten, wie es Eckart Oehlenschläger jüngst getan hat[3], stellt die Verhältnisse auf den Kopf. Die Erkenntnis, daß die gesellschaftliche Lage neue Schreibweisen notwendig machte, daß die Formen der aufklärerischen Dramatik nicht mehr genügten, führte Lenz zu dem Versuch, auch die Gattungstheorie der neuen Lage anzugleichen.

Trotz ihres fragmentarischen unentwickelten Charakters liegt den *Anmerkungen* ein durchaus einheitlicher Gesichtspunkt zugrunde, der freilich nicht als in engem Sinne gattungstypologischer, sondern als kulturpolitischer zu bestimmen ist.[4] Daher greifen alle jene Deutungen zu kurz, die in den *Anmerkungen* nur die Polemik gegen Aristoteles und Lessing, den Einfluß Shakespeares, die Erkenntnis von der Zentralität des Charakters für die moderne Tragödie oder die Wirkung von Merciers Dramentheorie zu erblicken vermögen.

Zu diesen Punkten einige Anmerkungen. Gattungspoetisch allein ist die radikale Abkehr von Aristoteles und Lessing gar nicht zu begreifen, es sei denn als willkürliche Revolte gegen die Autoritäten. Der Einfluß Shakespeares auf Lenz ist natürlich bedeutend, wurde aber häufig überschätzt; Elisabeth Genton hat nachgewiesen, daß Lenz' Schaffen mindestens ebenso stark von Traditionen des deutschen Volkstheaters bestimmt wurde, von der Haupt- und Staatsaktion des Barock ebenso wie von Farcen, Puppenspiel und Marionettentheater.[5] Der Begriff des Charakterdramas bei Lenz hat seinerseits nur sehr bedingt mit dem historischen Shakespeare zu tun und wurde vor Lenz schon von Gerstenberg, wenn auch in anderem Zusammenhang, herausgestellt, ist also nicht einmal sehr originell. Was schließlich Lenz' oft behauptete direkte Abhängigkeit von Merciers

Dramentheorie angeht, so kann die These für den Zeitpunkt der Abfassung der *Anmerkungen* als widerlegt gelten. Lenz hat den *Nouvel Essai* erst kennengelernt, als Wagner an der Übersetzung arbeitete. Zudem haben sowohl Girard als auch Szondi von unterschiedlichen Gesichtspunkten her argumentiert, daß es erst bei Lenz zu einer fundamentalen Neuorientierung der Dramentheorie komme, nicht aber schon bei Mercier.[6] Mercier bleibt der aufklärerischen Empfindsamkeit Rousseaus und Diderots viel stärker verhaftet als Lenz, hält ferner am Postulat der Erregung von Mitleid im Drama fest und will auf der mittleren Stilebene des »drame« das Publikum auf allgemeine und universale Menschlichkeit verpflichten, die Lenz seinerseits in seinen Stücken als illusionär entlarvt. Merciers universale Menschlichkeit ist allerdings die des Citoyen und steht im Kontext des vorrevolutionären Frankreich unter dem Zeichen einer Radikalität, der Lessings »sich fühlende Menschlichkeit« unter deutschen Verhältnissen nicht nahe kommen konnte. Gerade deshalb aber konnte Lenz Gedankengänge entwickeln, die denen Merciers in vieler Hinsicht ähnlich sind und doch über ihn hinausgehen. Es gelang Lenz, Mercier für die deutschen Verhältnisse sozusagen zu Ende zu denken und eine dramatische Form zu entwickeln, die gattungsgeschichtlich zukunftsträchtiger wurde als Merciers »drame«.

Um nun die Kohärenz von Lenz' Vorstellungen über das Theater zu rekonstruieren, muß man mehrere spätere Essays heranziehen, die über versteckte Implikationen der *Anmerkungen* Aufschluß geben können. Lenz' Absichten sind durch und durch von kulturpolitischen und gesellschaftskritischen Gesichtspunkten bestimmt. Wie Lessing hängt er der Utopie eines deutschen Nationaltheaters an: »Mein Theater ist [...] unter freyem Himmel vor der ganzen deutschen Nation, in der mir die untern Stände mit den obern gleich gelten die *pedites* wie die *equites* ehrenwürdig sind.«[7] Trotz Lenz' Understatement in der Einleitung zu den *Anmerkungen*, es handele sich nur um »das erste ungehemmte Räsonnement eines unparteiischen Dilettanten«[8], kann dieser Text als Versuch gelten, eine Poetik für ein solches deutsches Nationaltheater zu erarbeiten, das sich bei Lenz im Gegensatz zu Lessing auf die Tradition des deutschen Volkstheaters zu stützen hätte. Gleich zu Beginn macht Lenz tabula rasa. Die Nachahmungen fremder Vorbilder, die die deutschen Bühnen beherrschen, verdammt er insgesamt als schieren Plun-

der; hier argumentiert er anders als Herder, der aus der glücklichen Mischung fremder Vorbilder das deutsche Drama erst erwachsen sah. Aus der totalen Negation der Autorität des Aristoteles und damit auch Lessings entwickelt Lenz dann ansatzweise eine Dramentheorie, in deren Zentrum nicht die Tragödie, wie bei Gerstenberg, Herder und Goethe, sondern die Komödie steht. Lenz stellt diese These zwar erst ganz am Ende der *Anmerkungen* in einem kurz vor der Veröffentlichung hinzugefügten Abschnitt auf, aber seine eigene dramatische Produktion sowie zahlreiche spätere Äußerungen bezeugen die Schlüssigkeit und Zentralität dieses Gedankens.
In der *Hamburgischen Dramaturgie* hatte Lessing Aristoteles' Definitionen übernommen, denen zufolge in der Komödie die Charaktere die Hauptsache seien und die Situationen nur zu deren Profilierung dienen, während in der Tragödie Fabel bzw. Handlung dominiere und Schrecken und Mitleid nicht dem Charakter als vielmehr der Situation entspringe. Lenz nun stellt diese Grundsätze traditioneller Gattungspoetik auf den Kopf: in der Tragödie sei der Held allein der Schlüssel zu seinem Schicksal, während im Zentrum der Komödie eine Sache, nicht aber ein Charakter stehe: »Die Hauptempfindung in der Komödie ist die Person, die Schöpfer ihrer Begebenheiten.«[9] Gewiß ist es nicht unwichtig anzumerken, daß Lenz damit als einer der ersten Literaturtheoretiker das Prinzip der Charaktertragödie als dem der Schicksalstragödie entgegengesetzt und als konstitutiv für das Drama der Neuzeit erkannt hat. Solch ein Hinweis erklärt nun zwar den Abstand der Neueren von den Alten, nicht jedoch das Verhältnis von Lenz zu Lessing. Denn im Gegensatz zu Lessing gilt Lenz nicht die moderne Tragödie, und das heißt in erster Linie das bürgerliche Trauerspiel, sondern die Komödie als die Gattung, die der Gesellschafts- und Bewußtseinslage der deutschen Nation am angemessensten ist. In Lenz' Komödien wird überdies nicht das abweichende Verhalten eines Individuums dem Lachen der Gesellschaft preisgegeben wie in der traditionellen Aufklärungskomödie, sondern die Gesellschaft selbst verfällt als lächerliche der Kritik. Das heißt jedoch nicht, daß die Gesellschaft komisch ist. Im Gegenteil. In der *Rezension des Neuen Menoza* schreibt Lenz: »Komödie ist Gemälde der menschlichen Gesellschaft, und wenn die ernsthaft wird, kann das Gemälde nicht lachend werden.«[10] Wenn aber als Folge der Gesellschaftszustände das Gemälde nur ernsthaft werden

kann, so könnte man fragen, warum Lenz dann nicht einfach die Tradition des bürgerlichen Trauerspiels weiterführt. Hätte er etwa seine *Soldaten* nicht ebensogut als bürgerliches Trauerspiel darbieten können, als ein Stück in der Tradition der *Emilia Galotti*, der es ja thematisch sehr nahe kommt? Warum besteht Lenz auf seiner Umkehrung von Tragödie und Komödie? Ebenfalls in der *Rezension des Neuen Menoza* gibt er eine scheinbar einfache bildungspolitische Antwort: „Daher müssen unsere deutschen Komödienschreiber komisch und tragisch zugleich schreiben, weil das Volk, für das sie schreiben, oder doch wenigstens schreiben sollten, ein solcher Mischmasch von Kultur und Rohigkeit, Sittigkeit und Wildheit ist. So erschafft der komische Dichter dem tragischen sein Publikum.«[11] Die Komödie hätte demnach an dem Teil des Publikums eine Bildungsaufgabe zu erfüllen, der erst noch ein Verständnis für das Tragische entwickeln muß. Daher die Beimischung des Tragischen, die im Rahmen der Komödie dem niederen Volk das Tragische schmackhaft machen soll, bis eines Tages bei allgemein hohem Bildungsstandard der Nation die Komödie ganz durch die Tragödie ersetzt und nun von einem einheitlich gebildeten Publikum genossen werden kann. So etwa mag man Lenz' (aufklärerische) Utopie interpretieren, auch wenn er selbst die Linien nicht ganz so weit in die Zukunft auszieht. Wichtig ist nun, daß das Tragische in Lenz' Komödien nicht mehr das hohe Tragische der klassischen Tragödie noch auch selbst das des bürgerlichen Trauerspiels ist. Es ist nicht die Tragik individuellen Schicksals und Leidens, die Lenz in seinen Komödien betont, sondern das Trauerspiel eines Gesellschaftszustandes, der sich gewalttätig auf die unteren Stände niederschlägt: auf Läuffer im *Hofmeister* und auf Marie Wesener in den *Soldaten*. Nicht was die Individuen tun, sondern was ihnen angetan wird, macht Lenz' Drama aus. Daher argumentiert man zu abstrakt, wenn man seine Mischung von Tragik und Komik, die ja im übrigen auch solche Sturm-und-Drang-Stücke kennzeichnet, denen Lenz' Theorie nicht unterlegt werden kann, nur von der doppelten Wirkungsintention her deutet als »Tragikomik dessen, was dem einen im Publikum noch als Komik, dem andern schon als Tragik erscheint«.[12] Man könnte sich doch wohl fragen, ob nicht ein zeitgenössisches Publikum von Bauern und Kleinbürgern – wenn es dieses Publikum gegeben hätte – eher in der Lage gewesen wäre, die Tragik eines Läuffer oder einer Marie

Wesener zu begreifen als ein gebildetes Oberschichtenpublikum, das sich vermutlich über deren Schicksal eher amüsiert oder aber, wie die Rezeption des *Hofmeister* zur Genüge beweist, moralisch entrüstet hätte. Das Tragische in Lenz' Komödien ist nicht dasselbe Tragische, das er vom Charakterdrama fordert und zu dem er sein Publikum erziehen will. Die Einbeziehung von Tragik in Lenz' Komödien ist zuallererst vom ernsthaften Zustand der Gesellschaft her, den die Komödie abbilden soll, zu interpretieren und erst danach auf seine Wirkung auf ein Publikum hin zu befragen, dessen kulturelle und gesellschaftliche Disparatheit selbst ja Teil des dargestellten Gesellschaftszustandes ist. Nicht der optimistische Blick in eine utopische Zukunft, sondern der durchdringend pessimistische Blick Lenz' auf die zeitgenössische Gegenwart muß eine Analyse dieser Komödientheorie informieren. In der Mischung von Tragik und Komik schreibt sich Gesellschaftliches in die Form der Werke ein. Die neue Form selbst also transportiert ihrerseits einen »Inhalt«, insofern das Komische in vielen Sturm-und-Drang-Dramen, keineswegs nur bei Lenz, die Dignität tragischer Katastrophen unterminiert, während gleichzeitig das Tragische jene Versöhnung verweigert, die am Ausgang traditioneller Komödien steht. Damit erst werden die politischen und gesellschaftlichen Implikationen der Abwendung von Aristoteles und Lessing voll sichtbar.

Zunächst ließe sich behaupten, daß Lenz Aristoteles aus demselben Grunde ablehnt, aus dem Lessing die Lehren des griechischen Poetikers bestätigt. Beiden deutschen Autoren geht es um Aufklärung mittels des Theaters. Nur ist ihr jeweiliges Konzept von Aufklärung radikal verschieden. Während Lessing auf die Wirkungskraft von Furcht und Mitleid sowie sich fühlender Menschlichkeit vertraut, zweifelt Lenz am Wert dieses der empfindsamen Phase der Aufklärung verhafteten Optimismus. In seinem Aufsatz *Über Götz von Berlichingen* wendet er sich gegen den bloßen Nachvollzug von Leiden im Drama[13], und in den *Briefen über die Moralität der Leiden des jungen Werthers* verweist er sehr explizit auf den Zusammenhang von gesellschaftlicher Unterdrückung mit jenem Kompensationsmechanismus, durch den Aufklärung und Empfindsamkeit das noch bestätigen, was sie scheinbar angreifen: »Goethe der für steife Sitten schrieb wenn ich so sagen mag, wo man ein ewiges Gerede von Pflichten und Moral hört und nirgends Kraft und Leben spürt, nirgends Ausübung dessen was man hundertmal demonstriert hat und immer wieder von neuem demonstriert, wo man in den eisernen Fesseln eines altfränkischen Etikette alle seine edelsten Wünsche und Neigungen in den berauchten Wänden seiner Studierstube vorsichtig ersticken läßt und so bald sie sich melden, irgend ein System der Moral dagegen schreibt, oder in neuern Zeiten jämmerlich süßtönende Klagen, Idyllen und Romanzen und Spaziergänge und daß des Dings kein Ende ist [...]«[14] Schärfer kann man die Kritik an Aufklärung und Empfindsamkeit kaum formulieren, und die Wendung von den »eisernen Fesseln eines altfränkischen Etikette« verweist direkt zurück auf Lenz' Polemik gegen Aristoteles und Lessing. In den *Anmerkungen* lehnt Lenz die griechische Tragödie ab, weil dort »ein eisernes Schicksal« die Handlung bestimmt und weil ein modernes Publikum Handlungen verabscheuen muß, deren Ursachen seinem Blick entrückt sind.[15] Am Ende der *Anmerkungen* heißt es dann: »Es war Gottesdienst, die furchtbare Gewalt des Schicksals anzuerkennen, vor seinem blinden Despotismus hinzuzittern. [...] Die Hauptempfindung, welche erregt werden sollte, war nicht Hochachtung für den Helden, sondern blinde und knechtische Furcht vor den Göttern.«[16] Es ist wohl richtig, daß Lenz diese Sätze über die religiöse Grundlage der griechischen Tragödie erst nach seiner Lektüre von *Von deutscher Art und Kunst* niederschrieb, aber anders als Herder geht es Lenz nicht so sehr um die historische Legitimation der griechischen Tragödie und ihrer Poetik; während Herder die griechische Tragödie in uneinholbare historische Ferne rückte, um sich von ihrer übermächtigen Wirkung zu befreien, greift Lenz mit eben derselben Absicht die Gattung Tragödie schlechthin an. Durch seine Wortwahl – eisernes Schicksal, blinder Despotismus, blinde und knechtische Furcht – nähert er die griechische Tragödie der Gegenwart an, um sie dann um so schärfer zu verurteilen. Was Lenz hier negiert, ist nicht so sehr die aristotelische Dramaturgie als vielmehr durch diese hindurch das gesellschaftlich-politische System absolutistischer Herrschaft in Deutschland. Nicht die Götter schlagen den Menschen in die eisernen Fesseln des Schicksals, sondern die Gesellschaftsverfassung des absolutistischen Staates. In der Gegenwart erscheint das Fatum der Griechen als gesellschaftliche Determination.

Gleichwohl versteht sich Lenz nicht dazu, gesellschaftliche Determination als unausweichliches Schicksal anzuerkennen. Täte er dies, käme er ja auch nicht zur Komödie, sondern zur Schicksalstragödie. Deren Dramaturgie der Fügung unterläuft Lenz formal dadurch, daß er den Zufall zu einem wichtigen dramaturgischen Organisationsprinzip seiner Komödien macht.[17] Als Beispiel mag die völlige Beliebigkeit des Lottogewinns im *Hofmeister* dienen, der nur insofern plausibel ist, als er den schon durch Herkunft und väterliches Vermögen begünstigten Empfänger ein weiteres Mal begünstigt und zu seiner Aussöhnung mit einem zürnenden Vater beiträgt. Gerade durch die Beliebigkeit des Lottogewinns jedoch werden die gesellschaftlichen Verhältnisse, die noch das Lotto bestätigt, als willkürlich und damit veränderlich entlarvt. Lenz' Zufallsdramaturgie steht mit seiner Überzeugung, daß das Leben gesellschaftlich determiniert sei, nicht im Widerspruch. Sie ist formaler Reflex des Lenz'schen Angriffs auf die schlechten Verhältnisse. Wie Zufälligkeit und Determination ineinanderwirken, zeigt auch der Beginn des Essays *Über Götz von Berlichingen*: »Wir werden geboren – unsere Eltern geben uns Brot und Kleid – unsere Lehrer drücken in unser Hirn Worte, Sprachen, Wissenschaften – irgendein artiges Mächen drückt in unser Herz den Wunsch es eigen zu besitzen, es in unsere Arme als unser Eigentum zu schließen, wenn sich nicht gar ein tierisch Bedürfnis mit hineinmischt – es entsteht eine Lücke in der Republik wo wir hineinpassen – unsere Freunde, Verwandte, Gönner setzen an und stoßen uns glücklich hinein – wir drehen uns eine Zeitlang in diesem Platz herum wie die andern Räder und stoßen und treiben – bis wir wenn's noch so ordentlich geht abgestumpft sind und zuletzt wieder einem neuen Rade Platz machen müssen – das ist, meine Herren! ohne Ruhm zu melden unsere Biographie – und was bleibt nun der Mensch noch anders als eine vorzüglich-künstliche kleine Maschine, die in die große Maschine, die wir Welt, Weltläufte nennen besser oder schlimmer hineinpaßt.«[18]

Dieser Funktionalisierung und Verdinglichung bürgerlichen Lebens schon unter absolutistischer Herrschaft – denn nur dies beschreibt der zitierte Absatz – setzt Lenz seine Umfunktionierung dramatischer Gattungen entgegen. Im Gegensatz zum herkömmlichen bürgerlichen Trauerspiel wird solches Schicksal nicht als unausweichliches in den Bereich des Tragischen erhoben und damit als notwendig legitimiert, sondern es wird mit denen, die es verhängen, in der Komödie als durch und durch willkürlich und lächerlich gebrandmarkt und der Kritik überantwortet. Lenz erkennt die Tragik der Gattung Tragödie als gesellschaftlich und kulturell vermittelt und verweist damit indirekt auf einen utopischen Horizont, wo Tragik selbst aufgehoben sein könnte. Aber der Verweis bleibt indirekt, implizit, nicht explizit. Denn in den *Anmerkungen* konfrontiert Lenz das der Komödie eingeformte Tragische noch der für ihn positiven Tragik des Charakterdramas, zu dem er sein Publikum erziehen will und für das ihm Shakespeare in der Vergangenheit und Goethes *Götz* in der unmittelbaren Gegenwart einstehen. Mit seiner Forderung des individuellen, frei und selbstbewußt handelnden Charakters als Zentrum eines neu zu schaffenden Typs von Tragödie formuliert Lenz zweifellos denselben bürgerlichen Emanzipationsanspruch, dem Lessing auf andere Art mit Praxis und Theorie des bürgerlichen Trauerspiels zu genügen suchte. Bezeichnend für Lenz' persönliche Begabung und sein Bewußtsein von der gesellschaftlichen Lage seiner Zeit ist der Umstand, daß er diese Charaktertragödie nicht geschrieben hat; was keineswegs als Versagen zu deuten ist, denn auch Goethe siedelte ja seinen *Götz* mit gutem Grund in ferner Vergangenheit an und nicht in der zeitgenössischen Gegenwart. Lenz selbst scheint an der Möglichkeit solcher Charaktertragödie für die unmittelbare Gegenwart gezweifelt zu haben. Zwar sieht er in Goethes *Götz* ein Modell, aber andererseits verleiht er solch ersehnter Tragödie die Dimensionen mythischer Vorzeit, wenn er im *Pandaemonium Germanicum* Lessings Frage nach dem heutigen Trauerspiel so beantwortet: »O da darf ich mal nicht nach heraufsehen. Das hohe Tragische von heut, ahndet ihr's nicht? Geht in die Geschichte, seht einen emporsteigenden Halbgott auf der letzten Staffel seiner Größe gleiten oder einen wohltätigen Gott schimpflich sterben. [...] Gebt ihnen alle tiefe, voraussehende, Raum und Zeit durchdringende Weisheit der Bibel, gebt ihnen alle Wirksamkeit, Feuer und Leidenschaften von Homers Halbgöttern, und mit Geist und Leib stehn eure Helden da. Möcht ich die Zeiten erleben!«[19] In seiner *Rezension des Neuen Menoza* spricht Lenz dem gebildeten »ernsthaftern Teil des Publikums« die Fähigkeit zu, solche »Helden der Vorzeit in ihrem Lichte anzusehn und ihren Wert auszumessen«.[20] In seinen Dramen jedoch verfallen gerade die gebildeten, feinen Leute der höheren Stände einer ätzenden Kritik, können also kaum mit jenem »ernsthaftern Teil des Publikums« gemeint sein. Das Paradox läge dann darin, daß gerade ein Mensch wie Lenz – »durch meine Umstände gezwungen das zu sein was ich bin«[21] – sich jene Tragödie vorstellen konnte, in

der Menschen »Schöpfer ihrer Begebenheiten«[22] wären, sie aber selbst zu schreiben nicht imstande war.
Schwer zu sagen ist, worin für Lenz in einer künftigen Gesellschaft frei handelnder und selbstbewußter Individuen, die er anstrebte, die Begründung des Tragischen liegen sollte. Gemäß seiner Theorie gewiß im Charakter. Aber was heißt das konkret? Impliziert das eine Kritik an der Unbedingtheit freien Handelns per se als eines prometheisch vermessenen? Oder sieht Lenz das große Individuum auf immer und ewig an gesellschaftlichen Verhältnissen scheitern? Die *Anmerkungen* geben darauf keine Antwort. Auch Lenz' eigenes Schaffen blieb wie gesagt vor dem Charakterdrama stehen. Er konnte es theoretisch fordern, selbst aber nicht gestalten. Seine eigene Lebenserfahrung ist nicht die eines Götz, oder selbst eines Goethe, konnte es nicht sein. Sie ähnelt eher der seiner unterdrückten und gehetzten Komödienfiguren. In *Über die Natur unsers Geistes* schrieb Lenz: »Jemehr ich in mir selbst forsche und über mich nachdenke, destomehr finde ich Gründe zu zweifeln, ob ich auch wirklich ein selbständiges von niemand abhangendes Wesen sei, wie ich doch den brennenden Wunsch in mir fühle. Ich weiß nicht der Gedanke ein Produkt der Natur zu sein, das alles nur ihr und dem Zusammenlauf zufälliger Ursachen zu danken habe, das von ihren Einflüssen lediglich abhange und seiner Zerstörung mit völliger Ergebung in ihre höheren Ratschlüsse entgegensehen müsse, hat etwas Schröckendes–Vernichtendes in sich [...].
Wie denn, ich nur ein Ball der Umstände? ich–? ich gehe mein Leben durch und finde diese traurige Wahrheit hundertmal bestätigt.«[23] Trotz des leidenschaftlichen Aufrufs an das menschliche Geschlecht, sich durch Tun und Handeln Unabhängigkeit zu erkämpfen, bleibt Lenz' Lebenserfahrung geprägt durch das Gefühl undurchschaubarer Abhängigkeiten und Zufälle. Was er in dem zitierten theoretischen Aufsatz jedoch einseitig einem schicksalhaften Mechanismus der Natur zuschreibt, hat er in den *Anmerkungen* und in seinen wichtigsten Stücken dichterisch als gesellschaftlich vermittelt gestaltet. Darin liegt Lenz' Bedeutung für den Sturm und Drang und für die genuine Begründung einer dramatischen Gattung, die, in der Form schon gesellschaftskritisch, bei Büchner, Brecht und Dürrenmatt die traditionelle hohe Tragödie zusehends untergrub. Darin auch unterscheidet Lenz sich vom jungen Schiller, der in *Kabale und Liebe* die Tradition des bürgerlichen Trauerspiels weiterführte und von Anfang an

auf eine Neubegründung des Tragischen abzielte, die sich von der Tragik der klassizistischen Dramatik ebenso abhob wie von der des herkömmlichen bürgerlichen Trauerspiels.

6. Friedrich Schiller: Was kann eine gute stehende Schaubühne eigentlich wirken?

Die Bedeutung Schillers als eines Theoretikers des Dramas und des Phänomens des Tragischen beruht vor allem auf den großen philosophisch-ästhetischen Schriften der frühen neunziger Jahre, die seine klassische Dramenproduktion gedanklich vorbereiteten. Von diesen Schriften kann hier nicht die Rede sein, da sie den Rahmen von Schillers Sturm-und-Drang-Phase weit überschreiten. Die Aufsätze zu Bühne, Theater und Dramaturgie aus den frühen achtziger Jahren hingegen sind wesentlich unsystematischer angelegt und können vor allem als Dokumente von Schillers Auseinandersetzung mit dem Mannheimer Theater gelesen werden. Vieles trägt hier noch den Charakter des Suchens nach einer eigenen Position. Selbstklärung und Selbstkritik eines jungen Dramatikers, der sich zur Erneuerung des deutschen Dramas und zur Schaffung eines deutschen Nationaltheaters berufen glaubte, stehen im Vordergrund. Die Bindungen an die Aufklärung, vor allem an Lessing, Mendelssohn und Sulzer, sind stärker ausgeprägt als bei Herder, Goethe oder Lenz. Andererseits aber haben Schillers Überlegungen zum Drama auch mit denen der früheren Sturm-und-Drang-Theoretiker vieles gemein, und in manchem deuten sich schon Positionen an, die Schiller erst in seiner klassischen Phase voll entwickeln sollte.
Anders als bei den anderen Stürmern und Drängern läßt sich Schillers Jugenddramaturgie nicht anhand *eines* Textes diskutieren. Zentral ist gewiß der Aufsatz *Die Schaubühne als eine moralische Anstalt betrachtet*, den Schiller am 26. Juni 1784 in einer Sitzung der Kurfürstlichen Deutschen Gesellschaft in Mannheim vorgelesen und in seiner *Rheinischen Thalia* im März 1785 unter dem weniger mißverständlichen Titel *Was kann eine gute stehende Schaubühne eigentlich wirken?* veröffentlicht hatte. Aber eine ausschließliche Konzentration auf diesen Aufsatz würde ein schiefes Bild von Schillers Jugendentwicklung ergeben, da Schiller hier schon seine Bindung an gewisse Theoreme der Sturm-und-Drang-Dramaturgie lockert, die etwa in der *Vorrede* (1781) zu den *Räubern*, in der *Besprechung im Wirtembergi-*

schen Repertorium (1782) und in dem Aufsatz *Über das gegenwärtige teutsche Theater* (1782) noch deutlicher ausgeprägt waren.

Überhaupt hat das Schlagwort von der Schaubühne als einer moralischen Anstalt das Vorurteil befestigt, daß Schiller ein moralisierender Dramatiker sei, dem es nur um eine aufklärerische Tendenzdramatik gehe, in der das Gute siegt und das Böse bestraft wird. Klaus Berghahn hat mit Recht darauf verwiesen, daß nicht einmal die Jugenddramen solchen Erwartungen entsprechen.[1] Die Zusammenschau aller frühen dramaturgischen Äußerungen Schillers ergibt in der Tat ein wesentlich komplexeres Bild und widerlegt die These von einer unvermittelten Besserungsdramatik. Gewiß setzt Schiller entscheidend auf Wirkung, aber ebenso wie sich Wirkung mit ganz verschiedenen dichterischen Mitteln erzeugen läßt, so gibt es je nach Zusammensetzung und Erwartungshorizont des Publikums auch unterschiedliche Wirkungen. In *Über das gegenwärtige teutsche Theater* hat Schiller seine Zweifel an einem Wirkungskonzept, das unvermittelt auf Besserung des individuellen Zuschauers vertraut, deutlich ausgesprochen: »Werden darum weniger Mädchen verführt, weil Sara Sampson ihren Fehltritt mit Gift büßet? Eifert ein einziger Ehemann weniger, weil der Mohr von Venedig sich so tragisch übereilte? [...] Wenn Odoardo den Stahl, noch dampfend vom Blute des geopferten Kindes, zu den Füßen des fürstlichen armen Sünders wirft, dem er seine Mätresse so zugeführt hat – welcher Fürst gibt dem Vater seine geschändete Tochter wieder?«[2] Dem für das frühere 18. Jahrhundert typischen Aufklärungsoptimismus setzt Schiller sein »Ich zweifle gewaltig«[3] entgegen, das unausgesprochen auch Lessings Konzept einer Wirkung durch Mitleid als sich fühlender Menschlichkeit einschließt. Eine sich fühlende Menschlichkeit ganz anderer Art kommt dem mit den feudalabsolutistischen Zuständen in Württemberg nur allzu vertrauten Schiller in den Sinn, wenn er schreibt: »Ja, glücklich genug, wenn eure Emilia, wenn sie so verführerisch jammert, so nachlässig schön dahinsinkt, so voll Delikatesse und Grazie ausröchelt, nicht noch mit sterbenden Reizen die wollüstige Lunte entzündet und eurer tragischen Kunst aus dem Stegreif hinter den Kulissen ein demütigendes Opfer gebracht wird.«[4] Hier meldet sich ein Sozialkritiker zu Wort, der ganz im Sinne des Sturm und Drang das Ungenügen sowohl der rationalen als auch der rational-empfindsamen Phase der Aufklärung und deren Dramatik enthüllt. Dieses Ungenügen – das macht der zitierte Aufsatz ganz deutlich – stammt nicht etwa aus falschen oder begrenzten Wirkungsabsichten der Aufklärung selbst, sondern entspringt gesellschaftlichen Verhältnissen, die sich in der Korruption von Dichter, Schauspielern und Publikum niedergeschlagen haben und sich allein durch Aufklärung kaum verbessern lassen. Den zahlreichen aufklärerischen Formulierungen zum Trotz, die Schillers dramaturgische Texte durchziehen, ist es gerade die Schärfe dieser Sozialkritik, die Schillers Wirkungsästhetik als zum Sturm und Drang gehörig erweist. Wie bei Lenz erhält auch bei Schiller das Theater die Funktion, die Unnatur eines gesellschaftlichen Zustands überwinden zu helfen, an dem es freilich selbst noch teilhat, und zur Erneuerung der Gesellschaft beizutragen. Solange die verderbten Erwartungen eines, wie Schiller sagt, wollüstigen und müßiggängerischen Publikums jede höhere Wirkungsabsicht des Dichters vereiteln, so lange kann es heißen: »Bevor das Publikum für seine Bühne gebildet ist, dörfte wohl schwerlich die Bühne ihr Publikum bilden.«[5] Der Kontext macht deutlich, daß Schiller hier das Publikum eines noch weitgehend höfischen Theaters vor Augen hat, das sich aus aristokratischer Oberschicht und in Hofdiensten stehendem Bürgertum zusammensetzt. Sein Schaubühnenaufsatz jedoch zielt demgegenüber daraufhin ab, ein Nationaltheater zu schaffen, das in der Lage wäre, sich sein »nationales« Publikum zu erziehen und heranzubilden.

Hatte Lessing im letzten Stück der *Hamburgischen Dramaturgie* noch verbittert und selbstkritisch gehöhnt über »den gutherzigen Einfall, den Deutschen ein Nationaltheater zu verschaffen, da wir Deutsche noch keine Nation sind«, so kehrt Schiller jetzt Lessings Gedanken um und sagt: »Wenn wir es erlebten, eine Nationalbühne zu haben, so würden wir auch eine Nation.«[6] Da der Nationalgedanke zumindest im Deutschland des 18. Jahrhunderts durch und durch anti-absolutistisch und bürgerlich geprägt war, überrascht es nicht, wenn Schiller die Wirkung einer stehenden Bühne auf den Geist der Nation durch die Behandlung von »Volksgegenständen« zu erreichen sucht. Die Umkehrung des Lessingschen Satzes, daß die Nation Voraussetzung, nicht Folge des Nationaltheaters zu sein habe, deutet zwar auch auf eine Überschätzung der Möglichkeiten des Theaters, auf eine Überbewertung des ästhetischen Bereichs, ist aber andererseits ernst zu nehmen als Ausdruck der im Sturm und Drang gewachsenen

Erfahrung, daß nationale Identität sich zunächst durchaus im kulturellen Bereich Ausdruck verschaffen könne. Auch hatten die siebziger Jahre eine Flut hochwertiger deutscher Theaterstücke hervorgebracht, von denen einige wie Goethes *Götz von Berlichingen* eine nationale Breitenwirkung erlangten, die selbst die Wirkung von Lessings besten Stücken übertraf. All dies mußte Schillers Hoffnungen auf ein Nationaltheater beflügeln. Der Optimismus, der den Schaubühnenaufsatz vom Sommer 1784 charakterisiert, erlitt freilich schon bald einen schweren Schlag, als der Intendant des Mannheimer Theaters, Dalberg, Schillers Vertrag als Theaterdichter auslaufen ließ und Schillers Projekt einer Mannheimer Dramaturgie, die als Fortsetzung von Lessings Bemühungen gedacht war, die Unterstützung versagte.

Wie nun sah das Drama aus, mit dessen Hilfe Schiller die Nation zu bilden und als Nation zusammenzuschweißen hoffte? Ähnlich wie Lessing, aber im Gegensatz zu Lenz beruft Schiller sich im Schaubühnenaufsatz auf das griechische Theater, das für ihn trotz seiner von Herder herausgearbeiteten historischen Einmaligkeit seinen Vorbildcharakter nicht verloren hatte. Allerdings sieht Schiller das Vorbildhafte nicht in bestimmten dramaturgigischen und poetischen Regeln, sondern in der politischen Funktion des griechischen Theaters, Öffentlichkeit zu konstituieren. Was Schiller hochhält, ist »der vaterländische Inhalt der Stücke, der griechische Geist, das große überwältigende Interesse des Staats, der besseren Menschheit, das in denselbigen atmete«.[7] Schillers eigene dramatische Anfänge sind ja auch keineswegs klassizistisch geprägt, sondern stehen durchaus im Kontext der Erweiterung dramatischer Formen zum Lyrischen und Epischen hin, der shakespearisierenden Mischung von Komik und Tragik sowie der Forderung nach getreuer Darstellung der Natur und der wirklichen Welt, wie sie für den Sturm und Drang insgesamt typisch waren. Herders »Hauptempfindung« kehrt bei Schiller wieder als der »Hauptzug«, der ein Drama beherrschen solle; wie andere Stürmer und Dränger spricht Schiller häufig vom dramatischen »Gemälde« und vom »dramatischen Roman«, und die Herdersche »Begebenheit« nimmt Schiller wieder auf, wo er auf die Bedeutung der »dramatischen Situation« verweist, bei der es ihm freilich vorrangig um Affektwirkung zu tun ist. Die begriffliche Verschiebung aufs Theatralische und Bühnengemäße hin ist hier bezeichnend. Schiller wurde sich der Problematik einer Dehnung des Dramatischen zum Epischen und Lyrischen hin sehr früh bewußt. Schon in seiner Besprechung der *Räuber* im *Wirtembergischen Repertorium* (1782) übte er Selbstkritik. In der vorangegangenen unterdrückten *Vorrede* zu den *Räubern* (1781) hatte es noch ganz shakespearisierend geheißen: »Ich kann demnach eine Geschichte dramatisch abhandeln, ohne darum ein Drama schreiben zu wollen. Das heißt: Ich schreibe einen dramatischen Roman, und kein theatralisches Drama. Im ersten Fall darf ich mich nur den allgemeinen Gesetzen der Kunst, nicht aber den besondern des theatralischen Geschmacks unterwerfen.«[8] Ein Jahr später dann in der Selbstrezension heißt es kritisch über die *Räuber*: »Die Sprache und der Dialog dörften sich gleicher bleiben und im ganzen weniger poetisch sein. Hier ist der Ausdruck lyrisch und episch, dort gar metaphysisch, an einem dritten Ort biblisch, an einem vierten platt. [...] Wenn man es dem Verfasser nicht an den Schönheiten anmerkt, daß er sich in seinen Shakespeare vergafft hat, so merkt man es desto gewisser an den Ausschweifungen. [...] Im nächsten Drama erwartet man Besserung, oder man wird ihn zu der Ode [d.h. zur Lyrik, d.V.] verweisen.«[9] Besserung aber kann hier nur Abbau der epischen und lyrischen Vielfältigkeit zugunsten dramatischer Konzentration meinen. Im folgenden Jahr tadelt Schiller an der Erstfassung von *Kabale und Liebe* »die gothische Vermischung von Komischem und Tragischem, die allzu freie Darstellung einiger mächtigen Narrenarten und die zerstreuende Mannigfaltigkeit des Details« (Brief an Reinwald vom 27. März 1783). Die Endfassung von *Kabale und Liebe* vor allem beweist dann, daß Schiller sich für das theatralische Drama, nicht für den dramatischen Roman entschieden hat.

Die Wendung der Sturm-und-Drang-Dramaturgie weg von einer Betonung des schlechthin Dichterischen, wie es vor allem bei Herder und Gerstenberg formuliert war, zum spezifisch Theatralischen und Dramatischen hat der junge Schiller mit Lenz und Goethe gemein. Stärker als Goethe und Lenz jedoch betont Schiller das Formprinzip der in sich abgeschlossenen Einheit. In den *Vorreden* zu den *Räubern* hatte Schiller den Dramatiker noch als getreuen Kopisten der wirklichen Welt *(Unterdrückte Vorrede)* und als Menschenmaler *(Vorrede)* bezeichnet, beides Ausdrücke, die auf den Ausschnittcharakter des Dargestellten verweisen. Im Aufsatz *Über das gegenwärtige teutsche Theater* jedoch ist die Rede von einer Harmonie und Symmetrie im Kleinen, die im Miniaturgemälde die »Harmonie des Großen« und die »Symmetrie des Ganzen« erkennen lassen müsse.[10] Das geforderte Drama soll ein »offener Spiegel des menschlichen Lebens« sein, »auf welchem sich die geheimsten Winkelzüge des Herzens illuminiert und fresko zurückwerfen, wo alle Evolutionen von Tugend und Laster, alle verworrensten Intrigen des Glücks, die merkwürdige Ökonomie der obersten Fürsicht, die sich im wirklichen Leben oft in langen Ketten unabsehbar verliert, wo, sage ich, dieses alles, in kleinern Flächen und Formen aufgefaßt, auch dem stumpfesten Auge übersehbar zu Gesichte liegt«.[11] Nach wie vor fordert Schiller Naturwahrheit, aber er lehnt jene fragmentarische Darstellung der Natur ab, der dramaturgisch die offene shakespearisierende Form am ehesten entsprechen würde. Wie sehr der Totalitätsgesichtspunkt, der Schillers dramaturgisches Kompositionsprinzip zusehends durchherrscht, darüber hinaus mit den politisch kulturellen Intentionen des zu schaffenden Nationaltheaters verknüpft ist, zeigt der Schaubühnenaufsatz, in dem Schiller von der Schaubühne fordert, den Nationalgeist als Übereinstimmung der Meinungen und Neigungen des Volkes hervorzutreiben und alle Stände und Klassen in sich zu vereinigen.[12] Mehr als jede andere »öffentliche Anstalt des Staats« ist die Bühne dazu berufen, »eine Schule der praktischen Weisheit, ein Wegweiser durch das bürgerliche Leben, ein unfehlbarer Schlüssel zu den geheimsten Zugängen der menschlichen Seele«[13] zu sein. Ohne Frage werden hier die besten Intentionen der Aufklärung aufgenommen und weitergeführt.

Auch Lenz sah das Theater als Institution der Volksbildung, aber seine dramaturgischen Überlegungen und seine Dramenpraxis reflektierten die Realität eines disparaten Gesellschaftszustands und die völlige Abwesenheit von Nationalgeist. Bezeichnend für den Unterschied zwischen Lenz und Schiller ist die Tatsache, daß Lenz die große Charaktertragödie als Aufgabe der Zukunft sah und sein eigenes Schaffen vornehmlich auf Komödien beschränkte, während Schiller von Anfang an die Charaktertragödie als seine eigentliche Domäne betrachtete, wobei freilich die Charaktere als in ihren gesellschaftlichen Kontext eingebunden gezeigt werden. Dieser Bevorzugung der Tragödie tut auch die Tatsache keinen Abbruch, daß Schiller die durch Spott und Verachtung das Laster geißelnde Komödie hinsichtlich ihrer unmittelbaren Wirkung über das Trauerspiel stellte.[14] Theoretisch sind Lenz und Schiller sich darin einig, daß der große und frei handelnde Charakter im Zentrum der Tragödie zu stehen habe und daß alle Handlung sich aus dem Charakter ergeben müsse. Aber Lenz scheint – gewissermaßen in Kompensation für sein Leiden an despotischem Schicksal und an der Determiniertheit aller gesellschaftlichen Verhältnisse – der Utopie eines in Analogie zum höchsten Wesen völlig frei handelnden Menschen verpflichtet gewesen zu sein. Schiller jedoch bindet den großen Charakter, dessen natürliche Größe der Zuschauer bewundern soll, zurück an Schicksal und Vorsehung. Gerade aus dieser Zusammenschau von Schicksal und Charakter, Zufall und Plan entwickelt Schiller das hohe Tragische. Aufgabe der Charaktertragödie ist es, jene Determiniertheit gesellschaftlicher Verhältnisse als überwindbar zu erweisen, die Lenz in seinen Komödien als determinierte und zu verändernde dargestellt hat. Schiller zielt aufs hohe Tragische, um den Druck der bürgerlich alltäglichen Verhältnisse zu durchbrechen. In diesem Sinne schreibt er in einer *Erinnerung an das Publikum* zum *Fiesko:* »Wenn es zum Unglück der Menschheit so gemein und alltäglich ist, daß so oft unsere göttlichsten Triebe, daß unsere besten Keime zu Großen und Guten unter dem Druck des bürgerlichen Lebens begraben werden – wenn Kleingeistelei und Mode der Natur kühnen Umriß beschneiden – wenn tausend lächerliche Konvenienzen am großen Stempel der Gottheit herumkünsteln – so kann dasjenige Schauspiel nicht zwecklos sein, das uns den Spiegel unserer ganzen Kraft vor die Augen hält, das den sterbenden Funken des Heldenmuts belebend wieder emporflammt – das uns aus dem engen, dumpfen Kreise unsers alltäglichen Lebens in eine höhere Sphäre rückt.«[15] Hier läßt sich trotz aller Gegensätzlichkeiten ihrer dramatischen Werke eine bezeichnende Nähe Schillers zu Lenz ausmachen, die beider Zugehörigkeit zum Sturm und Drang begründet, und zwar in ihrer Auffassung von Unnatur, Unterdrückung und Leiden, wie sie in der zeitgenössischen Gesellschaft vorherrschen. Lenz' Komödien bringen diese Unterdrückung künstlerisch zur Anschauung, indem sie den gekränkten, gejagten und unterdrückten einfachen Menschen ins Zentrum rücken. Schiller interessiert sich von früh auf für den Menschen, der ebenfalls außerhalb der »aufgeklärten« Gesellschaft steht und deren Regeln verletzt – den großen Verbrecher, den das Publikum nicht verdammen, sondern bewundern soll. Fritz Martini hat Nähe und Abstand Schillers von Lenz sehr genau bezeichnet: »Die sozialhumane Paradoxie, daß

gerade der kleine, gedrückte und vernachlässigte, nach unten gestoßene Mensch der wahre und eigentliche Mensch sei, verwandelt sich beim jungen Schiller zu der sittlichen Paradoxie, daß gerade an dem Verbrecher die Größe und das Moralische des Menschen sichtbar werden kann.«[16]
Moralische Wirkung erwartet Schiller nicht von einer Gegenüberstellung eines Systems des Guten mit einem System des Bösen, deren Streit dann mit den Mitteln der Vernunft belehrend gelöst würde. Im Einzelhelden selbst vielmehr gestaltet Schiller die Dialektik von Gut und Böse, die im bewundernswürdigen Verbrecher auf die Spitze getrieben erscheint. Die Verderbtheit, die Schiller etwa im Verbrecher Karl Moor zu veranschaulichen sucht, ist eben »weniger die Wirkung bösartiger Leidenschaften als des zerrütteten Systems der guten«.[17] Diese Zerrüttung des Guten ist dabei nicht einfach durch individuelle Willensentscheidung oder öffentliche Geißelung des Lasters aufhebbar, sondern wird von Schiller als gesellschaftlich vermittelt dargestellt. Nur so wird über Lenz hinaus Tragik wieder möglich. Entscheidend für eine moralische Wirkung des Dramas ist nicht so sehr die verstandesmäßige Erkenntnis des Bösen als vielmehr die subjektive Erfahrung der inneren Dialektik von Gut und Böse, die in der Bühnenhandlung sinnlich anschaubar wird und sich in der bewundernden und liebenden Identifikation des Dichters und des Publikums mit dem Helden niederschlägt, einer Identifikation, die sich von Lessings auf Mitleid beruhender sich fühlender Menschlichkeit klar absetzt. Nach Schillers Urteil hatte etwa Leisewitz Lessing voraus, daß er die Gestalten des *Julius von Tarent* als »ihr Freund« liebte, während Lessing immer nur »Aufseher seiner Helden« blieb. Diese kritische Erweiterung des aufklärerischen Rationalismus durch den Subjektivismus des Sturm und Drang wird besonders deutlich in Schillers Brief an Reinwald vom 14. April 1783: »Alle Geburten unsrer Phantasie wären also zuletzt nur wir selbst [...] Das ist unstrittig wahr, daß wir die Freunde unsrer Helden seyn müssen, wenn wir in ihnen zittern, aufwallen, weinen und verzweifeln sollen – daß wir sie als Menschen außer uns denken müssen, die uns ihre geheimsten Gefühle vertrauen, und ihre Leiden und Freuden in unsern Busen ausschütten [...] Der Dichter mus weniger der Maler seines Helden – er mus mehr dessen Mädchen, dessen Busenfreund seyn.«[18] Diese in Phantasie und Kreativität sich konstituierende Beziehung zwischen Dichter und Held erscheint im

auf den Zuschauer. Die Einzigartigkeit der Schaubühne und ihrer Wirkungsmöglichkeit liegt darin begründet, daß sie Erfahrung sinnlich vermitteln und psychisch im Zuschauer verankern kann: »So gewiß sichtbare Darstellung mächtiger wirkt als toter Buchstab und kalte Erzählung, so gewiß wirkt die Schaubühne *tiefer und dauernder als Moral und Gesetze.*«[19] Die Eigenständigkeit der Wirkung der Schaubühne könnte kaum schärfer zum Ausdruck gebracht werden. Aber auch die gesellschaftliche Eigenständigkeit der Schaubühne als öffentlicher Anstalt ist für Schillers Wirkungskonzept zentral: »Die Gerichtsbarkeit der Bühne fängt an, wo das Gebiet der weltlichen Gesetze sich endigt. Wenn die Gerechtigkeit für Gold verblindet und im Solde der Laster schwelgt, wenn die Frevel der Mächtigen ihrer Ohnmacht spotten und Menschenfurcht den Arm der Obrigkeit bindet, übernimmt die Schaubühne Schwert und Wage und reißt die Laster vor einen schrecklichen Richterstuhl.«[20] Hier geht es nicht etwa um die Bühne als apokalyptisches Weltgericht oder um die Tragödie als Theodizee.[21] Solch religiös-metaphysische Deutungen unterschätzen einerseits Schillers Zugehörigkeit zum Aufklärungszeitalter und unterlegen ihm andererseits ein philosophisches Konzept des Tragischen, das in Deutschland erst mit Schelling, Hegel und Hebbel zum Tragen kommt. Die Bühne ist für Schiller ein durchaus weltlicher Richterstuhl; davon sollte auch die alttestamentarische Ausdrucksweise nicht ablenken. Gerade darin, daß die Bühne Austragungsort unversöhnlicher gesellschaftlicher Konflikte wird, wurzelt ihre gesellschaftliche Bedeutung und ihre Wirkungsmöglichkeit auf jene »Großen der Welt«, die sonst, wie Schiller sagt, nur selten Wahrheit vernehmen und nur selten den Menschen zu sehen bekommen.[22] Nicht die Wiederherstellung einer vermeintlich objektiven göttlichen Weltordnung, die durch menschliches Handeln verletzt wurde, ist darstellerische Aufgabe des Dramatikers. Die religiöse Überformung der tragischen Katastrophe etwa in den *Räubern* oder in *Kabale und Liebe* ist vielmehr Zeichen dafür, daß die im Rahmen der dargestellten gesellschaftlichen Verhältnisse und persönlichen Beziehungen aufgebrochenen Widersprüche und Konflikte nicht rational diesseitig aufgehoben bzw. gelöst werden können. Ihre Lösung wird infolgedessen fast notwendigerweise in einen nicht-rationalen Bereich verschoben, in dessen religiöser Metaphorik sich immer noch bürgerliche Universalitätsansprüche verstecken. Ganz deutlich wird das in den abschließenden

Sätzen des Schaubühnenaufsatzes, wo Schiller die höchstmögliche Wirkung der Schaubühne mehr hymnisch preist als rational diskutiert: »Und dann endlich – welch ein Triumph für dich, Natur! – so oft zu Boden getretene, so oft wieder auferstehende Natur! – wenn Menschen aus allen Kreisen und Zonen und Ständen, abgeworfen jede Fessel der Künstelei und der Mode, herausgerissen aus jedem Drange des Schicksals, durch *eine* allwebende Sympathie verbrüdert, in *ein* Geschlecht wieder aufgelöst, ihrer selbst und der Welt vergessen und ihrem himmlischen Ursprung sich nähern. Jeder einzelne genießt die Entzückungen aller, die verstärkt und verschönert aus hundert Augen auf ihn zurückfallen, und seine Brust gibt jetzt nur *einer* Empfindung Raum – es ist diese: ein *Mensch* zu sein.«[23] Was sich in diesen Zeilen äußert, ist nicht ein wie immer geartetes Jenseitsideal, sondern bürgerliche Gesellschaftsutopie, wie sie für den Sturm und Drang typisch war. Die überaus scharfe Gesellschaftskritik der Jugenddramen und der dramaturgischen Texte verbietet es, hier schon von Klassenkompromiß oder Mystifizierung menschlicher Natur zu sprechen. Der Universalitätsanspruch des Bürgertums mit seiner Berufung auf Natur war historisch notwendig und progressiv in der Auseinandersetzung mit den Partikularinteressen des Adels und der Unnatur der höfisch-absolutistischen Welt. Wenn Schiller die antizipierte Erfüllung dieses Anspruchs in religiöse Metaphern kleidet, sollte man darin weniger einen ideologischen Rückfall hinter die Aufklärung bzw. den Ausdruck der Schwäche der deutschen Aufklärung sehen als vielmehr die Ahnung, daß dieser Anspruch sich im Rahmen bürgerlicher Gesellschaft selbst nicht erfüllen läßt. Die Rede vom himmlischen Ursprung der Menschen bewahrt bei Schiller den bürgerlichen Universalitätsanspruch und kritisiert zugleich dessen rational aufklärerische Form. Das ist die progressive Funktion von Schillers Aneignung des schwäbischen Pietismus.

II. DRAMEN

1. Johann Wolfgang Goethe: Götz von Berlichingen mit der eisernen Hand

Mit Goethes Schauspiel *Götz von Berlichingen mit der eisernen Hand* kam der Sturm und Drang erstmals zu literarischer Breitenwirkung. Der Erfolg des im Juni 1773 von Goethe und Merck im Selbstverlag anonym herausgegebenen Dramas ist um so bemerkenswerter, als er sich hauptsächlich der Buchfassung verdankt und weniger der Vermittlung durch die Bühne. Mit den spektakulären Publikumserfolgen, die Schillers *Räuber* und *Kabale und Liebe* knapp zehn Jahre später am Mannheimer Nationaltheater erzielten, lassen sich die beiden erfolgreichen *Götz*-Inszenierungen des Jahres 1774 in Berlin (Kochsche Truppe, Uraufführung) und Hamburg (Schrödersche Truppe) kaum vergleichen. Dennoch stürzte sich die Kritik sofort begierig auf dieses anonyme Erstlingswerk eines außerhalb seines Kreises noch völlig unbekannten Autors. Die öffentliche *Götz*-Debatte von 1773/74, in der sich der Sturm und Drang als literarisch führende Gruppierung in Deutschland etablierte, ist deswegen so interessant, weil hier die unterschiedlichen Auffassungen von Kunst und Dichtung hart aufeinander prallten, die den Sturm und Drang ästhetisch und weltanschaulich von der Aufklärung trennen. In den Angriffen der Aufklärer auf die Shakespeare-Nachfolge Goethes und auf die den ästhetischen Normenkanon verletzende Regellosigkeit des Stücks zeigte sich, daß die Aufklärung einen wesentlichen Entwicklungsschritt der deutschen Literatur nicht mehr nachvollziehen konnte und angesichts der Publikumsbegeisterung für den *Götz*, später für den *Werther*, zusehends in die Defensive getrieben wurde. Die jungen Stürmer und Dränger nutzten diese Situation weidlich aus und meldeten sich massiv zu Wort. Dabei ging es in ihren Plädoyers für Goethe und für *Götz* nie nur um ästhetische Probleme, sondern immer auch um gesellschaftliche Fragen bürgerlicher Emanzipation, vor denen ihrer Meinung nach die deutsche Aufklärung ästhetisch und politisch versagt hatte.

Goethes interne Auseinandersetzung mit Herder

Die öffentliche *Götz*-Debatte hatte ein hochinteressantes Vorspiel in der internen Diskussion zwischen Goethe und Herder von 1772. Diese Diskussion führte zur Umarbeitung der Erstfassung des *Götz* und zeigt nachdrücklich, mit welchen Problemen auch für Goethe der Versuch verbunden war, sich eine Gegenposition zur Aufklärung zu erarbeiten.
Im Rahmen seiner rechtsgeschichtlichen Studien beschäftigte sich der angehende Jurist Johann Wolfgang Goethe in Straßburg

mit einer Reihe von Quellenwerken zum 16. Jahrhundert. Herausragende Bedeutung für das Drama kommt dabei der von Gottfried von Berlichingen (1480–1562) gegen Ende seines Lebens verfaßten Autobiographie *Lebensbeschreibung Herrn Gözens von Berlichingen, Zugenannt mit der Eisern Hand, Eines zu Zeiten Kaysers Maximiliani I. und Caroli V. kühnen und tapfern Reichs-Cavaliers* zu, die Goethe in einem von Georg Tobias Pistorius 1731 herausgegebenen Druck zu Gesicht bekam. Ebenfalls in Straßburg hatte Herder dem nur fünf Jahre jüngeren Goethe die dichterische und geschichtliche Welt Shakespeares erschlossen. Niederschlag des neuen Shakespeare-Verständnisses waren die begeistert feiernde *Rede zum Shäkespears Tag* und die *Geschichte Gottfriedens von Berlichingen mit der eisernen Hand dramatisiert*. Goethe schrieb diese Erstfassung des *Götz* im Herbst 1771 in Frankfurt auf Drängen der Schwester innerhalb von sechs Wochen nieder und schickte sie Anfang 1772 an den Freund und Mentor Herder. Der Begleitbrief nennt diese Fassung apologetisch ein »Skizzo« und schließt: »Auch unternehm ich keine Veränderung biss ich Ihre Stimme höre, denn ich weiss doch, dass als dann radikale Wiedergeburt geschehen muss, wenn es zum Leben eingehn soll.«[1]
Herder nahm Goethe beim Wort und kritisierte das Drama in offenbar scharfer Form. Da Herders Brief an Goethe nicht erhalten ist, müssen wir die Kritik aus Goethes Antwortschreiben von Mitte Juli 1772 rekonstruieren. Goethe zitiert dort zustimmend Herders Satz »Daß euch Schäckesp. ganz verdorben« und gesteht ohne Umschweife zu, daß eine Umarbeitung unumgänglich sei: »Es muss eingeschmolzen von Schlaken gereinigt mit neuem edlerem Stoff versetzt und umgegossen werden.«[2] Der Vorwurf, daß Shakespeare Goethe verdorben habe – ein Gedanke, der meist nur auf die mangelnde formale und inhaltliche Einheitlichkeit des Stücks bezogen wird –, ist in der Forschung immer wieder breitgetreten worden. Gelegentlich hat man diese Ansicht Herders noch der Druckfassung vorgehalten, die wohl einige Exzesse des Entwurfs beschneide, aber dennoch nicht zu einem einheitlichen Drama zusammenwachse.[3] In der Tat scheint sich die Zweitfassung weder in der Form noch in der Charaktergestaltung von der Erstfassung in dem Grade zu unterscheiden, daß man mit Goethe von einer »radikalen Wiedergeburt« zu sprechen berechtigt wäre. Nur der V. Akt erfuhr eine einschneidende Umarbeitung.[4] Nichtbeachtung der aristotelischen Ein-

heiten, rasender Szenenwechsel, Kurzszenen, doppelte und dreifache Handlungsführung, Stagnation der Götz-Handlung nach Akt III – all dies kennzeichnet auch noch die veröffentlichte Version des Dramas und räumt Herders Vorwurf kaum aus dem Weg. Dennoch weicht die zweite Fassung ganz wesentlich von der ersten ab. Der Unterschied läßt sich an meist weniger beachteten Gedanken in Goethes Antwortbrief festmachen, die offensichtlich ebenfalls auf Herders Kritik zurückgehen: »Es ist alles nur gedacht. Das ärgert mich genug. Emilia Galotti ist auch nur gedacht, und nicht einmal Zufall oder Kaprice spinnen irgend drein. Mit halbweg Menschenverstand kann man das warum von ieder Scene, von iedem Wort mögt ich sagen auffinden. Drum binn ich dem Stück nicht gut, so ein Meisterstück es sonst ist, und meinem eben so wenig.«[5] Daß Goethe seinen *Götz* hier mit Lessings *Emilia Galotti* vergleicht, berührt merkwürdig; denn das bürgerliche Trauerspiel Lessings ist von Goethes nationalem Geschichtsdrama in jeder Hinsicht so verschieden, daß der Vergleich fast unverständlich wirkt. Zumal sich die Kritik an der Shakespeare-Nachfolge nur schlecht mit dem Vorwurf zusammenreimt, der *Götz* stehe dem durchweg aristotelisch konzipierten Stück Lessings zu nahe. Die Bedeutung dieses Vergleichs ist denn auch sehr unterschiedlich interpretiert worden.[6] Festzuhalten ist zunächst, daß Goethe den Bezug zwischen *Emilia Galotti* und *Götz* auch in *Dichtung und Wahrheit* herstellt, wo die Beschreibung der Entstehung des *Götz* direkt auf eine Diskussion der anti-höfischen Tendenzen der Literatur der siebziger Jahre folgt. Herausragendes Beispiel für die Schilderung der »ränkevollen Verhältnisse der höheren Regionen«[7] in der neuen Literatur ist Goethe Lessings *Emilia Galotti*. Mit dem Hinweis auf die gemeinsame anti-höfische Stoßrichtung beider Stücke ist ein erster Vergleichspunkt gewonnen. Die Kritik Herders jedoch, die Goethe mit seinem »es ist alles nur gedacht« aufnimmt, ist immer noch nicht gedeutet. Friedrich Rothe hat jüngst vorgeschlagen, Herders Kritik als Reflex eines fundamentalen politischen Unterschiedes zwischen Herder und Goethe zu deuten. Herders Vorwurf, der *Götz* sei ebenso ausgeklügelt wie *Emilia Galotti*, ziele darauf ab, eine explizit anti-höfische Literatur wegen ihrer politischen Tendenz als unkünstlerisch zu verdammen.[8] Goethe und Herder also: Fortschritt und Reaktion! Abgesehen von der Unfruchtbarkeit solch einseitiger Rettungen und Verdammungen sind hier mit großem Scharfsinn sämtliche

Verhältnisse auf den Kopf gestellt. Erstens stimmt Goethe ja Herders Kritik völlig zu, was Rothe überliest. Zweitens enthält gerade der Vorwurf des Nur-Gedachten, in dem Herder und Goethe sich einig sind, das damals progressive Moment. Mit dieser Kritik setzt der Sturm und Drang sich programmatisch von der Aufklärung ab. Nicht gegen eine explizit politische Stellungnahme richtet sich Herders Kritik an der Erstfassung, sondern es geht ihm ganz simpel um eine neue künstlerische Gestaltungsweise, die dann der umgearbeiteten Fassung eine von Lessing nie erreichte Breitenwirkung sicherte.

Zurückzugreifen ist hier auf Ilse A. Grahams ausgezeichneten Textvergleich der ersten und zweiten Fassung. Graham weist schlüssig nach, daß die Sprache der Erstfassung »überwiegend diskursiv« ist.[9] Ganze Szenen wie z. B. Akt I, 1 sind hier noch als intellektuelle Puzzlespiele konstruiert. Rede und Gegenrede sind rein logisch miteinander verkuppelt. Es wird ausgiebigst räsonniert. Der jeweilige Zweck dominiert in Charaktergestaltung und Dialogführung. Mit Goethes Worten: das »warum von ieder Scene, von iedem Wort« läßt sich rational ausmachen. Eben darin sehen Herder und Goethe mit Recht die Nähe zu Lessing. Das Nur-Gedachte der *Emilia Galotti* ist ja oft als Schwäche Lessings beschrieben worden. Ob Schwäche oder nicht, wesentlich ist hier der Versuch des Stürmers und Drängers Goethe, zu einer von der Aufklärung sich ablösenden assoziativen Schreibweise vorzudringen, die auch die Tiefendimensionen menschlicher Kommunikation in den dramatischen Dialog einschreibt und jene »Randzonen stummen Kontakts«[10] berücksichtigt, die dem zweckgebundenen rationalen Diskurs grundsätzlich zum Opfer fallen. Die Zweitfassung des *Götz* markiert einen historischen Fortschritt über aufklärerische Schreibweisen hinaus, der sich auch an einem Vergleich der rational begründeten Sprachlosigkeit Emilia Galottis mit dem existentiellen Verstummen von Schillers Luise Millerin ablesen läßt. Herders Verdienst ist es, Goethes neuartige dichterische Gestaltungsweise durch seine Kritik stimuliert und damit indirekt zur literarischen Durchschlagskraft des einsetzenden Sturm und Drang beigetragen zu haben. Herder und Goethe ziehen hier noch an einem Strang, und Goethes retrospektives Urteil in *Dichtung und Wahrheit*, Herders Kritik an *Götz* sei »unfreundlich und hart« gewesen[11], ist im Lichte der späteren Entfremdung zwischen den beiden Autoren nicht auf die Goldwaage zu legen.

Unterschiede in Herders und Goethes Ansichten um 1771 sollen gewiß nicht geleugnet werden. Keine Rede jedoch kann davon sein, daß Herder mit seiner *Götz*-Kritik am Ende der Shakespeare-Abhandlung – er bezeichnet dort Goethes Versuch, von Shakespeare zu lernen, als »Traum«[12] – die junge Schriftstellergeneration geradezu entmutigen wollte, Shakespeare nachzuahmen.[13] Nur war es Herders scharfem historischen Blick nicht entgangen, daß Shakespeares Historiendrama viel unmittelbarer in die dynastisch nationale Geschichte und Gesellschaft Englands eingelagert war, als es dem *Götz* in Deutschland überhaupt möglich sein konnte. Goethe mußte auf eine endgültig vergangene Zeit zurückgreifen, während Shakespeares Historiendrama den Zeitgenossen noch sehr nahestand. Dadurch aber haben sich für Goethe die Voraussetzungen des historischen Dramas selbst verschoben: »Er schrieb es als Kritik seiner Gegenwart und jener Vergangenheit, die verschuldet hatte, daß das Gegenwärtige geworden war, was es nun war.«[14] Diesen Unterschied zwischen Shakespeare und Goethe hat Herder im Sinn, wenn er den *Götz* als »süßen und deiner würdigen Traum« preist, das Denkmal Shakespeares »aus unsern Ritterzeiten in unsrer Sprache unserm so weit abgearteten Vaterlande herzustellen«.[15] Herder spricht von Traum, weil ihm nicht verborgen blieb, daß der historische Raubritter Götz von Berlichingen schon in der Wirklichkeit der siebziger Jahre soziologisch und politisch zum Anachronismus geworden war. Interessanter als Rothes Kritik an Herder wäre hier die Frage, ob nicht gerade Herders historisch richtige Erkenntnis des Abstandes des Sturm und Drang vom elisabethanischen Zeitalter, von Goethes *Götz* und Shakespeares Historiendrama, ihn blind machte für die zeitgenössische Problematik unterhalb der historischen Ebene des Stoffes, für eine Problematik, die Lenz in seinem *Götz*-Aufsatz sehr viel klarer erfaßt zu haben scheint als Herder.

Die öffentliche Götz-Debatte

Gegenüber der internen Diskussion zwischen Goethe und Herder fällt die öffentliche *Götz*-Debatte insofern etwas ab, als hier alle die Positionen der aufklärerischen Ästhetik und Moraldidaktik noch einmal zur Sprache kommen, die bei Goethe und Herder bereits überwunden sind. Dennoch ist hier auf die *Götz*-Debatte ausführlich einzugehen, da sie dem heutigen Leser dazu verhelfen kann, die zeitgenössische Ebene des Stücks im Gegensatz zur historischen Ebene des Stoffs besser in den Griff zu bekommen. Nicht die objektiv historische Rolle des spätmittelalterlichen Raubrittertums interessiert heute an *Götz*, sondern vielmehr die Subjektproblematik, die sich im historischen Kostüm artikuliert.

Ausgetragen wurde die Debatte in Rezensionen, Theaterkritiken, Zeitschriftenessays und privater Korrespondenz, wobei daran zu erinnern ist, daß die Briefkultur des 18. Jahrhunderts durchaus zur literarischen Öffentlichkeit gezählt werden kann. Im Zentrum der Auseinandersetzungen stand theoretisch gesprochen der historische Wandel von einer an den Griechen orientierten normativen Gattungsästhetik zu einer von Herder angeregten historischen Poetik, die die Entwicklung eines nationalen Dichtungsstils zu fördern suchte. Praktisch gesprochen war es, wie schon im Dramaturgiekapitel dargelegt, die Ablösung der aristotelischen durch eine nicht-aristotelische, an Shakespeare ausgerichtete Dramatik. Gewiß verdammten nicht alle Aufklärer Goethes Stück in Grund und Boden. Wieland reagierte verständiger als Lessing, Christian Heinrich Schmid ambivalenter als Bodmer oder Sulzer.[16] Obwohl die vorbehaltlos begeisterten Reaktionen der jüngeren Generation solche Unterschiede eher verblassen lassen, kommt ihnen doch eine allgemeinere Bedeutung zu.

Lessing bereitete der *Götz* »äußersten Ekel« (Brief an Karl Lessing vom 11. November 1774); Sulzer hat das »verworrene und verwirrende Schauspiel nicht bis ans Ende aushalten können« (Brief an Bodmer vom 19. November 1774). Gegenüber solch eindeutigen Mißfallenskundgebungen, in denen sich die aufklärerische Abwehrhaltung gegenüber der neuen Literatur geradezu in körperliches Unwohlsein umsetzt, sind die Äußerungen Schmids und Wielands im *Teutschen Merkur* gerade wegen ihrer Ambivalenz interessant. Diese Zwiespältigkeit des Urteils äußert sich zunächst in immer wiederkehrenden sprachlichen Formulierungen wie »das schönste, interessanteste Monstrum« oder »schönes Ungeheuer«. Das Bestehen auf aufklärerischer Regelpoetik wird im Begriff Monstrum ebenso veranschaulicht wie die Anerkennung dichterischer Qualitäten in den beigegebenen Adjektiven. Dennoch markiert vor allem Schmids im September 1773 veröffentlichte Rezension, die allein schon ihrer Länge und Ausführlichkeit wegen unter den zeitgenössischen Urteilen hervorragt, anschaulich einen kulturgeschichtlich entscheidenden Bruch der Rezeptions- und Wirkungsweise von Literatur und verweist damit gerade in ihrer Ambivalenz um so nachdrücklicher auf die Unvereinbarkeit von Sturm und Drang und Aufklärung. Auch bei Schmid handelt es sich wie bei Lessing um eine physische Reaktion auf den *Götz*, allerdings um eine positive. »Ehe wir es uns versahen«, sagt er noch nach mehrmaligem Lesen des Stücks, »waren wir wieder mitten im Taumel der Empfindung, und alle Regeln, selbst der Vorsatz zu kritisieren, verschwanden, wie Schattenbilder, vor dieser kräftigen Sprache des Herzens.«[17] Fasziniert und erregt spricht Schmid von fieberhaften Anfällen schauerhafter Empfindung und vom »ununterbrochenen Genusse« des Dramas.[18] Daß Schmids Reaktion kein Einzelfall war, beweisen auch die *Frankfurter Gelehrten Anzeigen*, wo es schon kurz zuvor am 20. August hieß: »Wir vergassen unsern Aristoteles und weideten uns treflich.«[19] Wie die Kritiker zugeben mußten, setzte ihre eigene Reaktion alle Ratio außer Kraft, mit der der aufgeklärte Kunstrichter zu urteilen und zu vergleichen gewohnt war. Während die rational aufklärerischen ästhetischen Überzeugungen bei Bodmer, Sulzer und Lessing eine adäquate Rezeption des *Götz* von vornherein abblockten, erfuhr der aufklärerische Rezensent Christian Heinrich Schmid die Wirkungsweise der neuen Literatur am eigenen Leibe und räumte ihrer Beschreibung gleich zu Beginn seiner Rezension einen prominenten Platz ein. Auf die ersten drei Abschnitte, in denen die Dämme der Aufklärungsästhetik brechen, folgen dann jedoch seitenweise meist langatmige Ausführungen, in denen die Macht unmittelbarer Erfahrung zurückgedrängt und rationalisiert wird. Plötzlich stellt sich heraus, daß Goethe »alle Grundgesetze der Kritik und Psychologie« gebrochen habe[20], daß die Doppelhandlung (Götz/Bischof und Götz/Weislingen) das Stück überlade, daß Weislingens Sinnesänderung nicht motiviert und die Gebote der Wahrscheinlichkeit verletzt seien, daß die Charaktere der Frauen mißglückt und zahlreiche Szenen überhaupt überflüssig seien und daß schließlich allzu vieles nur angedeutet, aber nicht entwickelt sei. Wie ein derart mißratenes Stück die eingangs beschriebene Wirkung hervorbringen konnte, wird zusehends unverständlicher. Interessant zu sehen, wie Schmid nun selbst mit diesem Widerspruch fertig wird. Entschuldigend führt er gleich zu Beginn seine emotionale Reaktion auf eine persönliche Schwäche zurück. Er sei ein schwacher, d. h. leicht

beeindruckbarer Leser. So setzt er dann im folgenden das ganze Arsenal der Aufklärungsästhetik ein, um diese Schwäche wieder wettzumachen. Aus heutiger Sicht jedoch ist klar, daß die vermeintliche Schwäche eine Stärke ist: Schmid verschließt sich der neuen Wirkungsweise von Literatur nicht a priori. Das, was Schmid andererseits noch für Stärke hält, das Festhalten am Regelkanon, macht genau die Schwäche des aufklärerischen Urteils aus. Der Gang der Rezension selbst von spontaner Begeisterung zu langatmigen Rationalisierungen legt davon Zeugnis ab.
Auch Wieland hat die Widersprüche in Schmids Text gespürt. Er veröffentlichte seine Besprechung des *Götz (Teutscher Merkur*, Juni 1774) explizit als Rezension der Schmidschen Rezension. Fast scheint es, als hätte Wieland die Blößen und Widersprüche zudecken wollen, die sich die Aufklärung in Schmids Text eingehandelt hatte. Er gibt sich den Anschein, Goethe verteidigen zu wollen und korrigiert in der Tat manche beckmesserischen Einzelurteile Schmids. Der Grundtenor seiner Ausführungen jedoch geht dahin, verlorenes Terrain wiederzugewinnen, die Gültigkeit der aristotelischen Dramaturgie gegen Goethe zu behaupten und die Wirkung des Stücks auf Kategorien traditioneller Ästhetik zu reduzieren. Wo Schmid von Nervenfieber und Empfindungstaumel spricht, steht bei Wieland Erschütterung und Ergriffenheit.
Wieland geht auf zweierlei Weise vor. Einmal greift er Schmids These auf, *Götz von Berlichingen* sei ein Lesedrama und nicht für die Bühne gedacht. Indem er Goethe auf diese Intention festlegt und den *Götz* zu einer speziellen Gattung erklärt, kann er an der unverminderten Geltung des Aristoteles fürs Bühnendrama festhalten. Die Sophisterei dieses Arguments muß ihm selbst bewußt gewesen sein, denn er setzt als zweite Waffe gegen den Sturm und Drang eine ironisch überlegene Biologisierung des Genietreibens ein, die er sehr geschickt zunächst nicht an *Götz*, sondern an der gegen ihn persönlich gerichteten Literatursatire Goethes *Götter, Helden und Wieland* festmacht: »Junge muthige Genien sind junge muthige Füllen; das strotzt von Leben und Kraft, tummelt sich unsinnig herum, schnaubt und wiehert, wälzt sich und bäumt sich, schnappt und beißt, springt an den Leuten hinaus, schlägt vorn und hinten aus und will sich weder fangen noch reiten lassen.«[21] Resultat solchen Tobens, das Wieland mit der Überlegenheit des Älteren als jugendliche Unreife abqualifiziert, sind ihm dann jene schönen Ungeheuer

wie der *Götz*, die Wieland nur als Vorstufe zu »wahren Meisterstücken« gelten läßt, für die ihm Lessings *Emilia Galotti* einsteht. Goethe werde wohl eines Tages einsehen, »daß Aristoteles am Ende doch recht habe, daß seine Regeln sich vielmehr auf *Gesetze der Natur* als auf Willkühr, Convenienz und Beyspiele gründen«.[22] Wielands Berufung auf das Vorbild der *Emilia Galotti* macht einmal mehr deutlich, daß hier Rückzugsgefechte der Aufklärung ausgetragen werden. Wieland geht sogar so weit anzudeuten, daß Shakespeare, würde er nur aus jenem barbarischen Zeitalter ins Jahrhundert der Aufklärung verpflanzt, vermutlich »regelmäßige«, d.h. aristotelische Stücke schriebe. So wird noch Shakespeare selbst als potentieller Aristoteliker gegen die explosive Shakespeare-Begeisterung der Stürmer und Dränger gewendet!

Daß die Verteidigung des *Götz* durch die Stürmer und Dränger sich auf einer ganz anderen Diskursebene bewegte, zeigt Bürgers Brief an Boie vom 8. Juli 1773, in dem es heißt: »Glück zu, dem edlen freyen Mann, der der Natur gehorsamer als der tyrannischen Kunst war.«[23] Und daß die ästhetischen Fragen im Grunde genommen von Anfang an gesellschaftliche waren, beweist mit aller wünschenswerten Deutlichkeit der Angriff Friedrichs II. auf Goethes Stück, der von Justus Möser in einer schneidenden Replik abgewiesen wurde. In seiner Streitschrift gegen die deutsche Literatur nennt der königliche Ideologe Goethes Stück »eine abscheuliche Nachahmung jener schlechten englischen Stücke« und ärgert sich gehörig über den Beifall des Publikums für dieses »eckelhafte Gewäsch«. »Wo bleibt da die Wahrscheinlichkeit?« fragt er im Brustton der Verachtung für Shakespeares Stücke. »Bald erscheinen in denselben Lastträger und Todtengräber und reden, wie es sich für sie schickt. Dann kommen Königinnen und Prinzen. Wie ist es möglich, daß ein so wunderliches Gemisch von Großem und Niedrigem, vom Tragischen und Harlequinspossen gefallen und rühren könne?«[24] Justus Mösers Replik greift die in der klassizistischen Dramaturgie versteckte, höfisch antinationale Orientierung Friedrichs II. an und bestreitet grundsätzlich Recht und Kompetenz des Hofes, kulturelle Geschmacksnormen weiterhin zu bestimmen. Die nationale bürgerliche Kultur, die der *Götz* nach Mösers Meinung antizipiert, werde ohne die Mitwirkung des höfischen Adels auskommen: »Schön und groß aber können unsre Producte werden, wenn wir auf den Gründen fortbauen, welche *Klopstock*,

Goethe, Bürger und andere Neuere geleget haben. Alle können zwar noch in der Wahl der Früchte, welche sie zu bauen versucht, gefehlt, und das Gewählte nicht zur höchsten Vollkommenheit gebracht haben. Aber ihr Zweck ist die Veredlung einheimischer Producte; und dieser verdient den dankbarsten Beifall der Nation, so wie er ihn auch wirklich erhielt, ehe diese in ihrem herzlichen Genusse von den alten verwöhnten Liebhabern der auswärtigen Schönheiten gestöret, und durch den Ton der Herrn und Damen, die eine Pariser Pastete dem besten Stücke Rindfleisch vorziehen, stutzig gemacht worden.«[25] Daß die Frage nach der richtigen Dramaturgie immer auch eine Frage nach der richtigen Gesellschaft war, enthüllt sich nirgendwo deutlicher als in dieser Auseinandersetzung zwischen Justus Möser und dem preußischen König, in dessen Regierungszeit der Sturm und Drang fiel.

Der nationale Gehalt

Leichter tat sich die aufklärerische Kritik mit dem nationalen Gehalt des Goetheschen Stücks, der allgemein gelobt wurde. Das progressive Interesse für eine einheitliche nationale Kultur teilte der Sturm und Drang mit der Aufklärung, und so mußte einer Gestalt wie Götz, der für die Einheit des Reichs gegen die Partikularinteressen der Fürsten kämpfte, gesellschaftlicher Vorbildcharakter zukommen. Die Forderung nach nationalen Helden war ja schon früher erhoben worden und hatte in Johann Elias Schlegels *Hermann* (1743), den Goethe 1766 in Leipzig auf der Bühne sehen konnte, und in Klopstocks erfolgreichem Bardiet *Hermanns Schlacht* (1769) seine bekanntesten Verteter. Typisch für diese und andere nationale Dichtungen der Zeit waren die mythisch germanischen Stoffe, die sich jedoch als zu abgelegen und damit als ungeeignet erwiesen, historisch politische Konstellationen des bürgerlichen Zeitalters zu transportieren. Genau das aber tat der *Götz*, tat das frühe 16. Jahrhundert. Die Wahl dieser Zeitenwende war deswegen so günstig und publikumswirksam, weil sich hier der moderne partikularistische Absolutismus herausbildete, der noch im 18. Jahrhundert die Bildung einer deutschen Nation blockierte. Das an der Emanzipation zur Nation interessierte deutsche Bürgertum konnte sich politisch mit Götz' Kampf identifizieren, und zwar um so mehr, als Götz alle die Qualitäten aufzuweisen schien, die dem deutschen Bürgertum abgingen: Stärke, Selbstvertrauen, Kampfgeist.

Man sollte endlich aufhören, Götz unter Berufung auf Marx als miserablen und reaktionären Raubritter hinzustellen und Goethe vorzuwerfen, daß er wie sein Held den objektiv notwendigen Gang der Geschichte, d.h. »den reaktionären Kern des Adelsaufstandes« und »den fortschrittlichen der Bauernrevolution«[26] nicht begriffen habe. Ganz abgesehen davon, daß Marx' Götz-Kritik vor allem den historischen Götz von Berlichingen meinte und überdies im Kontext der sogenannten Sikkingen-Debatte mit Lassalle einen spezifischen Zweck verfolgte, bewegte Marx sich auf dem Boden geschichtlicher Erkenntnisse, die Goethe vor der Amerikanischen und vor der Französischen Revolution noch gar nicht zugänglich sein konnten. Wie hätte Goethe wohl *vor* den großen Umwälzungen des 18. Jahrhunderts, *vor* der Konstituierung der bürgerlichen Gesellschaft die Einheit der Nation anders denn als Einheit des alten Reichs *darstellen* sollen! Da es Goethe vor allem auf die Kritik am feudalabsolutistischen Partikularismus, nicht aber auf eine Glorifizierung des Reiches und des Ritterwesens ankam, mußte sich ihm gerade die Verfallszeit des Reiches empfehlen, aus der sich dieser Partikularismus historisch entwickelt hatte. In Goethes Begeisterung für seinen Helden spricht zwar auch eine Verherrlichung der Zeiten des Faustrechts im Sinne Justus Mösers, dessen Aufsatz *Von dem Faustrechte* (1770) Goethe mit dem Gedanken der Rechtmäßigkeit privater Fehden vertraut gemacht hatte. Aber diese Verherrlichung des Faustrechts im *Götz* ist nur insofern bedeutsam, als hier in historischer Einkleidung das Recht des großen Individuums gegen eine allgemeine Gesetzgebung geltend gemacht wird, wodurch Gesetz und Recht in Widerspruch geraten.

Daß auch die Aufklärer Goethes gesellschaftliche Position im gemeinsamen Kampf gegen den Duodez-Absolutismus erkannten und billigten, bezeugt Schmids Rezension deutlich genug. Schmid beschreibt Götz als einen Mann, »der mit der edelsten rechtschaffensten Denkungsart, dem lebendigsten Patriotismus, und der aufrichtigsten Ehrerbietung für das Oberhaupt seines zertrümmerten Vaterlandes den heftigsten Abscheu wider den Uebermuth, und den Unterdrückungs-Geist der kleinen fürstlichen Tyrannen vereinigte, die unter dem Vorwande das Reich von den zerrüttenden Fehden zu reinigen, den Adel, und die kleineren unabhängigen Reichsstände gerne herabgesetzt hätten, um sie alle desto bequemer unter den eisernen Zepter des Despotismus zu beugen«.[27] Nicht Verherrlichung einer untergehenden Klasse und rückwärts gewandte Nostalgie machte für die Zeitgenossen das gesellschaftliche Zentrum des Goetheschen Stücks aus, sondern der Angriff auf Egoismus und Partikularismus, Korruption und Machenschaften der deutschen Fürsten und des mit ihnen verbundenen Adels. Daß dabei im Stück auch die Bürger Haare lassen müssen, ist nicht weiter verwunderlich angesichts der scharfen Kritik der Sturm-und-Drang-Intellektuellen am Krämergeist und der Kompromißlerei weiter Teile des deutschen Bürgertums. Gewiß initiierte Goethes *Götz* eine Flut meist schlechter Ritterdramen, die vor allem im 19. Jahrhundert mit Ausnahme von Ferdinand Lassalles *Franz von Sickingen* und Gerhart Hauptmanns *Florian Geyer* ideologisch zusehends reaktionärer wurden. Daß im Laufe dieser Entwicklung auch Goethes Drama schließlich zum Legitimationsstück aggressiver Deutschtümlichkeit und schwertrasselnder Rittermythologie verkam, ist Teil der Wirkungsgeschichte und sollte als solcher nicht mit Genese und zeitgenössischer Rezeption in eins gesetzt werden. Ein des Adelskompromisses und der Ritterverherrlichung gewiß unverdächtiger Zeuge wie Lenz beweist, daß auch dieser vielleicht schärfste zeitgenössische Kritiker der deutschen Misere im *Götz* nur die Rebellion gegen bedrückende Lebensverhältnisse der Gegenwart sah.

Aufklärer und Stürmer und Dränger waren sich in der Tat einig in der Beurteilung des politisch gesellschaftlichen Standorts des Goetheschen Helden. Wieland wie Lenz, Schmid wie Bürger erkannten die anti-absolutistische und anti-höfische Stoßrichtung des *Götz* und die Brauchbarkeit des Stücks im Kampf um eine nationale Kultur. Was die Aufklärer jedoch nicht begriffen, war die ebenfalls gesellschaftlich bedeutsame Auflehnung der Stürmer und Dränger gegen die Autorität des Aristoteles, war der politisch emanzipatorische Gehalt, den die neue literarische Form als Form transportierte. Da die Aufklärer an der herkömmlichen Regelpoetik festhielten, konnten sie weder Bedeutung noch Wirkungsweise der neuen Literatur voll erfassen. Den Unterschied zwischen Aufklärung und Sturm und Drang bezeichnet vielleicht Lenz am schärfsten, wenn er in seinem *Götz*-Essay schreibt: »Laßt uns aber einen andern Weg einschlagen, meine Brüder, Schauspiele zu beurteilen, laßt uns einmal auf ihre Folgen sehen, auf die Wirkung die sie im Ganzen machen.«[28] Und über die Wirkung der traditionellen Dramatik

sagt er: »Wir nehmen ein schönes wonnevolles süßes Gefühl mit nach Hause, so gut als ob wir eine Bouteille Champagner ausgeleert – aber das ist auch alles. Eine Nacht drauf geschlafen und alles ist wieder vertilgt. Wo ist der lebendige Eindruck, der sich in Gesinnungen, Taten und Handlungen hernach einmischt, der prometheische Funken, der sich so unvermerkt in unsere innerste Seele hineingestohlen, daß er wenn wir ihn nicht durch gänzliches Stilliegen in sich selbst wieder verglimmen lassen, unser ganzes Leben beseligt.«[29] Und Lenz schließt diese Überlegung mit dem emphatischen Aufruf an das deutsche Publikum ab: »Samt und sonders ahmt Götzen erst nach, lernt erst wieder denken, empfinden, handeln, und wenn ihr euch wohl dabei findet, dann entscheidt über Götz.«[30]
Dies alles ist sehr im Sinne Goethes und des Sturm und Drang insgesamt gesprochen. An *Götz von Berlichingen* kristallisierte sich die Utopie eines alternativen Lebens, das auf eine harmonische Vereinigung von Denken, Empfinden und Handeln und durch diese hindurch auf nationale Einheit abzielte. Diese Utopie einer Aufhebung der Arbeitsteilung menschlicher Sinne und Fähigkeiten verdankte sich der Kritik an der Aufklärung und gewann ihre Durchschlagskraft in Deutschland nur deswegen, weil der historische Zusammenhang von fortschreitender Arbeitsteilung und der sich entwickelnden kapitalistischen Produktionsweise infolge der unterentwickelten wirtschaftlichen Verhältnisse noch kaum bewußt werden konnte. Darin liegt der Wahrheitsgehalt der Sturm-und-Drang-Utopie, der freilich je länger je weniger Aussicht hatte, konkret zu werden. Denn wie der Fortgang der Geschichte erwies, hing die im 19. Jahrhundert erreichte Einheit der Nation wesentlich von eben jener fortschreitenden Arbeitsteilung ab, die seit dem Sturm und Drang im Zentrum deutscher Gesellschafts- und Kulturkritik stand.

Die Subjektproblematik als gesellschaftliches Problem

Die Utopie der allseitig entwickelten harmonischen Persönlichkeit wurzelt sowohl bei Lenz wie auch bei Goethe in konkreten Alltagserfahrungen mit einer Realität, die eine allseitige Persönlichkeitsentwicklung eher verhinderte. Lenz' *Götz*-Essay setzt ein mit der Darstellung der beengenden und determinierenden Lebensverhältnisse im 18. Jahrhundert, um dann um so wirksamer das Gegenbild zu projizieren. Auch Goethes Begeisterung für Götz ist nur vor dem Hintergrund seines eingeschränkten Tatendranges voll verständlich. An Salzmann schrieb Goethe am 28. November 1771 während der Arbeit an seinem Stück: »Ich dramatisiere die Geschichte eines der edelsten Deutschen, rette das Andencken eines braven Mannes, und die viele Arbeit die mich's kostet, macht mir einen wahren Zeitvertreib, den ich hier so nöthig habe, denn es ist traurig an einem Ort zu leben wo unsre ganze Wircksamkeit in sich selbst summen muß.«[31] Dem, was Goethe hier als in sich selbst summende Wirksamkeit bezeichnet, entspricht beim pessimistischeren Lenz der Hinweis auf die Gefahr, daß der durch *Götz* entfachte prometheische Funke »durch gänzliches Stilliegen« in sich selbst wieder verglimmen könne. Beides aber läßt sich fassen als Einengung und Abdrängung von kreativen Energien durch die gesellschaftlichen Verhältnisse und zugleich als Versuch, diese Verhältnisse mit Hilfe von Literatur aufzubrechen.

Diese generationstypische Dialektik von realer Einschränkung und versuchtem Ausbruch ist deswegen so wichtig, weil sie sich in die Kunstfigur Götz voll eingeschrieben hat. Die Utopie selbst trägt Spuren ihres gesellschaftlichen Ursprungs. Stärker als in der Forschung meist behauptet wurde, spiegelt Götz als Subjekt, als Individuum und großer Kerl die Beschädigungen und Verkrüppelungen der Sturm-und-Drang-Generation, einschließlich jener Sublimierung von Tatendrang ins Literarische, an der Götz Ende des IV. Aktes leidet: »Schreiben ist geschäftiger Müßiggang, es kommt mir sauer an. Indem ich schreibe, was ich getan, ärger ich mich über den Verlust der Zeit, in der ich etwas tun könnte.« (IV, 5) Es ist nun eben die Subjektproblematik des Sturm und Drang, die an *Götz von Berlichingen* auch heute noch zu faszinieren vermag, wenn auch eher den historisch interessierten Leser als den Theaterbesucher, da der Aktualisierbarkeit des Dramas für die heutige Bühne durch Ritterkostüm und nationalen Gehalt enge Grenzen gezogen sind.

Eine Interpretation, die an Götz Brüche, Verwerfungen und Verstümmelungen aufzuzeigen bemüht ist, hat sich freilich vor einer überwältigenden Forschungstradition zu rechtfertigen, die in Götz nichts weiter sieht als einen Menschen, »wie er unmittelbar aus dem Schoß der Allnatur hervorgeht, ursprünglich in jeder Gebärde und Rede«.[32] Wie hier Emil Staiger preist auch Wolfgang Kayser Götz als »eine *Natur*«[33], und Benno von Wiese sieht in Goethes Helden »die ungebrochene, naturgewachsene Kraft der großen Individualität«.[34] Götz' Tragik liegt dann für Benno von Wiese darin, daß hier eine »Naturform menschlichen Daseins« durch die »Macht der Geschichte« notwendigerweise vernichtet wird[35], eine dualistische Deutung, die sich noch 1976 in Gerhard Kaisers Literaturgeschichte als »Unversöhnlichkeit von Ich und Welt« wiederfindet.[36] Die Zeugnisse, in denen Götz' Leben und Sterben zu einem Naturereignis mystifiziert werden, lassen sich beliebig häufen. Für das progressive Selbstverständnis des Sturm und Drang zentrale Begriffe wie Natur und Individualität, natürliches Wachstum und ungebrochene Ganzheit, Unmittelbarkeit und Ursprünglichkeit verkommen in solchen Interpretationen zu schlechter Ideologie, insofern sie die bürgerliche Fiktion des autonomen Individuums gegen alle Evidenz – auch die des Textes selbst – zur Realität verklären und den bedrückenden Lebenszusammenhang außer acht lassen, der die Natur- und Individualitätsutopie der siebziger Jahre zuallererst hervortrieb, und zwar nicht als Bestätigung, sondern als Kritik der Verhältnisse.

Natürlich konnte man sich auf Goethe selbst berufen, dem der Ritter mit der eisernen Hand für Stärke, Kraftfülle und Vitalität einstand. Nach einem Bericht von Goethes Mutter, der von H. C. Robinson mitgeteilt wurde, habe Goethe bei Bekanntwerden mit Berlichingens Autobiographie ausgerufen: »Was für große Augen werden die Philister machen über den Ritter mit der Eisenhand! Das ist großartig – die Eisenhand!«[37] Götz verkörperte den Stürmern und Drängern Kampfgeist und Offenheit, Simplizität und Unabhängigkeit, war also gewissermaßen Idealbild dessen, wozu sie selbst sich durchzuarbeiten hofften. Götz ist ihnen der Mann, »den die Fürsten hassen und zu dem die Bedrängten sich wenden«. (I, 2) Auch die Naturmetaphorik wurde von Goethe selbst im Hinblick auf Götz ausgiebig eingesetzt. Die geplante Neufassung nennt er im Brief an Herder eine »Wiedergeburt«, und nach Abschluß der Umarbeitung schreibt er an Kestner: »Und nun meinen lieben Götz! Auf seine gute Natur verlaß ich mich, er wird fortkommen und dauern.« (Goethe an Kestner, Mitte August 1773).

Was Wunder, daß auf Grund solcher Äußerungen die Organismusmetaphorik schließlich auch auf Goethes Schaffensprozeß übertragen wurde: *Götz von Berlichingen* als erstes Beispiel einer angeblich »organischen« Gestaltgebung.[38] Ähnlich wie die Kunstfigur Götz zu heiler Natur mystifiziert wurde, wird hier ein bewußter künstlerischer Arbeitsprozeß, in den der Vergleich der beiden Fassungen ausreichend Einsicht verleiht, in ein naturhaftes Wachstum umgedichtet. Demgegenüber gilt es zu betonen, daß die Zweitfassung, wie noch zu zeigen sein wird, keinesfalls ein organisches Ganzes darstellt, ebenso wie Götz keine ganze Natur *ist*, sondern ein vergesellschaftetes und verstümmeltes Individuum, das sich in seinem Kampf gegen die Fürsten auf Natur und Freiheit *beruft*.

Auf die Doppeldeutigkeit der eisernen Hand als Symbol von »Kraftfülle und Verkrüppelung« hat eindrücklich erst Ilse A. Graham aufmerksam gemacht. Diese Doppeldeutigkeit habe Goethes »Konzeption einer vitalen, lebensfähigen Natur« von Anfang an beeinträchtigt und begründe die »tragische Lebensfähigkeit des Helden«.[39] Graham sieht darin ein künstlerisches Mißlingen, das erst in der zweiten Fassung teilweise verdeckt sei. Dort sei die Macht der verstümmelten Hand im Schwinden, und Götz gewinne vor allem auf Grund sprachlicher Verbesserungen des Dialogs etwas von der Ganzheit, die ihm in der ersten Fassung noch abgehe.[40] Graham fällt also in dieselbe organizistische Mystifikation zurück, die ihr Interpretationsansatz erstmals aufgesprengt hatte.

Rainer Nägele hat dann auf Grahams nicht weiter entwickelte Beobachtung zurückgegriffen, daß die rechte Hand im Stück zu einem ablösbaren, zwischen den Figuren hin- und herwandernden Requisit wird: »Götz gibt dem Bischof die rechte Hand zurück, die dieser ihm gereicht hat; Weislingen *ist* die rechte für ihn, um wieder zur rechten Hand des Bischofs zu werden. Damit wird die fehlende reale Hand zum gleitenden Signifikanten, der nicht nur Regie über die Konstellation der Figuren zueinander führt, sondern diese selbst dezentriert, indem sie ihre *ganze* Identität nirgends finden als außer sich, in dem, was ihnen fehlt.«[41] Die Brüchigkeit des Subjekts, seine mangelnde Ganzheit ist also eben in den Helden eingeschrieben, der bis vor kurzem durchweg als Exempel kraftvoll unabhängiger, wenn nicht heiler Individualität galt. Gewiß ist Götz stärker als Weislingen, vitaler als Bruder Martin, ehrlicher als der Bischof von Bamberg und die spießbürgerlichen Heilbronner Ratsherren, konsequenter als der Kaiser, tapferer als die aufgebotenen Söldner, mit einem Wort: er ist freier als alle anderen Figuren des Stücks. Aber der Unterschied ist ein gradueller, kein qualitativer. Das Motiv der wandernden Hand deutet an, daß Goethe im Gegensatz zu späteren Individualismus-Ideologen sehr wohl wußte, daß Individualität und »Autonomie« des Subjekts sich nur gesellschaftlich verwirklichen lassen, daß harmonische Individualität mithin selbst ein gesellschaftliches Produkt sein muß. In *Götz von Berlichingen* gestaltete Goethe nicht Autonomie und Natur, sondern vielmehr den Drang nach Autonomie und Natur, der an geschichtlichen Verhältnissen scheiterte und scheitern mußte.

Götz ist von Anfang an verkrüppelt, auch wenn er selbst erst im V. Akt zu dieser Einsicht kommt: »Sie haben mich nach und nach verstümmelt, meine Hand, meine Freiheit, Güter und guten Namen. Mein Kopf, was ist an dem?« (V, vorletzte Szene) Liest man das Stück vom Ende her, fällt auf, daß Götz schon bei seinem ersten Auftritt übermüdet ist. In einem Zustand untätigen Wartens klagt er: »Es wird einem sauer gemacht, das bißchen Leben und Freiheit.« (I, 2) Götz' Streben nach Unabhängigkeit und Freiheit, das im Stück zusehends eingeengt und beschnitten wird, ist von Anfang an eingebunden in gesellschaftliche Verhältnisse, und zwar so deutlich und vielfältig, daß sich der Gelehrtenstreit, ob *Götz von Berlichingen* nun ein Charakterdrama oder ein Gesellschaftsdrama sei, sich als Scheingefecht einer Forschung erweist, die dem Mythos von totaler Subjektautonomie aufsitzt. Angelegt ist dieser Streit schon in der älteren Forschung, die den Freiheitskampf des starken Individuums Götz gegen die Gesellschaft hervorhebt[42] und damit Individuum und Gesellschaft einander unvermittelt gegenüberstellt. Inneres, subjektives Recht steht in dieser Sicht H. A. Korffs gegen das objektive Unrecht des durch den Landfrieden legitimierten staatlichen Gesetzes, das nur den Herrschaftsansprüchen der Fürsten dient. Nach Korff geht das starke Individuum *am* Gesetz zugrunde, nicht *für* das Gesetz wie die Helden der Aufklärung, erweist sich jedoch gerade dadurch dem staatlichen Gesetz als sittlich überlegen. Korff läßt sich zwar nicht auf die falsche Alternative Charakterdrama oder Gesellschaftsdrama ein, bereitet ihr aber dadurch den Weg, daß er die Innerlichkeit des Individuums radikal von Gesellschaft abtrennt. Die innere Gespaltenheit des Götz, die Korff von seinem Ansatz her übersehen mußte, haben dann erst Forscher wie Frank Ryder und Ilse Graham herausgearbeitet. Beide insistieren mit Recht auf innerer Handlung und Charakterentwicklung und versuchen damit, den Vorwurf zu entkräften, der Konflikt zwischen Held und Geschichte sei undramatisch und Götz' Tod sei untragisch. Für Ryder liegt die innere Tragik des Götz im Widerspruch zwischen seinem natürlichen Freiheitsverlangen und seinem ebenfalls als natürlich und notwendig konzipierten Wunsch, dem Kaiser treu zu dienen. Das Stück zeige, daß Götz seine eigene aktive Natur verletzen muß, wo er dem Kaiser gehorcht, Urfehde schwört und sich auf sein Schloß zurückzieht, während er, wenn er sich den Bauern verbindet, zwar seiner Natur folgt, eben dadurch aber dem Kaiser den Gehorsam aufkündigt und nach seinem Selbstverständnis schuldig wird. Ryder arbeitet ferner die mit diesem unauflösbaren Widerspruch Hand in Hand gehende innere Entwicklung des Helden heraus, die sich in Götz wachsendem Bewußtsein der Auswegslosigkeit seiner Lage manifestiert. Wie Ilse Graham, die Götz' Tragik noch verinnerlichter aus seiner im Verlust der Hand symbolisierten Lebensunfähigkeit ableitet, kommt auch Ryder zu der einseitigen Schlußfolgerung, *Götz von Berlichingen* sei ein Charakterdrama und habe mit Geschichte nichts zu tun.[43] Graham geht gar so weit, die Krankheit der Gesellschaft aus der Krankheit des Helden abzuleiten: »The times are out of joint because Götz is out of joint, not vice versa.«[44] Damit jedoch ist die dramatische Konstellation völlig auf den Kopf gestellt. Der Text selbst etabliert ja nur eine parallele Beziehung zwischen individueller und gesellschaftlicher Verkrüppelung, wenn Götz über den Kaiser sagt: »Ich weiß er wünscht sich manchmal lieber tot, als länger die Seele eines so krüppligen Körpers zu sein.« (III, 20) Die Metapher vom verkrüppelten Körper kennzeichnet in symptomatischer Weise sowohl Götz' Schicksal als auch die untergehende Geschichtszeit, stützt also Grahams These nicht, derzufolge Götz' Verkrüppelung kausal für die des Reiches sei.

Fritz Martini hat jüngst die durch die angelsächsische Forschung verzerrte Perspektive wieder zurechtgerückt. Er wendet Detailergebnisse Ryders und Grahams gegen deren These vom Charakterdrama und zeigt, wie Charakter- und Gesellschaftsdrama im *Götz von Berlichingen* einander wechselseitig bedingen.[45] Die Bewußtwerdung der Subjektivität und der Drang des großen Menschen nach individueller Autonomie, die das Charakterdrama begründen, mußten nach Martini notwendigerweise auf Grenzen stoßen: »Je radikaler einerseits das Bedürfnis nach Freiheit und Handeln wurde, um so bedrückender wurde die Erfahrung, wie unfrei der Mensch wirklich war und wie schwach gegenüber dem ›Übergewicht der Nichtswürdigkeit‹ – kein autonomes Subjekt, sondern ein getriebenes gedrücktes, von allen Seiten eingeschnürtes Objekt der in ihrer Menge übermächtigen Gesellschaft.«[46] Götz könne entsprechend um so größer erscheinen, je weitläufiger sein Kampf gegen die Gesellschaft sei, und eben darin liege am Ende seine tragische Dignität. Obwohl hier die objektive Lage der Stürmer und Dränger sachgerecht aufscheint, bleibt auch Martini im herkömmlichen Schema verfangen, das Charakter und Gesellschaft selbst dann noch einander gegenüberstellt, wenn beide als einander bedingend anerkannt werden. Es darf doch füglich bezweifelt werden, daß Goethe und die Stürmer und Dränger dem Individualitätsbegriff jene fiktive Autonomie schon als reale zugeschrieben hätten, wie es in der bürgerlich liberalen Gesellschaft des 19. Jahrhunderts üblich wurde. Gerade die Erfahrung der gesellschaftlichen Unterdrückung und Abdrängung von Individualität und Subjektivität mußte ihnen den Charakter grundsätzlich als gesellschaftlich vermittelt erscheinen lassen. Insofern ist es historisch fragwürdig, den *Götz von Berlichingen* als »Experiment einer Vereinigung von Charakterdrama und Gesellschaftsdrama« zu deuten.[47] Für den Sturm und Drang war die Subjektproblematik von vornherein ein gesellschaftliches Problem, das Charakterdrama mithin automatisch Gesellschaftsdrama. Da bedurfte es keines Experiments, etwas zu vereinigen, was prinzipiell im Bewußtsein der Zeit noch gar nicht getrennt war. Wenn überhaupt von Experiment gesprochen werden kann, dann nur in dem Sinne, daß Goethe einen Helden darzustellen versuchte, in dessen Charakter das Bild eines alternativen gesellschaftlichen Lebens aufscheint, eines unbeschädigten Lebens ohne Verstümmelung und ohne Verkrüppelung. Genau so hat Lenz Goethes Schauspiel interpretiert – nicht nur als Antizipation einer künftigen Charaktertragödie, sondern als gesellschaftliches »promesse de bonheur«.

Konstellationen

Daß die Subjektproblematik zugleich Gesellschaftsproblematik ist, erweist sich noch deutlicher, wenn man sein Augenmerk nicht allein auf Götz, sondern auf die Konstellation Weislingen-Adelheid-Götz richtet. Innere Gebrochenheit, die erst die neuere Forschung an Götz konstatiert hat, wurde an Weislingen eh und je beobachtet. Weislingen gehe, obwohl vom Zeitgeist begünstigt, an sich selbst zugrunde. Zwiespalt und Schwäche Weislingens, die dadurch zur Selbstzerstörung führen, daß er im Schatten des Größeren nicht leben kann, sind für Benno von Wiese polare Entsprechung der ungebrochenen Stärke des Götz.[48] Sei das Stück im Hinblick auf Götz Geschichtsdrama, so sei es hinsichtlich Weislingen intimes Charakterdrama. Aber auch hier läßt sich der konstruierte Gegensatz nicht aufrechterhalten. Weislingen und Götz sind charakterlich und gesellschaftlich engstens miteinander verkoppelt – Kastor und Pollux, unzertrennliche und doch getrennte Brüder. Götz' Tagtraum von Weislingen als der wieder angewachsenen, lebendigen rechten Hand – der nächtliche Traum enthielt nicht das glückliche Ende und erwies sich letztlich als realistischer – und seine spätere Einsicht, daß nicht der Traum, sondern er selbst sich betrogen habe, stehen an zentraler Stelle ein für diese Verbindung. Was dem einen fehlt, hat der andere. Nur zusammen machen sie eine Einheit aus, eine Einheit freilich, die in den Untergang führt, da der historische Riß der Zeitenwende mitten durch sie hindurchführt. Nägele schreibt: »Wie Weislingen für Götz das abwesende Ich ist, ist Götz für Weislingen das verdrängte Ich, ohne das er doch nichts ist.«[49] Das ist nicht nur psychologisch zu sehen. Denn Weislingen ist ja für Götz abwesend, weil er gesellschaftlich und politisch mit Götz' Gegnern, den Vertretern der neuen staatlichen Ordnung, einen Kompromiß eingegangen ist. Andererseits muß Weislingen Götz verdrängen, da auch für ihn die Überlegenheit der menschlich-privaten Bindung an Götz über die abstrakt-rationale Bindung an den Bischof und die neue Ordnung evident ist. Bezeichnend ist ja, daß Weislingen nicht auf Grund rational politischer Einsicht, sondern als von Adelheid Verführter sein Verbleiben im Dienst des Bischofs rechtfertigt. Die private Bindung an das Vorbild Götz wird ersetzt durch die erotische Bindung an Adelheid, ohne daß Weislingen jedoch innerlich von Götz loskommen könnte. Daß er seine Ritterpflicht gegenüber Götz verletzt und dessen Schwester Maria schon kurz nach ihrer Verlobung sitzen läßt, belastet sein Gewissen bis zum Ausgang des Stücks und fesselt ihn bis in den Tod hinein an Vergangenes. Die Verbundenheit von Götz und Weislingen erhält sich auch sprachlich bis in den Tod beider Protagonisten. Götz verglüht von innen (V, 13), und Weislingen wird von einem inneren Fieber zerfressen (V, 10). Beide antizipieren ihren Tod mit demselben Satz: »Meine Kraft sinkt nach dem Grabe.« (V, 10 und V, 14)

In dieser transsubjektiven, konfliktgeladenen Einheit von Götz und Weislingen artikuliert sich nun ein Problem, mit dem traditionelle sozialgeschichtliche Interpretationen nur schwer zurechtkommen. Es geht dabei um Rolle und Funktion aristokratischer Helden im bürgerlichen Drama. Oberflächlich gesehen sind Götz und Weislingen Ritter von Adel, die sozialgeschichtlich eine reaktionäre, in Goethes Sicht aber gerechte (Götz) bzw. eine fortschrittliche, aber fragwürdige politische Position vertreten (Weislingen). Götz haßt Fürsten und Wirtschaftsbürger der Städte. Weislingen, der Götz nur als Unruhestifter sehen kann, ist mit ihnen verbündet. Auf der Ebene des historischen Stoffs mußte eine traditionelle marxistische Forschung Götz als Reaktionär und Bauernverräter verdammen und konnte bestenfalls Goethe retten, der trotz mangelhafter historischer Einsicht Götz' Untergang wenigstens als notwendig und damit objektiv richtig gestaltet habe.[50] Es wird Goethe zugute gehalten, daß er Götz wegen seiner Verbundenheit mit dem Bauernaufstand als Helden gewählt habe.[51] Da der Bauernaufstand in der Zweitfassung jedoch in wesentlich ungünstigerem Licht erscheint, überrascht es nicht weiter, daß trotz des zugegebenen künstlerischen Fortschritts der Druckfassung die erste Fassung als progressiver gewertet wird. »Die Überlegenheit der organisierten Bauernmassen über das Selbsthelfertum«[52] komme hier besser zum Ausdruck, da die historischen Gründe für die Revolte der Bauern noch in die Darstellung einbezogen seien. Diese am historischen Ereignis und dessen Widerspiegelung im Drama orientierte Deutung erweist ihre Macht noch im Versuch, das Selbsthelfertum auch für die Sturm-und-Drang-Zeit als Illusion zu beschreiben, ganz so, als hätten die Stürmer und Dränger geglaubt, einige Selbsthelfer könnten die ganze Gesellschaft verändern. So evident und richtig vom sozialgeschichtlichen Standpunkt die Beobachtung ist, daß das Selbsthelferkonzept auf die gesellschaftliche Isolation und fehlende Massenbasis des Sturm und Drang verweise, so wenig trifft sie den Kern des Goetheschen Dramas. Dies um so weniger, als auch diese marxistische Forschung im Selbsthelfer nur das ungebrochene starke Individuum sieht und die Schwächen des Götz ausschließlich als die seiner Klassenlage faßt. Damit aber ist die Einsicht in die innere Gebrochenheit des Götz von vornherein verstellt.

Erst Nägele hat aus der Sackgasse, Götz einerseits als Bauernverräter und Selbsthelfer verdammen und andererseits als Feind

der Fürsten retten zu müssen, hinausgeführt. Er hat die Einsichten Grahams in Götz' innere Gebrochenheit gesellschaftlich gewendet und nachgewiesen, daß der Text selbst schon den Glauben an die heile und ganze Individualität unterminiert. Bekannt ist, daß Goethe sich nicht nur für den starken Götz begeisterte, sondern sich in *Dichtung und Wahrheit* schuldbewußt auch mit dem treulosen Liebhaber Weislingen identifizierte. Nägele folgert zu Recht verallgemeinernd: »Aus der Sicht des realen Bürgers des 18. Jahrhunderts ist Götz die Idealfigur, die man retten möchte, Weislingen die Realfigur, in der man sich gespiegelt findet. Da aber die Idealfigur Fiktion der Realfigur ist, bleibt sie nicht unberührt von deren Brüchen, die der Text verdeckt und subversiv artikuliert, so wie die eiserne Hand die Verstümmelung verdeckt und akzentuiert.«[53] Hinzuzufügen wäre hier, daß die Schwäche der Realfigur Weislingen nicht nur eine persönliche Schwäche ist, sondern in vermittelter Form einen gesellschaftlichen Gehalt preisgibt. Seine Schwäche ist die Schwäche jenes Hofbürgertums des 18. Jahrhunderts, das der Illusion des Adelskompromisses anhing und somit die potentielle Stärke eines vereinten Bürgertums untergrub. So wie der Luxus und die Ausschweifungen des Hoflebens in der Sicht der Stürmer und Dränger jenes Hofbürgertum korrumpieren mußten, so hält Götz Weislingen das »unglückliche Hofleben, und das Schlenzen und Scherwenzen mit den Weibern« vor und kritisiert ihn als »ersten Hofschranzen eines eigensinnigen neidischen Pfaffen«. (I, 3)
Die Dialektik von fiktivem Ideal und realem Substrat findet sich im Text in mehrfach abgewandelten Konstellationen wieder. Götz' Schwester, die empfindsame, sentimentalische Maria, gehört zu Weislingen wie Elisabeth zu Götz. Ebenso steht Götz' schwächlicher Sohn Karl mit seiner Vorliebe für alles Gelehrte und Mittelbare als Realfigur dem fiktionalen Gegenbild Georg gegenüber, der wegen seiner Spontaneität, Tapferkeit und Tatkraft als Götz' fiktiver Sohn gelten kann. Was sich in Maria und Elisabeth, Karl und Georg, auch in Bruder Martin und Lerse als Wirklichkeit und Vision einer alternativen, besseren Welt äußerlich gegenübersteht, kommt im Konflikt Weislingens mit Götz, der zugleich innerlich und äußerlich ist, zur tragischen Katastrophe.

Dieser Konflikt, der sich im Verlauf des Dramas immer stärker in den Vordergrund schiebt und den politischen Ausgangskonflikt Götz' mit dem Bischof und den Nürnbergern zurückdrängt,

ist jedoch nicht einfach als Reduktion des gesellschaftspolitischen Kampfes zu einem Personenkonflikt zu lesen.[54] Dadurch daß Weislingen zusehends zum Hauptträger aller gegen Götz gerichteten Bestrebungen wird, erweist sich einmal mehr, daß der politische Konflikt vom Bereich des Persönlich-Individuellen nicht abgetrennt werden kann. Darüber hinaus gewinnt der Konflikt zwischen Götz und Weislingen durch Einbeziehung des intriganten »Machtweibes« Adelheid von Walldorf noch eine weitere gesellschaftliche Dimension, die sich gerade deshalb als so stark erweist, weil Weislingen hier auf andere Art persönlich gebunden wird. Götz und Adelheid sind heimliche Gegenspieler – auf der Bühne begegnen sie sich nie – im Kampf um Weislingen. Dieser Kampf läßt sich lesen als Werben des skrupellosen und machthungrigen Adels (Adelheid – schon der Name spricht Bände) und des Menschen der Zukunft, der im Stück freilich als Mensch der Vergangenheit erscheint, um den zwischen Einsicht und Verführung schwankenden ›Bürger‹ Weislingen.
Weislingens politische Position, die ihn im großen Gespräch mit Götz im I. Akt auf der Seite der Fürsten und des allgemeinen Landfriedens zeigt, verliert ihre Integrität in dem Maße, in dem sein Verbleiben im Dienst des Bischofs nicht auf politische Einsicht, sondern die raffinierten Überredungs- und Verführungskünste Adelheids zurückzuführen ist. Gewiß war Goethe selbst von seiner Adelheid so fasziniert, daß er ihr in der Erstfassung einen Spielraum gab, der die Proportionen des Stücks gefährdete. Dennoch ist sie eine wesentlich negative Figur. Als Machtweib, in dem sich Schönheit mit Verstand, Ehrgeiz mit Sinnlichkeit, vor allem aber Verstand mit Verbrechen paaren, ist Adelheid das genaue Gegenbild zu Götz, adlige Kontrafaktur zum bürgerlichen Idealbild. Offensichtlich entstammt die Figur der Tradition der adligen Buhlerinnen und Zauberinnen im bürgerlichen Drama, die wie Marwood und Orsina bei Lessing, Milford bei Schiller für die erotische Zügellosigkeit des Adels insgesamt einstehen, eine Zügellosigkeit, die sowohl sozialgeschichtliche Tatsache als auch Projektion bürgerlicher Ängste war. So wie Götz gute Natur verkörpert, so repräsentiert Adelheid die böse Natur, die im bürgerlichen Denken traditionell mit sexueller Ausschweifung verknüpft wird. Mit ihrer doppelten erotisch-sinnlichen und rational logischen Taktik bringt sie Weislingen dazu, sein Götz gegebenes Versprechen zu brechen, und hintertreibt so erfolgreich Weislingens Aussöhnung mit Götz. Sie ma-

nipuliert Weislingen psychologisch emotional, indem sie seine Männlichkeits- und Minderwertigkeitsgefühle gegenüber Götz anstachelt. Gleichzeitig bestärkt sie ihn in dem Glauben, er sei historisch objektiv im Recht, sich auf die Seite der Fürsten zu schlagen. Wiederum gehen das Politische und das Intim-Persönliche eine enge Verbindung ein. Adelheid sieht, daß sie Weislingen um so wirksamer kontrollieren kann, je mehr sie ihm nahelegt, daß er in Götz' Bann stehe und sich erst zu sich selbst befreien müsse, bevor er ihre Liebe gewinnen könne. Genau dadurch aber entfremdet er sich nur um so schneller von seinem besseren Ich und verfängt sich im Gewebe eines aus Sinnlichkeit, Rationalisierungen und politischem Machtstreben geknüpften Netzes. Da verschlägt es dann nichts, wenn am Ende nicht nur Weislingen, sondern auch Adelheid selbst zu Fall kommen. Weislingens Schicksal zeigt exemplarisch, wie die Freisetzung aus herkömmlichen Bindungen der feudalen Gesellschaft, die im Stück idealisierend als persönliche beschrieben werden, zu einem System neuer Abhängigkeiten führt, die auch das persönliche Leben unter Kontrolle bringen und denen Weislingen am Ende ebenso zum Opfer fällt wie Adelheid und Götz.
Noch an einer letzten Konstellation erweist sich, daß Goethe das Gesellschaftliche durchgehend mit dem Persönlichen verknüpft. Götz und Weislingen sind als feindliche Brüder auf die Vaterfigur des Kaisers bezogen, auf den beide sich berufen und bei dem der eine gegen den anderen intigriert. In den gesellschaftlichen Konflikt, der Götz und Weislingen trennt, ist also zugleich ein Familienkonflikt eingeschrieben; wiederum erfolgt keine Trennung des Privaten vom Öffentlichen.

Tod und Zeitenwende

Die Vorstellung vom autonomen Individuum, vom Selbsthelfer und großen Kerl, entspringt im Sturm und Drang einer Emanzipationsphantasie, mit deren Hilfe die erstarrten Verhältnisse zum Tanzen gebracht werden sollten. Wo immer die Literatur jedoch solche großen Menschen in einem gesellschaftlichen Kontext darstellt, werden sie in ihrem Scheitern an den schlechten Verhältnissen vorgeführt. Der Abstand zwischen Utopie und Realität blieb den Stürmern und Drängern durchweg bewußt. Eben diesen Abstand betont auch die letzte Szene des Stücks, wo der sterbende Götz zu Elisabeth sagt: »Schließt eure Herzen sorgfältiger als eure Tore. Es kommen Zeiten des Betrugs, es ist ihm Freiheit gegeben. Die Nichtswürdigen werden regieren mit List, und der Edle wird in ihre Netze fallen.« Mir Götz geht eine historische Zeit zu Ende: »Wehe dem Jahrhundert, das dich von sich stieß.« Und eine neue, schlechtere Zeit beginnt, die bis ins Jahrhundert der Aufklärung, bis in die Gegenwart des jungen Goethe reicht. Auf diese Gegenwartsebene zielt der letzte Satz des Stücks: »Wehe der Nachkommenschaft, die dich verkennt.« Die historische Zeitenwende, die das Stück vorführt und am Ende warnend beschwört, scheint ausschließlich ins Dunkel zu führen. »Die Welt ist ein Gefängnis«, klagt Elisabeth in der Schlußszene, die im Garten vor Götz' Gefängnis spielt. Dieser geschichtliche Pessimismus, der vor allem in der ersten Fassung noch ungemildert durchschlägt, markiert die historisch-gesellschaftlichen Erfahrungen Goethes und der Sturm-und-Drang-Generation. Götz stirbt als der gehetzte, gejagte und schließlich zur Strecke gebrachte Mensch, dessen das Stück leitmotivisch durchziehende Beschwörung der Freiheit als tragischer Wahn erscheinen könnte, als bloße Selbsttäuschung des Helden, wie Martini nahelegt.[55] Entsprechend hat Nägele darauf verwiesen, daß sich im Laufe des Stücks das emphatische Bedürfnis nach äußerer Freiheit immer mehr verinnerliche[56], bis Götz mit dem Ruf »Himmlische Luft – Freiheit! Freiheit!« auf den Lippen stirbt und Elisabeth folgert: »Nur droben, droben bei dir.« Freiheit werde hier identisch mit dem Tod, werde endgültig vom Diesseits ins Jenseits verschoben. Das Ende des *Götz von Berlichingen* käme dann in der Tat dem Ende von Lessings *Emilia Galotti* bedenklich nahe, wo die Lösung gesellschaftlicher Konflikte dem höchsten Richter, und das heißt Gott, anheimgestellt wird. Zu einer solchen Deutung scheint dann auch jene Naturalisierung des Todes zu passen, mit der Goethe in der Druckfassung den Pessimismus der Erstfassung gemildert hat: »Allmächtiger Gott! Wie wohl ist's einem unter deinem Himmel! Wie frei! – Die Bäume treiben Knospen, und alle Welt hofft.« Graham spricht von herbstlicher Heiterkeit und Transparenz, von Reife und Abgeklärtheit, die über dieser Sterbeszene liege[57], Martini gar von Verklärung und Versöhnlichkeit, die diesen Tod fast untragisch erscheinen lasse.[58] Im Gegensatz zur positiv bewerteten Stilisierung des Todes zum Naturvorgang bei Graham besteht Martini mit Recht darauf, daß Götz durchaus an der Gesellschaft stirbt. Dieser geschichtlichen Dimension von Götz'

Tod widerspreche jedoch die Darstellung des Todes als Naturvorgang in der Zweitfassung: »Die geschichtlich-gesellschaftlich begründete Realität dieses Todes wird entrückt in eine poetische Mythisierung.«[59] Das aber sei eine idealistische Lösung des Widerspruchs zwischen der prätendierten Freiheit des Einzelnen und dem notwendigen Gang des Ganzen. Geschichte werde zu Natur mythisiert, und Götz, der Kämpfer für gesellschaftliche Freiheit, werde in seine »unantastbare subjektive Innerlichkeit« entrückt.[60] Martini sieht hier schon jenes für Goethes Dramen insgesamt typische Ausweichen vor tragischen Schlüssen und damit eine Antizipation der Problematik der Weimarer Klassik. Es wäre jedoch zu überlegen, ob nicht nur das pessimistische Ende der Erstfassung, sondern auch die Naturalisierung des Todes in der Zweitfassung als Ausdruck der Sturm-und-Drang-Problematik gedeutet werden kann. Martinis Vorwurf einer Mythisierung der Geschichte zum Naturvorgang trifft gewiß auf Grahams Deutung zu; ob dieser Vorwurf dem jungen Goethe gerecht wird, ist jedoch eine andere Frage.
Der durchdringende Pessimismus der Erstfassung hätte kaum jene Begeisterungsstürme für Götz von Berlichingen hervorrufen können, die die Druckfassung dann entfachte. Hier fehlte noch jene Hoffnung auf eine Wende zum Besseren, die Goethe eben durch die Naturalisierung des Todes zum Ausdruck bringt. Der zyklische Naturablauf, bei dem auf jedes Ende ein Neubeginn folgt, scheint einen auch historischen Neubeginn zu versprechen. Aus heutiger Sicht ist die Erklärung historischer Prozesse zu Naturvorgängen gewiß Mystifikation. Im Sturm und Drang jedoch waren Geschichte und Natur als progressive Konzepte wesentlich miteinander verknüpft. Zu erinnern ist an Herders Theorie geschichtlicher Zyklen, die wie Organismen entstehen, reifen und verfallen. Die Naturalisierung von Geschichte bei Herder ist in den Jahren nach 1770 durchaus progressiv, da sie eine lebendige Dynamik einlegt in ein bis dahin vorwiegend statisches, bestenfalls auf einem mechanischen Fortschrittsgedanken beruhendes Zeit- und Geschichtsverständnis. Ferner entspricht der Naturalisierung von Geschichte bei Herder und Goethe immer auch eine Historisierung des Menschen. Das natürliche Sterben eines geschichtlichen Helden wie Götz ist für den Sturm und Drang durchaus kein Widerspruch. Im Gegenteil. Für das Bewußtsein der Stürmer und Dränger mußte Götz' Satz »Die Bäume treiben Knospen und alle Welt hofft« den Vorschein einer

Das Programm des Artemis & Winkler Verlages

Lieber Leser, wenn Sie auch weiterhin über das Programm des Artemis & Winkler Verlages unterrichtet werden möchten, bitten wir Sie, diese Karte an uns zu senden und Ihre speziellen Interessengebiete anzukreuzen.

- ☐ ARTEMIS-CICERONE. Kunst- und Reiseführer
- ☐ Bildbände
- ☐ Belletristik
- ☐ Germanistik / Kultur- und Geistesgeschichte
- ☐ Dünndruckbibliothek der Weltliteratur
- ☐ Weltliteratur in Sonderausgaben
- ☐ Winkler Hausbücherei
- ☐ Goethe-Ausgaben
- ☐ Bibliothek der Alten Welt
- ☐ Bibliothek des Morgenlandes
- ☐ Literatur zur Antike
- ☐ Nachschlagewerke
- ☐ Emile Zola: Die Rougon-Macquart
- ☐ Die Fundgrube
- ☐ FRANCIA. Forschungen zur westeuropäischen Geschichte
- ☐ LexMA. Lexikon des Mittelalters
- ☐ MTU. Münchener Texte und Untersuchungen zur deutschen Literatur des Mittelalters
- ☐ Zürcher Beiträge zur deutschen Literatur- und Geistesgeschichte

---

Buchbestellungen bitte an Ihre Buchhandlung

geschichtlichen Erneuerung in ihrer eigenen Zeit enthalten. Die Berufung auf Natur war im Sturm und Drang immer auch Beschwörung einer alternativen Gesellschaft. So bringt die Erstfassung zwar den Pessimismus des Sturm und Drang zum Ausdruck und steht damit nahe am Pessimismus der Lenz'schen Komödien. Die Zweitfassung ist aber nicht nur formal, sondern auch inhaltlich und politisch ein Fortschritt, insofern sich hier die Emanzipationsphantasien des Sturm und Drang, die Hoffnung auf eine nahende Zeitenwende deutlicher artikulieren. Vorzuwerfen wäre Goethe dann bestenfalls, daß diese Hoffnung als Hoffnung des historischen Götz unglaubwürdig wirkt und nur im Kontext des Sturm und Drang sinnvoll ist. Aber eben diese doppelte Zeitebene konstituiert ja das gesamte Stück und verleiht ihm seine Durchschlagskraft im Sturm und Drang. *Götz von Berlichingen* – das ist nicht zu vergessen – war für die Zeitgenossen ein Revolutionsstück. Erst im Lichte ausbleibender Gesellschaftsveränderung und der Enttäuschung der Emanzipationshoffnungen der siebziger Jahre erscheint der Pessimismus der Erstfassung als realistischer. Vom künftigen Gang deutscher Geschichte konnte Goethe aber 1773 noch nichts wissen.

2. Jakob Michael Reinhold Lenz: Der Hofmeister

Kaum ein anderer Sturm-und-Drang-Autor verdankt seine »Entdeckung« derart ausschließlich dem 20. Jahrhundert wie Lenz. Dies gilt nicht nur für Ausgaben seiner Werke – abgesehen von der dreibändigen von Ludwig Tieck besorgten Ausgabe von 1828 –, sondern mehr noch für die Literaturwissenschaft, die eigentlich erst seit den späten fünfziger Jahren ein adäquates Verständnis für Lenz' Werke zu entwickeln begann, und für die Wirkung auf dem Theater, die in zwei intensiven Schüben im expressionistischen Jahrzehnt im Umkreis der Münchner Bohème und in den fünfziger Jahren in der Folge von Brechts Hofmeister-Adaption ihren Höhepunkt fand. Natürlich gab es Zwischenstadien der Wirkung – Büchner, die Naturalisten –, aber sie verändern den Gesamteindruck nur unwesentlich. Mehr als anderen Stürmern und Drängern wurde Lenz die von ihm selbst erstrebte Nähe zu Goethe zum Verhängnis. In *Dichtung und Wahrheit* finden sich aus der Retrospektive formulierte, vornehmlich abfällige Urteile über Lenz. Im 14. Buch wirft Goethe dem Jugendgenossen unnötige Selbstquälerei, Fahrlässigkeit im Tun, Dünkel, Hang zur Intrige, Fratzenhaftigkeit und formloses Schweifen vor.[1] Die Schärfe derartiger Urteile, die in *Dichtung und Wahrheit* auch andere Stürmer und Dränger treffen, erklärt sich aus dem Versuch des älteren Goethe, sich von seiner Jugendperiode zu distanzieren, und sollte nicht für bare Münze genommen werden. Dennoch hat die Goethe-Hagiographie des 19. Jahrhunderts Goethes Wertungen unbesehen übernommen und fortgeschrieben. Zwar machten sich einzelne Forscher große Verdienste um die Sicherung der Fakten und Sammlung von Manuskripten und anderen Lenziana, aber bedeutende Literaturwissenschaftler wie Hettner und Schmidt bestanden rigoros auf der ästhetischen Minderwertigkeit von Lenz' Werken. Zu den Dramen der Straßburger Zeit, zu denen der *Hofmeister* zu rechnen ist, hat Hettner zu vermelden: »Statt Tiefe der Empfindung und Leidenschaft verwilderte Frechheit; statt lebensvoller pakkender Charaktere dilettantisches Zusammenwürfeln der verschiedenartigsten, oft einander grell widersprechenden Motive und geflissentliches Aufsuchen des Ungeheuerlichen und Häßlichen; statt sicheren und raschen Fortschreitens der Handlung das wildeste Durcheinander der Szenenfolge ....«[2] Noch stärker moralisierend vergleicht Erich Schmidt Lenz mit einem Mäßigkeitsapostel, »der sich des abstoßenden Beispiels wegen öffentlich betrank«. Und zum *Hofmeister* schreibt er: »... in der nackten, natürlich sein sollenden Vorführung aller Fehltritte ist das Stück so wenig zu retten, wie nach der Seite der Composition, die wiederum ein planloses Durcheinander darstellt.«[3]

Diese totale Verkennung von Autor und Werk setzt sich über Gundolf und Korff bis zu Balet/Gerhard und Lukács fort und bestimmt zum Teil noch das Lenz-Bild in Newalds Literaturgeschichte. Daß Lenz das Genie Goethes erkannte und sich Goethe zum Vorbild nahm, wird ihm angekreidet, da es von Unbescheidenheit und Geniewahn zeuge. Daß Lenz sich in Straßburg in Friederike Brion verliebte und in Weimar sich für Frau von Stein interessierte, wird ihm als Nachstellen oder Heranmachen ausgelegt, als in jeder Hinsicht liederliches Verhalten. Noch aus der Tatsache, daß der anonym erschienene *Hofmeister* in der Öffentlichkeit zunächst Goethe zugeschrieben wurde, wird Lenz ein Strick gedreht: dies habe seinen Größenwahn nur gesteigert. Bei alledem erschien es dann logisch, daß solch angeblich pathologische Selbstüberschätzung, die man vor allem in der Goethe gewidmeten Schrift *Unsere Ehe* und in der Literatursatire *Pandaemonium Germanicum* manifestiert sah, schließlich in offene Schizophrenie ausbrach, gleichsam als Strafe für mangelnde Unterordnung unter den Olympier Goethe. Lenz' Schicksal wurde sinnbildhaft zum »natürlichen« Scheitern pubertärer Kraftmeierei stilisiert, die Lenz im Gegensatz zu anderen Stürmern und Drängern wie vor allem Goethe, aber auch Klinger und Schiller, nicht zu überwinden vermocht habe. Paradoxerweise macht solche Kritik Lenz zu eben dem, was er selbst sein wollte: zum Zwillingsbruder Goethes, wenn auch zu einem durch und durch negativen. Verstellt wird damit jedoch die Erkenntnis dessen, was an Lenz' Werk spezifisch, was sein eigenster Beitrag zum Sturm und Drang ist.

Freilich sahen auch die Zeitgenossen in Lenz' *Hofmeister* in erster Linie eine Nähe zu Goethes *Götz* und zu Shakespeare. Das Stück, dem ein konkreter Vorfall in einer livländischen Adelsfamilie zugrunde liegt und dessen erste Fassung schon 1772, also vor der Veröffentlichung des *Götz*, abgeschlossen war, erschien im Frühjahr 1774 anonym bei Weygand in Leipzig und erregte sofort größtes Aufsehen. Schubart hielt es für ein Werk »unsers Shakespeares, des unsterblichen Dr. Göthe«.[4] Herder schrieb begeistert über das Stück an Hamann (14. November 1774), und Boie nannte es das beste deutsche Lustspiel und verglich es mit Lessings *Minna von Barnhelm*. So wie Goethes *Götz* das deutsche Schauspiel erneuert habe, so meinte man, erneuere der *Hofmeister* das deutsche Lustspiel. Aber das Genreproblem, das in der neueren Forschung so ausgiebig diskutiert wird, war auch schon den Zeitgenossen bewußt. So schrieb C. H. Schmid im *Almanach der deutschen Musen*: »Wenn das kein Trauerspiel ist, worinne ein Vater in Raserei verfällt, eine Tochter ihre Ehre verliert, Gefängnisse und Bettlerhütten erscheinen, Verwundungen, Ersäufungen und Kastrierungen vorgehn, so möchte manche französische Tragödie dagegen Lustspiel heißen.«[5] Weiterhin interessant an der zeitgenössischen Rezeption ist, daß die didaktische Kritik am Hofmeisterstand, die späteren Kritikern so oft dazu diente, das Stück als bloßes Tendenzdrama abzutun, in der Kritik kaum Widerhall fand. Man lobte vielmehr die wahrhaft theatralische Begabung des Autors, die lebendige Dialogführung, die Zeichnung der Charaktere und die dramatische Technik.[6] Nur die *Göttinger Gelehrten Anzeigen* stellten die berechtigte Frage, welche andere Tätigkeit der Autor denn für die jungen bürgerlichen Intellektuellen in Aussicht stellen könne, wenn das Hofmeistertum abgeschafft werde. Lenz, der in seinen Königsberger Jahren auf kurze Zeit als Hofmeister gedient hatte, beantwortete diese Frage mittelbar am 16. Juni 1775 in den *Frankfurter Gelehrten Anzeigen*: »Weil meine Überzeugung aber, oder mein Vorurteil wider diesen Stand immer lebhafter wurde, zog ich mich wieder in meine arme Freiheit zurück und bin nachher nie wieder Hofmeister gewesen.« Keine Tätigkeit also, sondern Freiheit als Armut – diese Formulierung enthält das ganze Dilemma des bürgerlichen Intellektuellen in der zweiten Hälfte des 18. Jahrhunderts. Von hier aus wird denn auch einsichtig, daß der *Hofmeister* nicht auf eine Erörterung pädagogischer Theorie und Praxis einzugrenzen ist, sondern am Modellfall ein zentrales sozialgeschichtliches Problem aufrollt.

Der Hamburger Uraufführung von 1778 unter der Leitung Schröders war kein Erfolg beschieden, was nach der weitgehend positiven Reaktion auf die Publikation des Textes ein wenig überraschen mag, im Grunde aber nur den Abstand der intellektuellen Elite vom bürgerlichen Publikumsgeschmack bestätigt. So war die erste Aufführung, der obendrein eine mit Rücksicht auf das Publikum zum bürgerlichen Rührstück umgearbeitete Fassung Schröders zugrunde lag, zugleich der Beginn der langdauernden Verkennung.

Eine positive Neubewertung von Lenz, die das Verdikt Goethes und des 19. Jahrhunderts durchbricht, zeichnet sich erstmals in Heinz Kindermanns Buch *J. M. R. Lenz und die deutsche Romantik* (1925) ab, während noch Korff im kurz zuvor erschienenen Band seines *Geist der Goethezeit* Lenz jegliche Bedeutung im Zusammenhang ernsthafter Ideengeschichte abgesprochen hatte.[7] Kindermanns Studie ist in der deutschen Germanistik in Vergessenheit geraten (Girard und Genton benutzen sie ausgiebig), vermutlich wegen der forcierten ideengeschichtlichen Tendenz, Lenz als Vorläufer der Romantik zu interpretieren, was in der Tat als unhistorisch abzulehnen ist. Grundlegend für alle weiteren Interpretationen des *Hofmeister* wurde dann Albrecht Schönes Kapitel »Wiederholung der exemplarischen Gegebenheit« in seinem Buch *Säkularisation als sprachbildende Kraft*.[8] Schöne kritisiert überzeugend alle Analysen, die ihren Zugang zum Stück ausschließlich vom Inhalt, von den Charakteren, vom Figurenaufbau oder vom Biographischen her suchen. Es gelingt ihm zu zeigen, daß Lenz' poetische Einbildungskraft und autobiographische Selbstdeutung durch die biblische Parabel vom verlorenen Sohn bestimmt wird. Schöne versteht den *Hofmeister* ausschließlich von dieser einen Begebenheit her und weist nach, wie die säkularisierte biblische Parabel in mannigfachen Variationen sowohl Inhalt als auch Figuren- und Raumgestaltung des Stücks prägt (Fritz/Geheimer Rat, Gustchen/Major, junger Pätus/alter Pätus, Läuffer/Pastor Läuffer, Läuffer/Wenzeslaus, Jungfer Rehaar/Vater Rehaar, Pätus/Frau Blitzer, alter Pätus/Bettlerin). Da es Schöne vor allem um den Nachweis von Variationen der Parabel geht, bleibt seine Deutung notwendigerweise einseitig, trotz wertvoller Hinweise auf Raumgliederung und Marionettenhaftigkeit der Figuren, auf des Autors Psychose und seine Kritik an aufklärerischem Denken, die von der Forschung der sechziger Jahre weitergeführt wurden. Die größte Schwäche des Aufsatzes aber liegt in der völligen Vernachlässigung sozialgeschichtlicher Aspekte, die sich ja mit dem Befund durchaus verbinden lassen. So wurde Schönes These von der Zentralität des Motivs vom verlorenen Sohn allgemein akzeptiert, bekam jedoch einen neuen Stellenwert in einer Forschung, die zusehends historischer und gesellschaftsbezogener argumentierte.

Entscheidend für diese jüngste Wirkungsgeschichte von Lenz' Werk insgesamt wurde Brechts Adaptation des *Hofmeister* (1950), den Ernst Bloch als eine »Menschenpflanze« deutete, die bei Brecht »aus der feudalen Misere des achtzehnten Jahrhunderts in die kapitalistische des zwanzigsten weiterwächst«.[9] Unter dem Einfluß von Brechts epischem Theater wuchs auch das Interesse der Germanistik an der offenen, atektonischen Dramenform[10], die in der deutschen Literatur durch die Dramen von Lenz, Grabbe, Büchner, Wedekind und Brecht repräsentiert wird. Dieses Interesse vor allem bestimmt die Perspektive von Guthkes *Geschichte und Poetik der deutschen Tragikomödie* (1961), wobei man mit einigem Recht darauf verwiesen hat, daß Guthkes These, Läuffer im *Hofmeister* und Marie Wesener in *Die Soldaten* seien komische Gestalten, als Echo auf Brechts Adaption zu sehen ist. Die Brechtsche Intention, Gattungs- und Formfragen als politisch-ideologische zu verstehen, teilt Guthke freilich nicht. Er ist vornehmlich daran interessiert, eine Bauform der Tragikomödie zu etablieren, deren Entwicklung er in der deutschen Literatur sorgfältig nachzeichnet, ohne allerdings andere als literarhistorische Relationen zu berücksichtigen. Guthke versucht, die formale Einheit von Lenz' *Hofmeister* gattungstypologisch in der wechselseitigen Bestimmung tragischer und komischer Züge nachzuweisen. Nicht um ein bloßes Neben- und Nacheinander von Tragischem und Komischem handele es sich im *Hofmeister*, sondern »das Tragische der Lage und das Komische des Charakters [sind] fast in jedem Punkt des Dramas so innig aufeinanderbezogen, so tief eingegangen in den Darstellungsstil, daß sich nahezu ständig bei Läuffers Auftreten der tragikomische Gesamteindruck herstellt, zumal ja auch die tragische Lage als Hintergrund die komische Qualität Läuffers durch die schlagende Inkongruenz immer wieder profiliert und umgekehrt eine lächerliche Schwäche die Gesamtlage noch verhängnisvoller gestaltet«.[11] Im Rahmen des Versuchs, eine historische Poetik der Tragikomödie zu begründen, ist dies eine bestechende Argumentation. Nur verfällt sie ebenfalls der Kritik, da sie ähnlich wie Schöne die Einheit von Lenz' Werk auf einen Aspekt reduziert, der zudem allzusehr vom Interesse des Modernen an Mischgattungen bestimmt ist. Auch übersieht Guthke die potentielle Tragik, die der traditionellen Komödie innewohnt und dort versöhnend aufgefangen wird. Guthke richtet sein Augenmerk schon auf das Zentralproblem einer gattungs- und formgeschichtlichen Einordnung von Lenz' Werk. Im Interesse seiner vorgefaßten Definition des Tragikomischen jedoch mißt er Lenz' Gattungsbezeichnung Komödie keine Bedeutung zu. Er verweist darauf, daß der Untertitel der ersten Fassung des *Hofmeister* noch »Lust- und Trauerspiel« lautete und daß Lenz das Stück brieflich mehrfach Trauerspiel nannte. Die Bezeichnung des Stücks als Komödie sei also nicht mehr als ein »Verlegenheitsausdruck«.[12] Demgegenüber haben Walter Hinck und Elisabeth Genton zeigen können, daß der Begriff Komödie für die Hauptstücke von Lenz durchaus angebracht ist. Denn in Lenz' Stükken wirkt die Tradition der plautinischen Komödie, der barokken Haupt- und Staatsaktionen, der Hanswurstiaden, Puppenspiele und der Commedia dell'arte fort. Im Rahmen von Lenz' Anschauungen ist der Begriff Komödie daher weder auf die Typenkomödie in der Molièreschen Tradition noch auch auf die Komödie der Aufklärung einzugrenzen. Guthke sieht zwar richtig, daß es dem Sturm und Drang um eine Integration von Tragischem und Komischem ging, aber eben nicht im Sinne einer neuen Gattung Tragikomödie, sondern im Sinne einer Assimilation des Tragischen an die Komödie. So spricht etwa Arntzen hinsichtlich des *Hofmeister* von einer Erweiterung der Komödie

und lehnt Guthkes Gattungsbegriff Tragikomödie für Lenz völlig ab.[13]
Die durchschlagendste Kritik an Guthkes Interpretation des *Hofmeister* als Tragikomödie findet sich bei Girard und Glaser. Girard leugnet schlechthin, daß der Wechselbezug von Tragischem und Komischem im *Hofmeister* im Sinne gegenseitiger Steigerung und Verstärkung wirke. Nicht das traditionell Komische und Tragische gehen bei Lenz eine neue Verbindung ein, sondern diese Verbindung selbst unterlaufe beide herkömmliche Gattungen und entlarve deren politische und kulturelle Implikationen.[14] Glaser seinerseits greift darüber hinaus auch Guthkes Unterscheidung vom Tragischen der Lage und Komischen des Charakters an. Die Lage der Charaktere sei zugleich auch komisch, »weil der sittliche Anspruch der sie bestimmenden Mächte Parodie wurde«.[15] In der Tat parodiert das Stück ja sowohl den sittlichen Anspruch bürgerlicher Emanzipation, indem es sie auf scheiternde Sexualität reduziert, als auch den Herrschaftsanspruch des Adels, der als willkürlich, illegitim und abgelebt erscheint. Ebenso sind nach Glaser die Lenz'schen Charaktere Läuffer und Marie Wesener nicht nur komisch, sondern auch tragisch, da ihr sehr reelles Leiden in den bestehenden Gewaltverhältnissen begründet ist und nicht nur in ihren komischen Fehlern. Daß ausschließlich letzteres der Fall sei, hat freilich auch Guthke nicht behauptet. Wie vor ihm schon Arntzen betont Glaser, daß nicht simple Inkongruenz von Charakter und Situation den *Hofmeister* bestimme, sondern die Inkongruenz von Charakteren und Situationen mit sich selber. Da in Lenz' Dramen sowohl Charaktere als auch Situationen der zeitgenössischen Wirklichkeit entnommen sind, enthüllt sich die Gattungsfrage selbst als ein sozial- und kulturgeschichtliches Problem erster Ordnung, das vielleicht keiner der Sturm-und-Drang-Autoren in derartiger Schärfe erfaßt und erfahren hat wie Lenz. Die Komödie *Der Hofmeister* aber kann als erstes Resultat dieser Erfahrung in Lenz' Schaffen gedeutet werden.
Die Bezeichnung Komödie entspricht zunächst einmal durchaus Lenz' Theorie, daß der Keim des Ganzen nicht in den Personen liegt, sondern in Situation und Verhältnissen. Da aber Lenz seine Scheidung von Komödie und Tragödie in den *Anmerkungen übers Theater* nur unzulänglich entwickelt, ist im Hinblick auf den *Hofmeister* weiter konkret zu fragen, was die Umfunktionierung von Komödie und Tragödie hier bedeutet. Dazu ein

knapper historischer Vergleich. In der Komödie der Aufklärung wurde ein Fehler oder Mißstand durch vernünftige Kritik behoben. Das Lachen über Laster oder Schwächen des komischen Charakters bestätigte gerade die gesellschaftlichen Normen, die das abweichende Verhalten des Protagonisten in Frage stellte. Der meist glückliche Ausgang der Komödie stellte dann die gestörte Harmonie wieder her. Man könnte nun versucht sein zu sagen, daß Lenz' Stück, wenn auch nicht das Laster eines Individuums, so doch den Stand, den dieses Individuum repräsentiert, als Miß-Stand dem Gelächter preisgibt, und daß die von aller Aufklärungsdidaktik angestrebte Besserung am Ende auch eintritt: Fritz wird den Sohn des Hofmeisters nicht durch einen Hofmeister erziehen lassen. Die aufklärerische Absicht, das Prinzip öffentlicher Erziehung – im Stück durch Fritz und Pätus vertreten – als dem der Privaterziehung überlegenes zu erweisen, wäre demnach im Stück selbst bestätigt. Ganz abgesehen davon jedoch, daß diese Interpretation uns zwingt, den Geheimen Rat, der die Kritik an der Privaterziehung vorträgt, als bloßes Sprachrohr des Autors zu verstehen, muß man berücksichtigen, daß die Kritik am Hofmeisterstand nur an wenigen Stellen vorgetragen wird und daß ferner die Wirkung der Privaterziehung auf den Sohn des Majors überhaupt nicht ins Blickfeld gerät. Mit anderen Worten: nicht die Wirkung der Privaterziehung auf den Zögling interessiert Lenz, sondern die Nachteile der Privaterziehung für den Hofmeister, der bei miserabler Bezahlung wie ein Domestike gehalten wird und dem die Eltern seiner Schüler obendrein ständig ins Handwerk pfuschen. Darauf konzentrieren sich denn auch die beiden Attacken auf das Hofmeistertum – die des Geheimen Rats und die des Dorfschulmeisters Wenzeslaus. So erübrigt es sich eigentlich, darauf aufmerksam zu machen, daß die Verurteilung der Privaterziehung sich im Gegensatz zu Rousseaus Erziehungsroman *Emile* befindet, den Lenz sehr bewunderte, oder daß Lenz' These wenig originell sei und in systematischer Form schon im *Methodenbuch für Väter und Mütter der Familien und Völker* (1770) des Aufklärers Basedow vorgetragen worden sei.[16] Die pädagogische »Tendenz« mag für Lenz im Ansatz wichtig gewesen sein; sie liefert auch den abschließenden Satz des Stücks, ist aber für dessen Verständnis eher nebensächlich. Unter der Hand hat sich Lenz nämlich der aufklärerische Ansatz in radikale Aufklärungskritik verwandelt. Jede Interpretation, die Lenz entweder als einen Feind der Aufklärung oder ebenso vereinfachend als einen wenn auch schrulligen Aufklärer sieht, muß daher fehlgehen. Konstitutiv für Lenz' Werk ist die Widersprüchlichkeit von aufklärerischer Intention und einer aus Lebenserfahrungen gespeisten radikalen Kritik an der Aufklärung, die dem Leiden an deren Ungenügen entspringt. Die Radikalität dieser Kritik schlägt sich zunächst in der Form des Stücks nieder, die in jeder Hinsicht von den bekannten Modellen abweicht und weder als Vorwegnahme moderner Tragikomik noch als Fortführung volkstümlicher Theatertraditionen[17] ganz zu verstehen ist. Sinnvoller läßt sich *Der Hofmeister* auf das bürgerliche Trauerspiel der Aufklärung beziehen, dessen gattungstypologischer Höhepunkt und Abschluß mit Lenz erreicht ist.[18] Lenz' Stücke *Der Hofmeister* und *Die Soldaten* bezeichnen den Ort, an dem das aufklärerische bürgerliche Trauerspiel seinen Emanzipationsanspruch einbüßt und in die groteske Komödie umschlägt. Wie das bürgerliche Trauerspiel Lessingscher Provenienz durchbricht auch Lenz die Ständeklausel, aber in bezeichnend anderer Weise. Ihm geht es nicht darum, den Bürger oder den bürgerliche Werte verkörpernden Helden aus der Komödie in die bislang dem Adel vorbehaltene Tragödie zu befördern und Mitleid mit den tragisch menschlichen Schicksalen bürgerlicher Individuen zu erzeugen. Umgekehrt: er beläßt den Bürger in der »niederen« Gattung Komödie und degradiert den Adel zum schäbigen und heruntergekommenen Antagonisten eines läppisch-eitlen Bürgertums. Der Adel macht sich nun in eben der Gattung lächerlich, in der er früher bürgerliches Verhalten zu verlachen pflegte. Das Lachen freilich bleibt dem Zuschauer in dieser Art von Komödie im Halse stecken. Denn die Anwesenheit von Adligen und Bürgerlichen reproduziert im Spiel reale Gewaltverhältnisse, die das Lächerliche des Hofmeisters in dessen fatale Selbstentmannung umkippen lassen, während dem Adel keinerlei Krise etwas anhaben kann und seine lächerlichen Schwächen zu keinerlei Beeinträchtigung seines Herrschaftsanspruchs führen. Man kann hier von einer bewußt grotesken Umkehrung der historischen Entwicklung von aristokratischer Tragödie zu bürgerlichem Trauerspiel in eine Entwicklung von bürgerlicher Komödie zu einem lächerlichen Trauerspiel sprechen, dessen Komödiencharakter sich aus dem Konflikt zweier durch und durch untragischer Gesellschaftsschichten ergibt. Es entspricht dieser Umkehrung, wenn im *Hofmeister* der Verführer dem Bürgertum angehört, während die Verführte

eine Adlige ist, wenn also Adelsherrschaft und männliche Verfügungsgewalt über die Frau im Gegensatz zum bürgerlichen Trauerspiel der Zeit nicht zusammenfallen.
Lenz trägt Sorge, diese unübliche Beziehung weder als Liebe über Klassenschranken hinweg noch auch als sexuelles Gewaltverhältnis des Mannes über die Frau erscheinen zu lassen. Er stellt die Beziehung zwischen Gustchen und Läuffer vielmehr als schnell verpuffte Eruption unterdrückter Triebe dar, die eher aus der Situation als aus den Charakteren resultiert. Liebe erscheint hier in ihrer reduziertesten, zu Sex verdinglichten Form. Diese Liebesbeziehung, die überhaupt nur dank ihres grotesken Stellvertretungscharakters möglich wurde, erscheint als totale Fremdheit der Beteiligten. Läuffer hat dabei das Schicksal des historischen Abälard im Sinn, der seine Schülerin Héloise entführte, sich heimlich mit ihr verheiratete und zur Strafe von den Angehörigen entmannt wurde (II, 5). Während Läuffer hier eine sehr reelle Sorge um seine Existenz zum Ausdruck bringt, verdrängt Gustchen den durch den Hinweis auf Abälard signalisierten Tatbestand (ihre Schwangerschaft) und weicht ins Literarisch-Empfindsame aus, indem sie das Schicksal des Abälard sofort auf Rousseaus Roman *La Nouvelle Héloise* bezieht und es somit verklärend entwirklicht.[19] Gustchen hat auch insofern literarische Flausen im Kopf, als sie sich in die Rolle der Julia projiziert und ihren Läuffer-Romeo stellvertretend für den abwesenden Fritz liebt, dem sie sich versprochen hat. Der Wirklichkeitsverlust ist komplett. Die beiderseitige Entfremdung hat also ihren Grund im deutlichen Bewußtsein der Klassenschranke bei Läuffer und in literarisch empfindsamer Schwärmerei, deren subjektivistisch solipsistische Seite Lenz hier kritisch entlarvt. In der Erstfassung dieser Szene ist es zwar noch Läuffer, der das Schicksal Abälards mit Rousseaus empfindsamem Roman verknüpft[20], aber schon hier wird die Unmöglichkeit von Kommunikation zwischen Gustchen und Läuffer dadurch akzentuiert, daß ihre Liebesschwärmerei sich nicht einmal auf dasselbe literarische Vorbild bezieht. Bezeichnenderweise denkt Läuffer an die unerfüllte Liebe des bürgerlichen Hofmeisters St. Preux (Abälard) zu seiner adligen Schülerin Julie (Héloise), ist sich also auch hier der Klassenschranke voll bewußt, die ihn von Gustchen trennt. In Gustchens shakespeareschem Vorbild hingegen spielt der Klassengegensatz keine Rolle, wodurch Lenz nachdrücklich unterstreicht, daß Gustchen mit Romeo immer nur

Fritz und nicht Läuffer im Sinne hat. In den literarischen Vorbildern endet die Liebe in Tragik und Tod beider Liebender (Shakespeare) und empfindsam verklärter Entsagung und Tod der Geliebten (Rousseau), während in Lenz' Komödie das schlimme Ende nicht die adlige Héloise ereilt, sondern nur den bürgerlichen Abälard, und zwar in Form der Selbstentmannung als endgültiger Entsagung. Wie im bürgerlichen Trauerspiel der Aufklärung bleibt das Leiden dem Bürger vorbehalten. Aber selbst die verzweifelte Selbstverstümmelung, in der Läuffer mit der Logik des Unterdrückten die Gewaltverhältnisse der Gesellschaft gegen sich selbst kehrt, wird noch ins »Komische« abgebogen. Der kastrierte Hofmeister heiratet ein Bauernmädchen, das sich mit dem Füttern von Hühnern statt Kindern begnügen will und auf die sinnliche Erfüllung der Ehe verzichten zu können glaubt (V, 10). Hier macht sich Lenz nicht etwa lustig über seinen Helden, sondern besteht darauf, daß nicht nur der Adel, sondern auch der Bürger es zu keiner wirklichen Tragik bringen kann. Horst Albert Glaser hat dies äußerst genau auf den Begriff gebracht: »Eine tragische Katastrophe hätte Personen und Verhältnissen gerade das substantielle Wesen nachträglich wieder vindiziert, dessen Zerstörung in solch allseitiger Inkongruenz vorher vorgeführt worden war. Was als Vernunftlosigkeit dieses nach Vernunft sich sehnenden Lebens zur Schau sich gestellt hatte, wäre in der Figur der Katastrophe zur höheren Vernunft tragischer Notwendigkeit rehabilitiert worden.«[21] Eben in der dramatisch künstlerischen Gestaltung der Inkongruenz von deutschen Gesellschaftsverhältnissen und tragischer Notwendigkeit liegt Lenz' radikale Kritik am bürgerlichen Trauerspiel der Aufklärung, das er als Komödie ad absurdum führt, und an einer Gesellschaft, die zufolge der Verblendung und Miserabilität ihrer Mitglieder zu echter Tragik keinen Zugang hat.

Im *Hofmeister* ist es Lenz gelungen, eine der historischen und literarischen Konstellation adäquate Form zu entwickeln, die nun freilich eben nicht auf einen ahistorischen Realismusbegriff verkürzt werden sollte, der vor allem auf realistisch angelegte Charaktere abzielt und der Lenz'schen Doppelkritik von Adel und Bürgertum den Klassenstandpunkt eines demokratischen Plebejers zuschreibt.[22] Realistische Figurenzeichnung findet sich auch in Wagners *Kindermörderin*, aber wie anders ist Lenz' Charakterisierungstechnik. Nicht natürlich spontane Sprache setzt Lenz ein, sondern zerrissene Sprachfetzen, abgegriffene Klischees, triebgebundene Affektentladungen, die er zudem häufig in Gestik und Mimik an den Rand der Sprachlosigkeit treibt. Nicht wirklichkeitstreue Milieuschilderung strebt Lenz an, sondern Evokation von Situation und Stimmung in tableauartigen Kurzszenen, in denen Handlung zum Bild erstarrt.[23] Nicht Naturwahrheit setzt Lenz gegen die artifiziellen Einheiten der klassischen Tragödie, sondern durch höchste Künstlichkeit eines kontrapunktisch organisierten Chaos versucht er die Disparatheit, Zerrissenheit gesellschaftlichen Lebens literarisch Form werden zu lassen. Darin, wenn überhaupt, liegt sein »Realismus«. Die Doppelkritik von Adel und Bürgertum schließlich findet sich auch in Schillers *Kabale und Liebe*, ja selbst schon in Lessings *Emilia Galotti*. Wiederum fallen bei solch schematischen Etikettierungen die Differenzen unter den Tisch. Denn Schiller z. B. zieht aus seiner Kritik am Bürgertum (Musikus Miller und Luise) gerade nicht dieselbe gattungsspezifische Konsequenz wie Lenz, weswegen *Kabale und Liebe* zumindest gattungsmäßig dem bürgerlichen Trauerspiel Lessingscher Provenienz viel näher steht als Lenz' *Hofmeister*.

Wenn man bei Lenz nicht nur die Gesellschaftskritik an Adel und Bürgertum betont, sondern diese Kritik gleichzeitig gegen ideologische Grundprinzipien der Aufklärung selbst gerichtet sieht, so stellt sich akut die Frage nach der Beurteilung des Geheimen Rates Berg. Lange Zeit hielt sich die These, daß der Geheime Rat nichts weiter sei als ein Sprachrohr für die aufklärerischen Absichten des Autors.[24] Diese Ansicht hat schon Lenz selbst zu widerlegen versucht, als er in den *Briefen über die Moralität der Leiden des jungen Werthers* schrieb: »Man hat mir allerlei moralische Endzwecke und philosophische Sätze bei einigen meiner Komödien angedichtet, man hat sich den Kopf zerbrochen, ob ich wirklich den Hofmeisterstand für so gefährlich in der Republik halte, man hat nicht bedacht, daß ich nur ein bedingtes Gemälde geben wollte von Sachen wie sie da sind und die Philosophie des geheimen Rats nur in seiner Individualität ihren Grund hatte.«[25]

Es genügt nun nicht, diese explizite Erklärung des Autors mit einem Hinweis auf den Kontext zu entschärfen – Lenz attakkiert dort diejenigen, die den *Werther* als subtile Verteidigung des Selbstmords lesen – und dann zu behaupten, der Geheime Rat sei nicht das Sprachrohr von Lenz, sondern das aufklärerische Lenz'sche Räsonnement werde in ihm Person.[26] Das ist mit

so vielen Worten die herkömmliche These. Schon in den Werther-Briefen ist ja Lenz' Ablehnung jener aufklärerischen Haltung evident, die in jedem literarischen Werk vornehmlich den moralischen Endzweck aufzuspüren sucht.
Die in anderer Weise auf Aufklärung fixierte Gegenthese zu Burger wurde in der DDR-Forschung von Evamaria Nahke vertreten, die, wohl in der Nachfolge von Brechts Bearbeitung, den Geheimen Rat kurzerhand als »Vertreter der Ausbeuterklasse« apostrophierte.[27] Es blieb einer späteren Literaturgeschichte vorbehalten, beide Thesen kühn zu verbinden: der Geheime Rat fungiere gelegentlich als Citoyen und damit als Sprachrohr des Dichters (so in II, 1), gelegentlich aber als Vertreter der Adelsinteressen.[28] Wie sich ein solches nur partielles Sprachrohr mit Lenz' plebejischem Standpunkt vertragen soll, wird freilich nicht näher erläutert.
Das Dilemma läßt sich weder so noch so wegerklären: Lenz legt seine Gesellschaftskritik, die sowohl die Blindheit und Unterwürfigkeit des Kleinbürgertums als auch die Borniertheit des Adels trifft, einem aufgeklärten Aristokraten in den Mund. Die Voraussetzung für die Möglichkeit dieser Kritik liegt dabei in der Tat in der Individualität des Geheimen Rats. Seine Einsichten sind dramatisch motiviert durch seine beruflich relativ unabhängige Stellung, die ihn die Beschränkungen kleinstädtischen Bürgertums ebenso klar erkennen läßt, wie sie ihm hilft, sich von der arroganten Verbohrtheit des Landadels zu distanzieren. All jenen, die im Geheimen Rat das Sprachrohr des Autors erblikken wollen, müßte ferner der Umstand zu denken geben, daß Lenz in kontrapunktischer Technik die Kritik am Hofmeisterstand auch den Dorfschulmeister Wenzeslaus vortragen läßt (III, 2 und 4), der sich als Plebejer zwar mannhaft gegen die adligen Eindringlinge in seine Wohnung zur Wehr setzt (III, 2 und IV, 3), in dem aber andererseits die Prinzipien der Aufklärung groteske Purzelbäume schießen.[29] Wie ist es denn eigentlich zu erklären, daß dieselbe ideologische Kritik von einem selbstbewußten, aber pedantisch beschränkten Plebejer und von einem gebildeten Aristokraten vorgetragen wird? Es handelt sich hier in der Tat, wie Hans Mayer richtig betont hat[30], um eine communis opinio der bürgerlichen Aufklärung. Nur fehlt in Lenz' Stück der aufgeklärte Bürger. So werden dann die Grundsätze der Aufklärung im Munde des Dorfschulmeisters ebenso fragwürdig wie in Reden und Verhalten des Geheimen Rats.

Zunächst zu Wenzeslaus. Im Vordergrund seiner Kritik am Hofmeisterstand steht der Vorwurf der Müßigkeit und Ignoranz sowie des übermäßigen Genusses von Wein und Kapaunenbraten am adligen Mittagstisch. Wenzeslaus artikuliert hier bürgerliches Mißfallen an verschwenderischem Genuß und mangelndem Arbeitsethos. Verbunden ist diese Kritik mit dem Lobpreis bürgerlicher Entsagungsphilosophie: die bescheidenen Mahlzeiten mit Suppe und Wurst als Garant eines guten Gewissens, das kalte Wasser und tägliche Pfeiferauchen als Panzer gegen die bösen Begierden. Wenzeslaus feiert innerweltliche Askese als rationale Überwindung der irrationalen Triebe, was Max Weber als einen der »konstitutiven Bestandteile des modernen kapitalistischen Geistes« beschrieben hat.[31] Nur werden die Prinzipien solch rationalisierter Lebensführung ihrerseits irrational, wenn Wenzeslaus Läuffers harmloses Zahnstochern als Selbstmord tadelt, als »eine mutwillige Zerstörung Jerusalems, die man mit seinen Zähnen vornimmt« (III, 4), während er Läuffers entsetzliche Selbstentmannung als Befreiungstat eines zweiten Origines preist und Läuffer schon als neuen Kirchenvater, als »Pfeiler unsrer sinkenden Kirche« (V, 10) sieht. Läuffer selbst scheint am Ende des Stücks aufgeklärter als Wenzeslaus, etwa wenn er die Geschichte der aus dem Himmel verjagten Teufel als Aberglauben bezeichnet, über den die heutige Welt längst hinweg sei (V, 9). Läuffer ist eben nicht nur serviler Spießbürger und Wenzeslaus nicht ausschließlich Vertreter eines selbstbewußten und aufgeklärten Bürgertums.[32] Wie sehr Wenzeslaus von der Untertanenmentalität geprägt ist, zeigt sich in seinen autoritären Erziehungsprinzipien (III, 2) ebenso wie in seiner Verteidigung des Aberglaubens, der notwendig sei zur Aufrechterhaltung von Herrschaft. Mit bürgerlicher oder gar plebejischer Emanzipation hat all dies nur wenig zu tun.

Von den Schulszenen her gesehen läßt sich nun auch die Figur des Geheimen Rats anders lesen. Wenzeslaus' Schule ist ja eine öffentliche und entspricht somit den Forderungen des Geheimen Rats. Wenzeslaus erblickt seine Aufgabe darin, auf dem Lande gute Untertanen zu produzieren. Im Gegensatz zu Fritz und Pätus werden seine Schulkinder gewiß nie eine Universität von innen sehen. Seiner bäuerlichen Klientel gemäß verbindet er in seiner Erziehung religiösen Aberglauben mit rationaler Aufklärung, wobei dann freilich Aufklärung selbst gelegentlich in Aberglauben umkippt. Der Geheime Rat hat zwar eher städtische öffent-

liche Schulen für Adels- und Bürgerkinder im Sinn, aber auch er fordert wie Wenzeslaus gute Staatsdiener. Kein Wunder, daß Brecht das Lob der Freiheit, das dem Geheimen Rat als Hauptargument gegen das Hofmeistern dient, als ideologische Verschleierung von Herrschaftsverhältnissen empfand.
Es ist vielleicht nicht entscheidend herauszubekommen, ob Lenz die Meinung des Geheimen Rats teilte, daß man als Staatsdiener seine Kräfte und seinen Verstand dem allgemeinen Besten aufopfere (II, 1). Für den Hofmeister im Dienste des despotischen Landadels mag eine Staatsanstellung in der Tat ein Fortschritt gewesen sein, ob eine solche Tätigkeit nun als Dienst am Gemeinwohl ideologisch verklärt wird oder nicht. Aus Lenz' historischer Perspektive ist es daher durchaus verständlich, wenn er staatlich-öffentliche Erziehungsinstitutionen für eine progressive Alternative zum kleinkarierten Duodez-Despotismus des Adels gehalten hat. Wie jedoch auch der Dienst am Gemeinwohl sich schlecht bezahlt macht und seinerseits ein ganzes System verinnerlichter Unterdrückungsmechanismen produziert, hat Lenz mit der Gestalt des Wenzeslaus künstlerisch ins Bild gesetzt.
Auch der Geheime Rat hat mit seinem Reformprogramm keineswegs den archimedischen Punkt des kritischen Ansatzes zur konkreten Utopie, den Mattenklott ihm zuschreibt.[33] Auch seine Position verfällt der Kritik des Autors, freilich nicht in dem, was er sagt, sondern in der Inkongruenz seiner schönen Reden und der aus ihnen (nicht) folgenden Handlungen. Gewiß, er will raten, aufklären, bessern, ist aber mit all seinem Räsonnement nur ein weiteres Beispiel für die Vereinzelung aller Lenzschen Gestalten. Gegen seinen Rat stellt der Major Läuffer als Hofmeister ein. Ebenfalls gegen seinen Rat weigert sich Pastor Läuffer, seinen Sohn aus dem Dienstverhältnis beim Major zu nehmen. Als dann jedoch sein eigener Sohn Fritz böswillig bei ihm angeschwärzt wird – obendrein von einem aufgeblasenen Adligen und dessen dubiosem Hofmeister –, da ist ihm guter Rat teuer. Er fällt den infamen Einflüsterungen zum Opfer und spricht gleich von einem Strafgericht Gottes über seine Familie, ohne auch nur die Gegenseite gehört zu haben (III, 3). Sein aufklärerischer Rat hat ebensowenig Wirkung, wie sein aufgeklärtes Verhalten bei der geringsten Erschütterung in sich zusammenbricht. So überrascht es nicht weiter, daß er gegen Ende des Stücks außerstande ist, seinen Bruder, den Major, davon abzuhalten, Läuffer über den Haufen zu schießen. Helmut Artzen schreibt zu diesem Befund:

»Der Komödienkonflikt artikuliert sich nicht mehr im Gegensatz des einen Unvernünftigen zu der vernünftigen Gesellschaft; die Vernünftigen sind so isoliert wie die anderen, und ihre Vernunft ist abstrakt und darum wirkungslos für die anderen wie für sich selbst.«[34]
Der für den *Hofmeister* konstitutive Widerspruch ließe sich dann dahingehend formulieren, daß Lenz als Aufklärer, dem das Schicksal der Hofmeister am Herzen lag, zwar von der Notwendigkeit öffentlicher Schulen überzeugt war, gleichzeitig aber als Kritiker der Aufklärung seinem Stück die Inadäquatheit seines eigenen Reformansatzes einprägte, und zwar in den Gestalten des Dorfschullehrers und des Geheimen Rats. Noch die Versöhnung am Ende des Stücks erweist sich als Parodie der herkömmlichen Komödie und der Aufklärung, da keine Unvernunft abgeschafft, kein Unvernünftiger eines Besseren belehrt ist. Ja, die ganze Diskussion um die Vorteile der Privaterziehung zwischen Major und Geheimem Rat droht wieder von vorne zu beginnen, bevor sie durch Fritz' Versicherung, er werde des Hofmeisters Sohn nicht von einem Hofmeister erziehen lassen, abrupt abgebrochen, nicht aber gelöst wird (letzte Szene). Zum happy end der Komödie kommt es zudem nur für die, die von vornherein entweder durch Geburt (Fritz) oder väterliches Vermögen (Pätus) privilegiert waren. Angesichts dieses Befundes geht es nicht an, das familiäre happy end in der Nachfolge Albrecht Schönes als echte Lösung einer gesamtgesellschaftlichen Krise zu deuten und von einer »neuen Familienbeziehung«, einer Familie der »edelen Herzen« zu sprechen, in der die alte patriarchalische Ordnung durch verinnerlichte, ethische und allgemein menschliche Werte ersetzt sei.[35] Schlecht zu einer solchen positiven Deutung des Endes paßt es, wenn Fritz das Glück seiner Ehe im schlechten Gewissen und den Schuldgefühlen Gustchens begründet sieht: »... und doch zittert sie immer vor dem, wie sie sagt, ihr unerträglichen Gedanken: sie werde mich unglücklich machen. O was hab ich von einer solchen Frau anders zu gewarten als einen Himmel?« (V, 12). Verinnerlichung in der Tat, aber eine, die das Patriarchat nicht überwindet, sondern auf neuer empfindsamer Stufe perpetuiert. Die groteske Form solch repressiver Verinnerlichung, die in der aufgeklärt adligen Ehe ausschließlich die Frau trifft, findet sich dann im komplementären happy end der Läuffer-Handlung. Läuffers Seelenheirat mit der Bauerstochter Lise ist in einer körperlichen Verkrüppelung

begründet, die schwerlich durch idyllisches Landleben oder geistige Werte wettgemacht werden kann. Ganz und gar unidealische Entsagung bleibt somit beider Los, und damit widerlegt das Stück den universalen Anspruch der Aufklärung, Freiheit und Selbstbestimmung der menschlichen Persönlichkeit in der Vernunft begründen und gesellschaftlich verwirklichen zu können. Das doppelte Ende des Stücks – die Läuffer-Handlung kommt ja getrennt von der Gustchen-Handlung schon vor dem Schlußtableau an ihr Ende – bestätigt auch szenisch die fortbestehende Schranke zwischen Herrschenden und Beherrschten, freilich nicht als deren Affirmation, sondern als ebenso radikale wie verzweifelte Negation, die sich künstlerisch sowohl den Ausweg in tragische Notwendigkeit (Tragödie) als auch in echte Versöhnung (Komödie) bewußt verstellt.
Der Optimismus der Aufklärung, der noch Lessings Theorie des bürgerlichen Trauerspiels bestimmte, ist hier einem durchdringenden Pessimismus gewichen, der dank Lenz' scharfem Blick auf gesellschaftliche Verhältnisse jedoch nie Gefahr läuft, in eine schlechte Metaphysik des Allgemein-Menschlichen abzurutschen. Der sprichwörtliche Pessimismus des Sturm und Drang, der sich ganz generell aus einer gesteigerten Sensibilität für Schwächen und Scheitern rationaler Aufklärung herleiten läßt, erhält bei Lenz seine gesellschaftlich und politisch radikalste Form als immanente Kritik der deutschen Aufklärung. Medusenhaft starr steht *Der Hofmeister* im Zentrum einer Bewegung, die sich innerhalb weniger Jahre erschöpfte und deren prominentestes Opfer der Dichter Jakob Michael Reinhold Lenz wurde.

3. Heinrich Leopold Wagner: Die Kindermörderin

Im 14. Buch von *Dichtung und Wahrheit* erwähnt Goethe beiläufig, wie er seinem Straßburger und später auch Frankfurter Jugendbekannten Wagner seine Pläne zur Gretchenhandlung im *Faust* dargelegt habe und wie dieser ihm das Thema weggeschnappt und zu seiner *Kindermörderin* verarbeitet habe.[1] Diese leicht übelnehmerische Bemerkung hielt die ältere Forschung neben Goethes Ärger über die von Wagner im Frühjahr 1775 verfaßte, anonym erschienene Satire auf die Werther-Rezeption *Prometheus, Deukalion und seine Rezensenten*, die, da sie den *Werther* verteidigte, Goethe selbst zugeschrieben wurde, und nahm beide Vorfälle zum Anlaß, Wagner als literarisch minderwertigen Plagiator abzutun. Damit verstellte sich die Goethe-Hagiographie von vornherein eine adäquate Erkenntnis eines der besten und wichtigsten Stücke der Sturm-und-Drang-Bewegung.

Selbst ein den gesellschaftlichen Bezügen von Literatur so aufgeschlossener Kritiker wie Hermann Hettner konnte apodiktisch behaupten: »Wagner war unter den Goethianern entschieden der Unbedeutendste. Er zehrte von den Brosamen, die von des Herrn Tisch fielen, ja er verargte sich nicht, sich diese Brosamen zuweilen unrechtmäßig zuzueignen.« Und über die *Kindermörderin* dekretierte er, dieses Trauerspiel sei »nicht ohne Talent, aber von unsäglicher Rohheit und Geschmacklosigkeit«.[2] Der Vorwurf des Plagiats ist um so läppischer, als Wagner das Thema mit ganz anderer Gestaltungsabsicht und Wirkungsintention angeht als Goethe. Die Tatsache, daß die *Kindermörderin* mit dem *Faust* außer einigen Parallelmotiven nur wenig gemein hat, wurde denn in der Folgezeit auch häufig bemerkt. Der Vergleich diente nun aber wiederum dazu, Wagners Stück Minderwertigkeit zu bescheinigen. So interpretiert etwa der Geistesgeschichtler Korff die Vergewaltigung Evchens durch Leutnant Gröningseck als Zeichen dafür, daß dem nur auf grobe Effekte ausgehenden Dramatiker der tiefere Sinn seines Problems verborgen bleibe. Als tieferen ideengeschichtlichen Sinn des Kindsmordes, der eben nur in Goethes *Faust* lebendig werde, scheint Korff die als Schicksal auftretende allgewaltige Liebe anzusehen, die Gretchen zum tragischen Opfer mache.[3] Interessant an dieser nur von klassizistischen dramaturgischen Gesichtspunkten her haltbaren These sind die an einem traditionellen Tragödienbegriff orientierten Implikationen. Vergewaltigung kann in der Tat nicht als tragischer Konflikt im herkömmlichen Sinn gelten. Aber Wagner geht es in seinem Stück ja eben nicht um Schuld und Schicksal des tragischen Charakters, sondern vielmehr um die Darstellung dessen, was Diderot die »conditions« genannt hat und was das bürgerliche Trauerspiel des Sturm und Drang deutlich von der traditionellen (auch bürgerlichen) Tragödie unterscheidet. Im Vergleich mit Goethes *Faust* und der klassischen Tragödienkonzeption kann man Wagners Leistung in der Tat nur verkennen. Aber auch in der älteren Forschung hat es trotz der negativen Grundeinstellung zu Wagner nie an Stimmen gefehlt, die seine Stärke in der Milieuzeichnung und der Charakterisierung volkstümlicher Figuren hervorhoben.[4] Zumal Meister Humbrecht hat viel Anerkennung gefunden, oft freilich vor allem als Vorbild für Schillers Musikus Miller.

Während sich das abwertende Urteil über die *Kindermörderin* noch bei Garland und in Newalds Literaturgeschichte wiederfindet[5], hat sich eine allmähliche Neubewertung seit Martinis und Raschs kursorischer, doch gerechter Beurteilung des Wagnerschen Werks sowie seit Schneiders Sturm-und-Drang-Buch durchgesetzt.[6] Die Unvereinbarkeit der unterschiedlichen Wertungen zeigt sich besonders klar, wenn man Hettners Moralurteil über den »schlimmsten ersten Akt«[7] Schneiders Ansicht gegenüberstellt, derzufolge dieser erste Akt zum Besten gehöre, was die Dichtung des Sturm und Drang aufzuweisen habe.[8] Eine durchweg vorbildliche Interpretation legte jüngst erst Johannes Werner vor, der bis in formale und sprachliche Details hinein das Stück als »Reflex einer gesellschaftlichen Situation in einem gesellschaftlichen Prozeß« interpretiert, nicht als bloßen Abklatsch von Wirklichkeit, sondern als »Brennglas und Hohlspiegel, Destillat und Konzentrat, exemplarische und repräsentative Kristallisation« der gesellschaftlichen und künstlerischen Problematik des Sturm und Drang.[9]

Freilich dominierte die moralische Entrüstung über die Bordell- und Vergewaltigungsszenen des ersten Aktes und über den auf offener Bühne dargestellten Kindsmord auch zu Wagners Lebzeiten, so daß das Stück, als es im September 1776 anonym in Leipzig erschien, kaum Chancen hatte, aufgeführt zu werden. Eine günstige Rezeption wurde schon dadurch vereitelt, daß Wagner seinen Blick auf den Teil des Bürgertums richtete, dem weder im traditionellen bürgerlichen Trauerspiel der Gellert-Lessing-Periode noch im Parkett des zeitgenössischen Theaters ein Platz angewiesen war. Darüber hinaus stellte Wagner im Stück sogar Personen der untersten Gesellschaftsschicht dar, und zwar im Falle der Hure Marianel, der Dienstmagd und der Lohnwäscherin Marthan durchaus mit Sympathie und Mitgefühl. Natürlich fand das Stück im Kreis der Salzmannschen Gesellschaft in Straßburg begeisterte Zustimmung, wo Wagner es anläßlich seines Besuchs aus Frankfurt am 18. Juli 1776 vorlas, und auch Maler Müller zeigte sich sehr beeindruckt. Aufgeführt jedoch wurde die Originalfassung der *Kindermörderin* zunächst nur von der Wahrischen Gesellschaft in Preßburg. Die Aufführung einer Umarbeitung durch Karl Lessing für die Döbbelin-

sche Truppe in Berlin wurde polizeilich verboten, vermutlich nicht zuletzt wegen der Anspielungen auf den preußischen Militärstaat in der vierten Szene des dritten Aktes. Karl Lessings schulmeisterlich langweilige und farblose Fassung wurde 1777 bei Christian Friedrich Himburg in Berlin veröffentlicht. In seiner Vorrede attackiert Lessing von aufklärerischer Position her Genieästhetik und shakespearisierende Dramaturgie Wagners, dem er mangelnde Rücksicht auf das Publikum, Zügellosigkeit und unzulässige Mischung des Tragischen und Komischen vorhält, eben die Mischung also, die das gesellschaftlich und ästhetisch Fortschrittliche an den Stücken des Sturm und Drang ausmacht. Lessing eliminierte den anstößigen ersten Akt und ersetzte ihn durch eine im Hause Humbrecht spielende Szenenfolge zwischen Evchen, der Mutter und Gröningseck. Er verwässerte fast alle kraftgenialischen Ausdrücke, die dem Stück seine Lebendigkeit verleihen, und merzte fernerhin die Straßburger Idiotismen aus. Bei alledem ist er offensichtlich überzeugt, Wagners Stück sowohl moralisch als auch dramaturgisch verbessert zu haben. Jetzt erst sei es »vor ehrlichen Leuten vorstellbar«.[10]
Im Februar 1777 veröffentlichte Wagner in den *Frankfurter Gelehrten Anzeigen* eine scharfe Polemik gegen den unberufenen Bearbeiter.[11] Und noch in der Vorrede zu seiner eigenen Umarbeitung des Trauerspiels zu einem Schauspiel mit dem Titel *Evchen Humbrecht oder Ihr Mütter merkts Euch!* (aufgeführt durch die Seylersche Truppe am 4. September 1778 in Frankfurt und erschienen 1779 ebenfalls in Frankfurt) macht Wagner seinem Ärger über Karl Lessing Luft und bedankt sich bei der Berliner Polizei für das Verbot der Aufführung. Unter direktem Bezug auf Lessings Verdikt, daß die Ereignisse im Gelben Kreuz (Akt I) zu schmutzig und plump seien, »als daß man sie nur keuschen Ohren erzählen, geschweige keuschen Augen vorstellen«[12] könne, schreibt Wagner ironisch: »Jetzt ist es Mode, tugendhaft *scheinen zu wollen*, vielleicht *wird* man es einmal aus der nemlichen wichtigen Ursache. Jetzt hat alles keusche Ohren, der größte Haufen freche und buhlerische Augen, und ein unreines Herz: Tugend sitzt den meisten blos auf den Lippen, und giebt alle andre Zugänge der unverschämtsten Ausgelassenheit Preiß; wenn sich das einmal umkehrt, wirds wieder besser werden.«[13]
Wagners eigene Bearbeitung, die ebenfalls den ersten Akt wegläßt und dann im Gegensatz zur Erstfassung und zu Lessings Bearbeitung in allseitiger Versöhnung mit happy end und war-

nend erhobenem Zeigefinger abschließt, ist nun nicht etwa als Kompromiß, als Rückzug zu verstehen, sondern läßt sich als Satire auf das aufgeklärte Theater und die bürgerliche Dramatik der Vor-Sturm-und-Drang-Zeit interpretieren. Die Vorrede macht diese Intention des Autors mehr als deutlich. Den Stoff der *Kindermörderin* habe er so modifiziert, »daß er auch in unsern delikaten tugendlallenden Zeiten auf unsrer sogenannten gereinigten Bühne in Ehren erscheinen dörfte«.[14] Nur scheinbar wird das versöhnliche Ende zur Apologie der Gepflogenheit bürgerlicher Rührstücke. Wagners Sarkasmus ist unüberhörbar: »Da es nur denenjenigen neueren Trauerspiel-Dichtern erlaubt ist traurige Katastrophen anzubringen, denen man es bey jeder Scene ansieht, daß es ihr Ernst nicht ist, und daß die Leute auf dem Theater nur so zum Spaß sterben, so hab ich um allen meinen Zuschauern eine schlaflose Nacht zu erspahren auch die Mühe über mich genommen dem Ding am Ende eine andre Wendung zu geben, wofür mir, wie ich gewiß weiß die meisten Dank wissen werden.«[15]

Im Kampf gegen das herkömmliche Theater und dessen Publikum konnte Wagner sich der Unterstützung seiner Generationsgenossen sicher sein. In einem im *Deutschen Museum* abgedruckten Brief Schlossers an Boie heißt es zur zeitgenössischen Rezeption der *Kindermörderin*: »Nun kamen aber ich weis was für entnervte Kunstrichter und *dilettanti*, und das *operabuffa publicum* dahinter, und schrien [...] dann; o weg! weg! wer kan das sehn, wer tragen! uns traumt von dem Kind, uns wirds übel vor Angst; bey uns spukts die ganze Nacht wenn wir das sehn, wir bekommen Kopfweh, Herzklopfen, Wallungen – schickt uns doch nicht krank vom Theater! – Die seidenen Männerchen schrien mit und schnell war ein Dichter [Lessing] da, der wie der mit des freudigen Werters Blutpistole [Nicolai], auch hier Rath wuste. Der goss Rosenwasser über das so scheussliche Gemälde, parfümirte es wie er konte – die Farbe ging freylich aus, aber nun rochen doch die schönen Jungfern und die seidenen Herrn den glänzenden Firnis nicht mehr!«[16] Und Herder sagte, wenn auch nicht in direktem Bezug auf Wagners Stück, es sei »kein Verbrechen, unmoralische Sitten poetisch, theatralisch schildern; wohl aber moralische Sitten unpoetisch, der Dichtungsart, dem Ort, dem Zweck ungemäß schildern, das sei Verbrechen [...]«[17] Stärker als Herder freilich hielt Wagner am aufklärerischen Zweck fest. Mit Rousseau vertrat er die Ansicht, daß man das

Laster realistisch darstellen müsse, um es wirksam verhaßt zu machen, eine Ansicht, die damals keineswegs auf ungeteilten Beifall hoffen konnte.

Die lebhaften Auseinandersetzungen um Wagners *Kindermörderin* deuten an, daß Wagner mehr als nur eine Originalidee Goethes aufgegriffen hatte. Wichtiger zu betonen ist, daß Wagner in diesem Stück ein sozialhistorisch wie literarisch zentrales Thema der siebziger und frühen achtziger Jahre dramatisiert hat. Für diese Zeit allein werden in einer neueren Studie 13 literarische Gestaltungen des Themas nachgewiesen, wobei Puppenspiele, Bänkelsang und Volkslieder noch nicht einmal berücksichtigt sind.[18] Literarisch entwickelt sich das Motiv aus Darstellungen des verführten Mädchens, wie sie schon im bürgerlichen Trauerspiel der Aufklärung beliebt waren und wie sie unter dem Einfluß Richardsons auch in den Roman Eingang gefunden hatten. Das Thema des Kindsmordes ist nun aber nicht nur eine literarische Steigerung des Motivs verführter Unschuld. Es gewinnt seine explosive Aktualität im Sturm und Drang aus zweierlei Umständen: zum einen nimmt das Thema direkt Bezug auf Bestrebungen zur Strafrechtsreform, die in Deutschland schon mit Thomasius' Kampagne gegen Folter und Hexenprozesse begonnen und in den sechziger Jahren mit Voltaires Kampf gegen Rechtsverletzungen und Justizmorde in Frankreich sowie mit Beccarias aufsehenerregendem und vielübersetzten Buch *Dei Delitte e delle pene* (Verbrechen und Strafe, 1764) einen europäischen Höhepunkt erreicht hatten. Zum anderen nutzten die Stürmer und Dränger das Thema zu einem radikalen Angriff auf die herrschende Gesellschaftsordnung ganz generell. Die extreme Unnatürlichkeit des Kindsmordes steht ein für die Unnatur einer Gesellschaft, deren sozialpsychologische Mechanismen noch das Unnatürlichste als unvermeidlich, d.h. »natürlich«, erscheinen lassen.

Bis etwa zur Jahrhundertmitte war einziger Zweck des Strafrechts Abschreckung und Vergeltung gewesen. Auf Grund eines neuen bürgerlichen Begriffs von Menschenrecht und Menschenwürde sowie aus aufklärerischem Glauben an die Macht der Vernunft erhoben sich zusehends Stimmen, denen es auf die Verhütung von Straftaten und auf eine mildere Bestrafung der Täter ankam. In Deutschland wurden Kindsmörderinnen gemäß den Verordnungen der Peinlichen Hals-Gerichts-Ordnung Karls V. von 1533 lebendig in einen Sack eingenäht und wie Tiere ertränkt. Andere vorgesehene Strafarten waren das Begraben bei lebendigem Leibe, das Pfählen oder das Reißen mit glühenden Zangen als Vorstufe zum Ertränken. Für Preußen verfügte Friedrich II. gleich nach Regierungsantritt 1740, daß Kindsmörderinnen »bloß« enthauptet werden dürften. Dies trug ihm den Ruf eines Reformators ein. Aber noch das preußische Allgemeine Landrecht von 1794 sah nur dann von Enthauptung ab und erkannte auf Staupenschlag (Züchtigung mit Ruten am Schandpfahl) und lebenslänglich Zuchthaus, wenn vorsätzliche Tötung nicht schlüssig bewiesen oder Totgeburt nicht völlig ausgeschlossen werden konnte. Enthauptung blieb die gewöhnliche Strafart auch in der zweiten Hälfte des aufgeklärten Jahrhunderts. Bekannt ist Goethes Bericht von der Hinrichtung einer Kindsmörderin in Frankfurt, die er in seiner Jugend miterlebt hat. Abgeschafft wurde die Todesstrafe auf Kindesmord erst mit dem bayrischen Strafgesetzbuch von 1813, das die Gesetzgebung auch in anderen Ländern Deutschlands beeinflußte. Da Wagners Stück in Straßburg spielt, bleibt nachzutragen, daß in Frankreich auf Kindesmord ebenfalls die Todesstrafe stand, was ja in der letzten Szene des Stücks auch deutlich genug gesagt wird.

Diese faktischen Angaben rücken die Bemühungen aufgeklärter Juristen, Schriftsteller und Intellektueller um Reformen erst ins rechte Licht. Die gesellschaftliche Bedingheit individuellen Handelns wurde seit der Aufklärung erkannt, aber diese Erkenntnis wirkte sich nicht auf die strafrechtliche Praxis aus. Der größte Teil der juristischen und nationalökonomischen Literatur zum Thema des Kindsmordes kam aus dem Lager der Philanthropen. Die überwältigende Zahl der Antworten auf die in der Mannheimer Zeitschrift *Rheinische Beiträge zur Gelehrsamkeit* im Jahre 1780 vorgelegte Preisfrage, welches die besten und ausführbarsten Mittel seien, »dem Kindermorde abzuhelfen, ohne die Unzucht zu begünstigen« [19], zeigt, wie sehr das Thema die Zeitgenossen beschäftigte. Die meisten Antworten zeichneten sich durch aufklärerischen Reformidealismus aus. Die Verführten und Verlassenen sollten vor Schande und Elend bewahrt werden. Todesstrafe für Kindsmord sowie kirchliche und gerichtliche Bußen sollten abgeschafft werden. Man stritt für und gegen Findelhäuser, die vom Staate zu errichten seien. Und man suchte Mittel, den Verführer zur Verantwortung zu ziehen. Für diese Reformer stand der Kampf gegen die Ursachen des Kindsmordes im Vordergrund. In der siegreichen Preisschrift des Darmstädter Kammerrats Klippstein rangiert als erste Ursache die Scham vor der Welt, verbunden mit der Furcht vor Eltern und Verwandten, fernerhin der Haß auf den Verführer und die materiell meist ausweglose Lage der verstoßenen Mutter. In erster Linie jedoch bekämpften die Preisschriften mit den Mitteln der Aufklärung Sittenverfall und Weichlichkeit, Ausschweifung und Luxus: Reform also durch Volkserziehung unter streng bürgerlichen Vorzeichen. Die sozialen Verhältnisse, besonders der Standesdünkel des Adels gegenüber dem Bürgertum und des Bürgers gegen das niedere Volk, kommen in den Mannheimer Preisschriften nur am Rande zur Sprache. In Wagners *Kindermörderin* stehen sie im Zentrum. Die aufklärerischen Reformidealisten zeigten in erster Linie Sympathie und Mitleid für die Unterdrückten. Die Schriftsteller des Sturm und Drang richteten darüber hinaus ihre Attacke gegen die Mächte der Unterdrükkung selbst, gegen Staatsgewalt und Adel. In den radikalsten literarischen Gestaltungen von Verführung und Kindsmord ist der Konflikt jeweils klassenbezogen, spiegelt also reale Machtverhältnisse und ist nicht auf ein moralisches Problem reduzierbar, das mit den Mitteln der Aufklärung gelöst werden könnte. Dies gilt für Lenz' *Soldaten* und *Zerbino*, für Bürgers Ballade »Des Pfarrers Tochter von Taubenhain« und für Wagners *Kindermörderin.* Der Verführer ist sozial immer höhergestellt als die Verführte, wenn auch nicht immer von Adel. Aber selbst wenn das Geschehen in ländlich-dörflicher Umgebung und innerhalb einer sozialen Schicht stattfindet wie in Maler Müllers Idylle *Das Nußkernen*, bleibt der Sturm und Drang pointiert gesellschaftskritisch: »Was bracht' sie dazu? Hätte sie das Kind allein in einer Wüste unter wilden Thieren zur Welt bracht, gewiß hätte sie es nicht ermordet. O Menschen, Menschen! Ihr seyd ärger als Tiere!« Und weiter: »Wo soll so ein armes Kind die Kraft hernehmen, dem zischelnden Hohngelächter einer Welt zu begegnen? Absonderlich, wenn sie unter den Klauen unempfindlicher, unbarmherziger Anverwandten sich befindet, die statt sie zu trösten und ihren Schmerz zu lindern, durch ihre Vorwürfe sie noch mehr zerrütten und desto sichrer der Verzweiflung entgegentreiben.«[20]

Gewiß erklärt sich Evchens Melancholie, wachsende Verzweiflung und schließlich Flucht aus dem Elternhaus aus Furcht vor Schande, Furcht vor allem vor dem leicht aufbrausenden und jähzornigen Vater, der am Ende des zweiten Aktes droht, er werde seine eigene Tochter aus dem Hause werfen, sollte sie sich einen Fehltritt zuschulden kommen lassen. Wenn Wagner unter dem Einfluß von Rousseaus *Emile* vermutlich auch den Mißbrauch elterlicher Gewalt kritisieren wollte, so ist diese Kritik an der Autoritätsstruktur der bürgerlichen Familie für den Gehalt des Stücks jedoch nicht zentral. Denn erstens ist Meister Humbrecht am Ende bereit, seiner Tochter zu vergeben und sie gegen alle Anfeindungen der Gesellschaft zu verteidigen; und zweitens sitzt Humbrecht, der von Wagner mit viel Sympathie gezeichnet ist, keineswegs dem »falschen Ehrbegriff eines verknöcherten Handwerksstandes«[21] auf. Wer so argumentiert, projiziert das Bild Meister Antons aus Hebbels *Maria Magdalena* auf Wagners Stück. Meister Humbrecht ist in einem durchaus positiven Sinn klassenbewußt: »Ich hab' auch einen Stand, und jeder bleib' bei dem seinigen!« Das Ballgehen, so fährt Humbrecht fort, möge »für die vornehmen Herren und Damen, Junker und Fräuleins, die vor lauter Vornehmigkeit nicht wissen, wo sie mit des lieben Herrgotts seiner Zeit hin sollen« angebracht sein. Handwerksweiber und Bürgerstöchter jedoch sollten »die Nas' davon lassen«. Nicht weil dergleichen Vergnügen per se unmoralisch und unehrenhaft sei, sondern weil Übergriffe des Adels zu befürchten seien: »Wenn denn vollends ein zuckersüßes Bürschchen in der Uniform oder ein Barönchen, des sich Gott erbarm'! ein Mädchen vom Mittelstand an solche Örter hinführt, so ist zehn gegen eins zu wetten, daß er sie nicht wieder nach Haus bringt, wie er sie abgeholt hat.«[22] Und wenn das Bordell gleich in der ersten Szene von Gröningseck als Aufenthaltsort der höheren Gesellschaft, des beau monde, bezeichnet wird, so ist das zwar im Kontext ironisch gemeint, macht aber dennoch die Reaktion des Berliner Rezensenten verständlich, der die Bordellszenen mit dem Argument verteidigt, daß ein Bordell immerhin weniger schlimm sei als ein Tyrannenschloß – Sitz von Raub, Mord, und Gefühllosigkeit – oder ein französischer Hof, wo jede Dame mit allen Marquis kose, nur nicht mit ihrem Mann.[23] Auf eben diesen Zusammenhang von aristokratischer Unsittlichkeit und Unterdrückung, der Meister Humbrecht im Gegensatz zu seiner Frau völlig bewußt ist, kommt es Wagner an. Als Zeichen dafür steht die Vergewaltigung Evchens im Gelben Kreuz. Dennoch zeigt nicht nur das aggressive Standesbewußtsein Meister Humbrechts an, daß die in der älteren Standesgesellschaft eingefrorenen Verhältnisse

langsam in Bewegung gerieten. Auf andere Weise geschieht dies auch durch Humbrechts Frau, die wie Claudia Galotti von gesellschaftlichem Aufstieg träumt und sich wie des Musikus Miller Frau dem Adel bis in die Sprache hinein anzugleichen sucht. Auch daß eine Verbindung von Gröningseck und Evchen als reale Möglichkeit vorgeführt wird, deutet darauf hin, daß das Bürgertum auf die Eliminierung der Standesschranken drängte.
Nun hat Guthke jüngst Zweifel an der Schlüssigkeit von Wagners Gesellschaftskritik angemeldet. Eine Inkonsequenz will er darin sehen, daß die Schuld an Evchens Schicksal standestypischem Verhalten zugeschoben werde (und zwar sowohl Gröningsecks als auch der Eltern), daß die tragische Katastrophe aber nicht durch diese Verhältnisse herbeigeführt werde, sondern durch die infolge Krankheit verzögerte Rückkehr Gröningsecks und durch die Briefintrige Hasenpoths. Damit werde der Gesellschaftskritik bis zu einem gewissen Grade der Wind aus den Segeln genommen.[24] Mit tragischer Katastrophe meint Guthke offensichtlich den Kindsmord, nicht aber die Vergewaltigung, die durchaus mit dem standestypischen Verhalten des adligen Offiziers motiviert werden kann und ohne die auch die tragische Katastrophe hinfällig wäre. Wenn Guthkes Beobachtung auch richtig ist, daß Gröningsecks späteres Verhalten als standestypisches widersprüchlich ist, so ist doch nicht zu übersehen, daß Wagner gerade durch die Briefintrige garantiert, daß das standestypische Verhalten des Adels den Ausgang des Stückes bestimmt. Damit aber bleibt Wagners Gesellschaftskritik soziologisch fundiert. Vom dramaturgisch-ästhetischen Standpunkt kann man Hasenpoths Schurkerei mit einigem Recht als »plumpe Intrige eines Halunken«[25] abqualifizieren; nicht einmal persönliches Interesse wie bei Schillers Sekretarius steckt dahinter. Hasenpoths Verhalten entspricht jedoch der Logik der Gesellschaftsordnung, um deren Darstellung es Wagner zu tun ist: »Der Lieutenant von Gröningseck die Humbrechtin! – Unmöglich.«
Aufschluß über die Intentionen Wagners verschafft Louis-Sébastien Merciers Abhandlung *Du Théatre, ou Nouvel Essai sur l'Art Dramatique* (1773), die Wagner auf Anregung Goethes übersetzte und mit einem Anhang *Aus Goethes Brieftasche* 1776 veröffentlichte. Es ist nicht daran zu zweifeln, daß Wagners dramatische Praxis stark von Mercier beeinflußt ist. Darüber hinaus sieht Szondi in Merciers Schrift »die wichtigste theoretische Be-

gründung des bürgerlichen Trauerspiels der siebziger Jahre« und betont mit Recht, daß sie »ein Ereignis weit mehr der deutschen als der französischen Literaturgeschichte«[26] geworden sei. Der Sturm-und-Drang-Generation empfahl sich Mercier allein schon durch sein Eintreten für die Rechte des poetischen Genies und seine Kritik an der normativen Gattungspoetik der französischen Klassik und Nachklassik. Fast noch wichtiger aber ist, daß Mercier seine Kritik ästhetischer Formen in einer radikalen, auf 1789 vorweisenden Gesellschaftskritik verankerte, mit der er Wagner deutlich beeinflußte und Lenz' dramaturgische Intentionen zumindest bestätigte. In der Tat wäre zu fragen, ob nicht Wagners Dramaturgie nur von Mercier her adäquat begriffen werden kann. Natürlich muß eine solche Deutung tentativ bleiben, da Wagner im Gegensatz zu Lenz sich als Dramentheoretiker nicht hervorgetan hat; seine Lessing nachempfundenen *Briefe, die Seylersche Schauspielergesellschaft betreffend* (1777) können nicht als Versuch kohärenter Theoriebildung gewertet werden. Mercier wurde für den Sturm und Drang das, was Diderot für Lessing gewesen war. Und wie Lessings *Emilia Galotti* den Stürmern und Drängern einen wichtigen Impuls vermittelt hatte, so hat Mercier seinerseits der Theorie Diderots Entscheidendes zu verdanken, deren wirkungsästhetische und gattungspoetische Gedanken er weiterzutreiben versucht.

Der Dramatiker, so rät Mercier, solle sich beim ehrlichen Bürgersmann zu Gast laden, aber anders als Diderot genügt es Mercier nicht, ein *tableau* des bürgerlichen Lebens mit seinen natürlichen Sitten zu malen. Im Gegensatz zur Mehrzahl der bürgerlichen Rührstücke und Trauerspiele solle das häusliche Leben nicht als Privatsphäre vorgeführt werden. Mercier hat es »gerade auf die Stellen abgesehen, an denen die im Staat und in der Gesellschaft herrschenden Kräfte in die ›vie domestique‹ einbrechen«.[27] Mercier geht damit einen entscheidenden Schritt über Diderot hinaus: »Hier [in der Familie des ehrlichen Bürgers] siehst du vielleicht diese Stutzerchen als feine Betrüger in der Absicht erscheinen, den guten Alten zu prellen oder seine Tochter zu verführen. Dies ist der Augenblick, nimm deine Palette und laß jedem sein Recht widerfahren.«[28] Die unmittelbare politische Wirkungsabsicht Merciers wird in der Schlußformulierung des »fais justice« besonders deutlich. Lessings Mitleidskonzeption erscheint hier radikalisiert; aus »sich fühlender Menschlichkeit« des individuellen Bürgers macht Mercier eine

Solidarisierung der Citoyens, die allerdings im Gegensatz zu Lenz noch über die Erregung von Mitleid vermittelt ist. Im übrigen haben wir in der zitierten Passage exakt die Ausgangssituation zu Wagners *Kindermörderin*.

Schon von Beginn des Stücks an ist die bürgerlich familiäre Privatsphäre nicht mehr Zufluchtsort vor der Welt, geschützter Innenraum wie etwa in Diderots Stücken, sondern ist geprägt durch den Einbruch des Adels, dessen Machenschaften nach und nach den als natürlich verstandenen Familienzusammenhalt zerstören. Im 5. Akt dann tritt die Staatsgewalt selbst in Meister Humbrechts Haus auf, und zwar in Gestalt der beiden Fausthämmer (Büttel), die zusammen mit dem Staatsanwalt auch in der Schlußszene des 6. Aktes auf der Bühne anwesend sind und damit die Familientragödie zu einer Staatsangelegenheit machen. Daß Wagner den Konflikt des Bürgertums mit dem Adel zugleich als Auseinandersetzung mit der staatlichen Obrigkeit begreift, zeigt jene Szene im 5. Akt, in der Meister Humbrecht mit einem spanischen Rohr auf einen der Fausthämmer einschlägt, weil dieser ein fünfjähriges Kind wegen unerlaubten Bettelns zu Tode geprügelt hat. Dieses Motiv ist besonders glücklich gewählt, weil es zugleich die Willkür von Gesetzgebung und Rechtsprechung drastisch vor Augen führt. Evchen wird für eine Tat bestraft, die der Büttel ungestraft begehen durfte. Wie Evchen Opfer der Rankünen der herrschenden Gesellschaftsschicht wird, wurde das um Brot bettelnde Kind Opfer der Staatsgewalt. Das bürgerliche Drama ist bei Wagner ebenso radikal politisiert wie in Merciers Theorie.

Unbeantwortet ist damit noch die von Guthke und anderen aufgeworfene Frage, ob die Reue Gröningsecks und seine Bereitschaft, Evchen zu heiraten, nicht die Adelskritik unterlaufe, bzw. direkt in den Klassenkompromiß führe.[29] Eine allzu eindeutige Antwort auf diese Frage gab Peter Hacks in seiner Bearbeitung der *Kindermörderin* (1963). In einem der Bearbeitung beigefügten »Brief an einen Dramaturgen« stellt Hacks die These auf, Gröningseck komme zu spät, weil er zu spät kommen wolle: »Gröningsecks zufälliges Ausbleiben und Hasenpoths selbstlose Bosheit sind ihm [H. L. Wagner] nur theatergängige Maskierungen für das entscheidende Hindernis: die Existenz von Klassenschranken. [...] Die Klassenfrage einmal gestellt, entpuppt sich Gröningsecks (anscheinend schwächliches) Zaudern als das Ringen eines besseren feudalen Selbst gegen die Anwandlung einer entwürdigenden Verliebtheit, Hasenpoths Bosheit als höchste feudale Tugend.«[30] Interessanterweise greift Hacks nun auf Wagners Zweitfassung zurück, die ihm erlaubt, das traurige Ende zu einem produktiven zu wenden. Evchen spiegelt den Mord nur vor, erkennt die schurkische Gesinnung ihres Leutnants und zieht mit ihrem Kind allein in die Fremde, späte Nachfahrin jener freilich zumeist männlichen Sturm-und-Drang-Charaktere, die allein auf sich selbst gestellt aller Welt die Stirn bieten. Unhistorisch ist beides: die Erhebung Evchens zur selbständig handelnden Heldin wie die Reduktion Gröningsecks auf den Klassenstandpunkt, der ihn automatisch zum Lumpen stempelt. Recht hat Hacks nur mit seiner Deutung Hasenpoths. Gerade jedoch weil Hasenpoth den Klassenstandpunkt des Adels bekräftigt und die Hochzeit zwischen dem adligen Offizier und der Metzgerstochter hintertreibt, kann Wagner Gröningseck als einen jener haltlosen Gefühlsmenschen darstellen, deren gute Vorsätze nicht trotz, sondern wegen ihrer privilegierten gesellschaftlichen Stellung nicht zur Ausführung gelangen. Verwandt ist Gröningseck darin vor allem dem Prinzen von Guastalla in Lessings *Emilia Galotti* und dem Goetheschen Clavigo. So gesehen tut Gröningsecks Reue Wagners Adelskritik durchaus keinen Abbruch. Im Gegenteil. Bürgerliche Empfindsamkeit des adligen Offiziers schlägt zerstörerisch auf das Bürgertum zurück, dessen Gefühlskultur zwar den aristokratischen Lebensstil in Frage stellen kann, aber gesellschaftliche Strukturen zu verändern nicht imstande ist. Auch vom dramaturgischen Standpunkt her ist es unumgänglich, daß Gröningseck ein freundlicher, empfindsamer Mensch ist; anders wäre kaum glaubhaft zu machen, daß das selbstbewußte, durch und durch tugendhafte Evchen sich trotz Vergewaltigung in ihn verliebt und ihrerseits bereit ist, ihn zu heiraten. Man könnte auch argumentieren, daß der zerstörerische Einbruch adligen Standesdünkels in die bürgerliche Privatsphäre (Briefintrige) um so stärker mitleiderregend wirkt, als ja nach der scheinbaren Bekehrung Gröningsecks am Ende des I. Aktes die Möglichkeit einer glücklichen Wendung nicht mehr ausgeschlossen ist. Und um die Erregung von sozial wirksamem Mitleid geht es wie Mercier auch Wagner. Inwieweit Wagner sich der Hoffnung hingab, daß die Erregung von Mitleid für die Unterdrückten auch die Unterdrücker zur Umkehr veranlassen und eine Verbesserung der Gesellschaft bewirken könne, mag dahingestellt bleiben. Briefstellen von 1777 ist zu entnehmen, daß Wagner an die Fähigkeit der Bühne glaubte, das Laster durch realistische Darstellung verhaßt zu machen, und er besteht darauf, daß es dem Dichter erlaubt sein müsse, Laster in ihrer ganzen Ekel und Abscheu erregenden Blöße dem Publikum als Spiegel vorzuhalten.[31] Hier steht Wagner den aufklärerischen Erziehungsvorstellungen des Magisters in der *Kindermörderin* durchaus nahe. Andererseits war er sich nach dem Verbot des Stücks seiner begrenzten Wirkungsmöglichkeit wohl bewußt, wie die Vorrede zur Zweitfassung von 1779 deutlich macht: »Einige philosophisch prüfende Kosmopoliten waren der Meinung, eine auf Befehl der Polizey in einem wohlregierten Staat monathlich wiederholte Vorstellung könnte nach und nach dies immer unnatürliche nie ganz willkührliche Verbrechen an seiner Wurzel untergraben und ausrotten. Ein süsser Traum! welcher aber auch als solcher schon der Menschheit zur Ehre gereicht, und einer Probe wohl werth wäre, wenn unsre Zeiten es nur erlaubten ihn zu realisieren. Daß dieses aber jetzt und gewiß so bald noch nicht thunlich seyn würde, davon war niemand mehr überzeugt als ich.«[32] In der anklingenden rousseauistischen Kontrastierung generell verderbter Gesellschaft und unverderbter Natur deutet sich einmal mehr Aufklärungskritik des Sturm und Drang an. Dem Glauben an Veränderung durch radikale Aufklärung mittels Theater und Schauspiel steht die Einsicht in die reelle Unwirksamheit der Aufklärung gegenüber. Diese Einsicht hat sich im Stück selbst der Figur des Magisters mitgeteilt, der als aufgeklärter Kommentator die Handlung begleitet und schon durch seine gelehrt akademische Sprache von den realen Vorgängen im Stück getrennt ist. Auch richtet er ebensowenig aus wie der Geheime Rat in Lenz' *Hofmeister*.

Wie nahe Wagners Trauerspiel auch formal ästhetisch an Lenz' Komödien steht, hat Johannes Werner nachgewiesen. Das scheinbare Chaos disparater Motive und Einfälle sowie der beiden Autoren häufig vorgeworfene Mangel an dramatischer Form erweisen sich auch bei Wagner als Resultat bewußter Kunstanstrengung. Freilich bedarf es eines literatursoziologischen Ansatzes, um zu verstehen, daß so disparate Themen wie Prostitution, Bälle, Glücksspiel, Religion, Duell und Polizeiwesen mit dem Zentrum des Stücks, Mésalliance und Kindsmord, subtil verflochten sind.[33] Wagners Szenentechnik mit ihren »harten, gleichsam filmischen Schnitten«,[34] mit ihrer Zerstückelung und Sprunghaftigkeit entspricht der im Sturm und Drang erstmals breit entwickelten Form des offenen Dramas. Diese offene Form reflektiert auch bei Wagner kein bloß ästhetisches, sondern ein zugleich gesellschaftliches Experiment. In Zerstückelung und Bruchstückhaftigkeit der Form spiegelt sich die der Personen, die, indem sie mit ihren Widersprüchen, Schwächen und Beschädigungen gezeigt werden, darauf aufmerksam machen, daß sie unter anderen Umständen anders sein könnten.[35] Wo im traditionellen Charakterdrama die Einheit und Integrität der Person gewahrt bzw. postuliert blieb, zerfällt solche Einheit hier unter dem Druck der Verhältnisse in ihre Bestandteile, am deutlichsten sichtbar im Verhalten Meister Humbrechts, das zwischen brutaler Grobheit und liebevoller Zärtlichkeit hin- und herschwankt, und in der beklemmenden Szene im letzten Akt, in der Evchen emotional und psychisch zerbricht und in einem Anfall von Raserei ihr Kind tötet, eine Szene, die in der deutschen Literatur ihresgleichen sucht.

Gerade über den Wahnsinn Evchens ist Wagners Trauerspiel mit dem Kern der Sturm-und-Drang-Problematik engstens verknüpft. Für Johannes Werner ist dieser Wahnsinn nicht nur Ausdruck der im Sturm und Drang programmatischen Betonung von Affekten und Leidenschaften gegenüber dem bloß Rationalen, sondern mehr noch Ausdruck einer zugrunde liegenden melancholischen Disposition, die im Stück gründlich vorbereitet ist.[36] Gesellschaftlich unterdrückte Natur, die sich in Evchens resignativer Melancholie, in ihrer schwermütigen Begeisterung für Edward Youngs *Night Thoughts* und in ihren leitmotivisch wiederkehrenden Todesahnungen schon früh im Drama äußert, bricht sich im Schlußakt mit der Gewalt und Brutalität einer Naturkatastrophe Bahn. Die von der bürgerlichen Gesellschaft und ihrem Tugendkanon geforderte Kontrolle über die eigene Natur schlägt um in zerstörerische Herrschaft der Natur selbst. *Die Kindermörderin* erweist einmal mehr, daß die von Mattenklott an Klinger, Leisewitz und Lenz herausgearbeitete Melancholieproblematik in der Tat konstitutiv für den Sturm und Drang ist, nur eben doch in anderer Weise, als Mattenklott behauptet. Erscheint bei Mattenklott Melancholie nicht als Folge, sondern als Ursache politischer Ohnmacht, geht also dem Sturm und Drang schon voraus und begründet a priori sein Scheitern, so zeigt Wagners Stück Melancholie als Resultat gesellschaftlicher Verhältnisse. Erst nach ihrer Vergewaltigung ist Evchen in einer Lage, die sie zu untätigem und ohnmächtigem Abwarten verdammt. Die Verhältnisse erst treiben Melancholie und Wahnsinn hervor, die dann im Kindsmord ihr logisches Ende finden. Was Peter Szondi zum naturalistischen Drama gesagt hat, gilt auch hier: »Der soziale Dramatiker versucht die dramatische Darstellung jener ökonomisch-politischen Zustände, unter deren Diktat das individuelle Leben geraten ist. Er hat Faktoren aufzuweisen, die jenseits der einzelnen Situation und der einzelnen Tat wurzeln und sie dennoch bestimmen.«[37] Diese Dialektik zwischen einzelner Tat und gesellschaftlichen Zuständen hält Wagner, auch darin erstaunlich modern, bewußt offen, indem der Zuschauer am Ende des Stücks nicht erfährt, ob Evchen gerettet werden kann oder wie alle damaligen Kindsmörderinnen dem Schwert verfällt. Werner schreibt dazu: »Ob Rettung oder Untergang: indem das Drama dies im Ungewissen und in der Schwebe läßt, somit jeder Lösung sich versagt, verweist es darauf, daß die von ihm selbst dargestellten Konflikte auch in der Realität ungelöst und nur in ihr, der politischen Praxis, nicht aber in der ästhetischen zu lösen sind. Schickte es das Publikum nicht mit dem Stachel ausgebliebener Befriedigung nach Hause, dann müßte es die Zustände entweder, sie bloß abbildend, bestätigen oder (was schlimmer wäre) sie überspringen, insofern ein glücklich gelöster Einzelfall über das allgemein ungelöste Unglück hinwegtäuschte.«[38] Kritik an der Aufklärung, deren Stücke durchweg mit eindeutig moralischem Urteil zu enden pflegen, also auch hier, und zwar wie bei Lenz nicht nur im Inhalt, sondern, damit verknüpft, auch in der Form. Dem doppelten Nicht-Schluß in Lenz' *Hofmeister* entspricht die Verweigerung eines Schlusses bei Wagner. Daß Wagner selbst der Gedanke an alternative gesellschaftliche Verhältnisse nicht fremd war, zeigt eine Äußerung im Stück, die der Autor der doppelt vergewaltigten Frau in den Mund gelegt hat:

Evchen: O wenn ich ein Mann wäre!
Frau Humbrecht: Was wärs?
Evchen: Noch heute macht ich mich auf den Weg nach Amerika, und hälf für die Freiheit streiten.[39]

Wer dann freilich nach Amerika zog, von deutschen Fürsten an die Kolonialmacht England verschachert und gezwungen, *gegen* die Sache der Freiheit zu kämpfen, zeigt wenige Jahre später Schillers *Kabale und Liebe*.

4. Friedrich Maximilian Klinger: Die Zwillinge

Im Februar 1775 setzten die Prinzipale der Ackermannschen Schauspielgesellschaft in Hamburg, Friedrich Ludwig Schröder und Sophie Charlotte Ackermann, einen Preis von 20 Louisd'or aus für ein gutes »Originalstück, von drei oder fünf Akten, es sey Trauer- oder Lustspiel«. Folgende Bedingungen waren an dies für damalige Verhältnisse großzügige Honorarangebot geknüpft. Das Stück, vorzugsweise in Prosa gewünscht, solle »sittlichen Inhalts« sein, es dürfe keine großen Ausstattungskosten verursachen und die Anzahl der Rollen solle sich in Grenzen halten. Da laut Ankündigung ausdrücklich jedes brauchbare Stück honoriert werden sollte, handelte es sich also keineswegs um ein Preisausschreiben, wie es noch jede gängige Literaturgeschichte und ein Großteil der Sekundärliteratur behaupten. Zu einer Art Wettbewerb wurde die Sache erst durch Klinger, der von Johann Martin Miller, dem Göttinger Hainbündler und Verfasser des *Siegwart*, hörte, daß Johann Anton Leisewitz ein Brudermorddrama für die Hamburger Bühne verfasse, und der nun im Sommer 1775 in bewußter und gewollter Konkurrenz zu Leisewitz sein Trauerspiel *Die Zwillinge* entwarf.
Ein drittes Drama, das eingereicht wurde, hatte ebenfalls den Bruderkonflikt zum Thema, wurde aber von den Preisrichtern als unbrauchbar abgelehnt. Da nun mit der Prämierung eine Aufführung verbunden war, und da die Ackermann-Schrödersche Truppe nicht zwei zumindest dem Thema nach fast gleichartige Stücke in ihr Repertoire aufnehmen konnte, mußte zwischen Leisewitz' und Klingers Stück eine Entscheidung gefällt werden. Für beide Stücke gab es gute Gründe und Gegengründe, aber nicht zuletzt dank Schröders Fürsprache erhielten die *Zwillinge* die Prämie. Einige Jahre später ließ Schröder freilich dann auch Leisewitz' *Julius von Tarent* aufführen. In der Urteilsbegründung, die Leisewitz großes Lob spendete, hieß es, daß Klingers Stück dem Leisewitzschen »die mächtige gewaltige Triebfeder der unentschieden gebliebenen Erstgeburt«[1] voraushabe. So hatte denn Klingers Stück im Februar 1776 in Hamburg Premiere und erschien im gleichen Jahr im ersten Band des von Schröder zur Förderung der deutschen Dramatik herausgegebenen »Hamburgischen Theaters«.

Von Anfang an war die Rezeption der *Zwillinge* zwiespältig. Der Hamburger Premiere war kein Erfolg beschieden. Die Aufführung akzentuierte die Dynamik der Leidenschaften noch, steigerte sie teilweise ins Grausige, in bloße Raserei und überforderte damit das Fassungsvermögen des Hamburger Publikums.[2] In der Folgezeit war das Stück dann doch recht erfolgreich und machte vor allem einen großen Eindruck auf die Sturm-und-Drang-Generation, deren zentrales Anliegen es zu artikulieren schien. Christian Boie, Organisator des Göttinger Hainbundes, schrieb am 10. Juni 1776 an Friedrich Wilhelm Gotter: »Ein Stück voll Kraft und, wie mirs scheint, Überkraft.« Und noch der späte Klinger deutete das Stück im Rückblick als Ausdruck des Sturm und Drang, »als Werk der Jugendkraft, als wahrer Ausdruck der Leidenschaft« (8. Juni 1809)[3] und nahm es als einziges Jugendwerk in den ersten Band der *Werke* (1815) auf. Dennoch ist Schneiders Behauptung, daß »dieser löwenstarke, raubtierwilde Guelfo [...] zum Liebling einer kraftsüchtigen, sich zurückgesetzt fühlenden Jugend«[4] wurde, nur zum Teil richtig. Gottfried August Bürger, selbst Stürmer und Dränger und somit kaum durch den Ausdruck roher Kraft und wilder Leidenschaften zu schockieren, schrieb 1780: »Wie könnt Ihr, liebe Leute, Euch von der übertriebenen Sprache hintergehen lasen, das Stück schön finden! Ich weiß wohl, es geschieht mehreren gescheuten Leuten; aber beherzigt das Ding einmal recht! Es ist kein einziger natürlicher Charakter darin. Der Guelfo ist eine Bestie, die ich mit Wohlgefallen für einen tollen Hund totschießen sehen könnte. Von Lisboa bis zum kalten Oby, wie Ramler singt, ist außer dem Tollhause kein solcher Charakter. Es gibt freilich wohl noch boshaftere Buben; allein, wenn sie anfangen, so toll und rasend zu werden, wie Guelfo, so sorgt gewiß die Polizei, sie an Ketten zu legen.«[5]

Die Forschungslage ist ebenso widersprüchlich und außerordentlich komplex. Abgesehen von den frühen Texten Goethes und Schillers hat wohl kaum ein anderes Sturm-und-Drang-Stück so viele Deutungen auf sich gezogen. Konsensus besteht dabei nur insofern, als die Forschung dieses Trauerspiel – aus freilich sehr unterschiedlichen Gründen – als das gelungenste Jugendwerk Klingers einstuft und allgemein die zentrale dramaturgische Stellung Guelfos betont. Hier liegt natürlich ein bemerkenswerter Unterschied zu Leisewitz' *Julius von Tarent* und zu Schillers *Räubern*, wo auch dem jeweils zweiten Bruder Raum zur Entfaltung geboten wird. Guelfos Zwillingsbruder Ferdinando aber tritt nur in wenigen Szenen auf und dient fast ausschließlich als Folie für den Haß Guelfos, der sich als angeblich Zweitgeborener seit frühester Kindheit benachteiligt wähnt und seinen Bruder erschlägt, als dieser sich weigert, freiwillig auf sein zweifelhaftes Erstgeburtsrecht und damit auf sein Erbe zu verzichten. Jede Interpretation also, die Guelfos Charakter und Funktion mißversteht, muß notwendigerweise die Erkenntnis des gesamten Stücks verstellen. Als Hemmnis für ein adäquates Verständnis Guelfos nun wirkte sich vor allem die Suggestionskraft der Epochenbezeichnung Sturm und Drang und ihres vorzüglichen Charakteristikums, des großen Kerls, aus. Die Einsichten Bürgers, noch in Hettners *Literaturgeschichte des 18. Jahrhunderts* zustimmend zitiert, gingen nicht erst und nicht nur bei jenen deutschtümelnden Interpreten verloren, deren Erkenntnisinteresse durch die Verherrlichung des großen Kerls und die Kanonisierung des Sturm und Drang als Beginn der »Deutschen Bewegung« bestimmt war. Schon 1883 beschrieb August Sauer *Die Zwillinge* als »die erste große deutsche Charaktertragödie«.[6] Korff betont 40 Jahre später den »gewaltsamen Ausbruch des neuen individualistischen Gefühls« und spricht vom Konflikt des starken Individuums mit der Gesellschaft sowie vom »natürlichen Herrscherrechte des Starken«.[7] Nach Schneider »scheint es Klinger [...] darauf angelegt zu haben, daß uns die Unbedingtheit der Leidenschaften in ihrer Unbotmäßigkeit gegenüber den Herrschaftsansprüchen des sittlichen Willens mit aller Deutlichkeit einsichtig wird«.[8] Ähnlich wie Korff spricht auch Schneider unkritisch vom »Privileg des körperlich Stärkeren und seelisch Urwüchsigeren«[9], und noch Newalds Literaturgeschichte reduziert das Stück auf elementare Leidenschaft, die sich hier ihren Ausdruck suche.[10] Die Ansicht Newalds verweist zugleich auf das Problem der unzulässigen Biographisierung, die mehr oder minder deutlich ausgesprochen den affirmativen Deutungen Klingers und Guelfos als Zwillingsexponenten des Sturm und Drang zugrunde liegt. Demgegenüber warnte Kurt May schon 1933 vor einer Überinterpretation des jungen Klinger »vom jung-goethischen Sturm und Drang her«[11] und zeigte anhand von Briefäußerungen Klingers, wie der Autor schon in seiner Sturm-und-Drang-Phase sich immer wieder von aufwallenden leidenschaftlichen Gemütsäußerungen distanziert, wie Leidenschaft ebenso schnell abebbt, wie sie aufbraust.

Diese richtige Beobachtung Mays führte in der Folge aber wieder zu einer anderen Art von Biographisierung zurück, jetzt nicht mehr vom jungen, sondern vom klassischen Goethe her gesehen. Christoph Hering wertet in seinem Klinger-Buch die in den Briefäußerungen nachweisbare »Maßhaltung und Reife«[12] als Zeichen dafür, daß Klinger sich frühzeitig vom Sturm und Drang abzusetzen versucht habe, und konstruiert von da aus eine einheitliche Entwicklung des Dichters, der nunmehr als verkannter Klassiker eingestuft wird. Ein echter Stürmer und Dränger sei Klinger »nur zu gewissen Zeiten während der Jahre 1774–76, und da nur unter dem Einfluß vorübergehender Stimmungen«[13] gewesen. Bezeichnend für Klinger sei eben, daß er Tragödien geschrieben habe, die nicht vom Triumph, sondern vom Untergang des großen Kerls handeln – ein Argument, mit dem Hering die Distanz Klingers zum Sturm und Drang belegen will und damit die Verhältnisse auf den Kopf stellt. Während der Geistesgeschichtler Korff Klingers *Zwillinge* immerhin in einem Kapitel über den »Freiheitskampf gegen die Gesellschaft« abhandelt, resümiert Hering lakonisch: »So schreibt kein Empörer.«[14] Und was an Rebellion und Aufbegehren in Klingers Leben und Schaffen dann doch nicht wegzuleugnen ist, wird als Pubertätsphänomen abgetan, natürlich immer zugunsten der These von Klingers kontinuierlicher Entwicklung zum Klassiker hin.

Zu einem ausgewogeneren Urteil kommt Guthke, der zwar auch Klingers Streben nach Festigkeit und Stärke des Charakters und damit die in den *Zwillingen* schon angelegte Überwindung des Sturm und Drang betont[15], andererseits aber Klingers Sturm-und-Drang-Dramen nicht einfach als »Befreiungsexzesse eines gestauten Vitalismus«[16] erledigt. Funktion seines Dichtens sei nicht Bekenntnis, sondern Therapie, »erleichterndes Abreagieren der eigenen Emotionen«.[17] So sei es denn durchaus plausibel, wenn Klinger an Guelfo »die problematischen, ja: pathologischen Seiten willentlich oder unwillentlich mindestens ebenso stark akzentuiert wie die idealen, vorbildlichen«.[18] Guthkes Deutung hält die Mitte zwischen positiver Guelfo-Deutung und deren negativem Gegenstück, das sich vor allem in der außerdeutschen Germanistik durchgesetzt hat.

Roy Pascal sprach hinsichtlich Guelfo vom pathologischen Umschlag des Machtwillens in Neid, Bosheit und krankhafte Wut[19]; Garland von seiner kaltblütigen Grausamkeit, von der pervertierten Eitelkeit eines verwöhnten und launischen Kindes[20];

Snapper gar von krankhafter Mutterbindung und regressiver Infantilität.[21] Es überrascht natürlich nicht, daß Hering sich in seinem Standardwerk über Klinger dieser Richtung anschließt, geht es ihm doch darum, Klingers Sturm und Drang als zeitweilige Gefühlsverwirrung zu erklären. So spricht er von der »Haltlosigkeit von Guelfos Gefühlswirren«[22], von seiner »blindwütigen Triebhaftigkeit«[23] und folgert unter Hinweis auf Grimaldis Manipulationen: »Der düstere zerquälte Guelfo ist kein Mann, der aus echter Kraft handelt, sondern der Enterbte und Verarmte, der sich aus dumpfem Groll erst zur Auflehnung gegen sein Schicksal antreiben lassen muß.«[24] Guthke hat mit Recht darauf verwiesen, daß die deutsche Forschung, solange sie im Banne der Ideologie vom deutschen Kraftgenie stand, die pathologischen Züge Guelfos einfach nicht wahrhaben wollte.[25] Wenn Hering nun aber ausschließlich das Getriebene, das Zerquälte an Guelfo herausstellt, so verfällt er in einen der Genieideologie entgegengesetzten Fehler, leugnet im Grunde den rebellisch sozialkritischen Charakter der Sturm-und-Drang-Bewegung, zu der der junge Klinger gehört, und verstellt sich den Blick auf die Dynamik der deutschen Literatur in der zweiten Hälfte des 18. Jahrhunderts.

Daß die jüngere negative Deutung Guelfos nur die Kehrseite der älteren positiven ist, deutet sich auch darin an, daß beide Thesen der biographisch-geistesgeschichtlichen Betrachtungsweise verhaftet bleiben. Die einen machen Klinger und Guelfo zu echten Kraftgenies und Repräsentanten der Epoche; den anderen soll die Distanz, die Klinger zu seinem leidenschaftlichen Helden einzunehmen scheint, beweisen, daß der Dichter darum bemüht sei, sich aus jugendlichen Geistesverwirrungen herauszuarbeiten. Die affirmative Sicht glorifiziert mit Guelfo den Sturm und Drang als Beginn der »Deutschen Bewegung«. Die kritische Sicht andererseits läuft, zumindest bei Hering, auf eine Abwertung von Klingers Sturm und Drang hinaus. Keine der beiden nur scheinbar so unterschiedlichen Deutungen jedoch führt wirklich weiter. Beide sind teilweise richtig, teilweise falsch und lassen sich aus dem Text sowohl belegen als auch widerlegen. Beide aber verweisen auf einen allgemeineren Gegensatz, der von der Forschung seit langem erkannt und der im Sturm und Drang selbst als immanenter Widerspruch angelegt ist. Es ist der Gegensatz von naturhafter Stärke und gesellschaftlich bedingter Schwäche, von Tatendurst und melancholischer Verzweiflung, von Selbstbewußtsein und Selbstaufgabe, von Affirmation und Negation des Ich. Dieser Gegensatz ist konstitutiv für die Epoche und erscheint in je und je verschiedenen Ausprägungen in der Literatur: Werther und Götz, Ganymed und Prometheus, Guelfo und Grimaldi. Es kommt nun aber darauf an, diesen Widerspruch dialektisch und nicht dualistisch oder gar als einfaches Nebeneinander, als Sowohl-als-auch zu begreifen.

Nur wenig helfen hier freilich unvermittelte marxistische Klassenkampfthesen weiter, die in Klingers Drama nur Auflehnung gegen feudale Ungleichheit[26], die Widerspiegelung bürgerlichen Protests gegen die feudalistische Moral[27], ja plebejischen Radikalismus[28] sehen. Das Auspeitschen des Pächters durch Guelfo etwa wird dabei durch die Erklärung verharmlost, Guelfo sei eben nicht nur Rebell gegen die Feudalordnung, sondern gleichzeitig deren typisches Produkt.[29] Guelfos Brutalität wird hier apologetisch verschleiert zwecks Aufrechterhaltung des antifeudalen Heldennimbus. Das las sich in der bürgerlichen Germanistik kaum anders; nur war dort von Guelfos unbezähmbarem Temperament die Rede, das er gelegentlich an Unschuldigen und Unbeteiligten auslasse.[30] Auch in der Beurteilung Grimaldis als »willenloser Deklassierter«[31] nähert sich solche marxistische Interpretation dem moralisierenden Urteil eines bürgerlichen Literaturwissenschaftlers wie Erich Schmidt, für den Grimaldi nichts weiter ist als »der morsche, körperlich und geistig sieche Pessimist«.[32] Die klassenkämpferische Lesart bleibt zudem einem, wenn auch gesellschaftlich erweiterten, Biographismus verhaftet: der anti-feudale Rebell Guelfo steht ein für die Gesellschaftskritik Klingers und diese ihrerseits für anti-feudalistische Tendenzen im deutschen Bürgertum der Zeit.

Nun kann man gewisse marxistische Positionen mit Recht kritisieren, sollte dann aber solche Kritik nicht dazu mißbrauchen, die Frage nach der gesellschaftlichen Bedeutung des Stücks von vornherein auszuklammern, wie etwa Guthke es tut.[33] Die beiden ergiebigsten Ansätze zu einer Neuinterpretation der *Zwillinge* geben die fast ausschließliche Konzentration auf Guelfo auf und versuchen, das Stück in einen größeren historischen Zusammenhang zu stellen. Unter dem Einfluß von Walter Benjamins Trauerspiel-Buch interpretiert Gert Mattenklott *Die Zwillinge* sozialpsychologisch von der Melancholiethematik her[34], und Fritz Martini versucht, das gesellschaftskritische Moment der Bruderkonfliktdramen des Sturm und Drang in deren An-

griff nicht auf die Feudalordnung schlechthin, sondern auf die Autoritätsstrukturen der Familie zu lokalisieren.[35] Beide Interpretationen haben somit zwar einen eingeschränkten Blickwinkel, tragen aber gerade deswegen zu einem besseren Verständnis der *Zwillinge* sowie der Sturm-und-Drang-Bewegung ganz generell bei.
Mattenklott weist an zahlreichen Einzelzügen nach, daß Klingers Trauerspiel eine Neigung zur Allegorisierung mit dem Trauerspiel des Barock gemein habe. Untermauert wird dadurch sowohl Bürgers Beobachtung von der Unnatürlichkeit der Charaktere als auch der häufig gegen Klinger erhobene Vorwurf des Intellektualismus. Diese Allegorisierung manifestiert sich zentral in der Dekomposition eines Charakters, des alten Guelfo, in absolut Entgegengesetztes in seinen beiden Söhnen (vgl. I, 4). Während der Vater Tapferkeit im Krieg und überlegte Besonnenheit in sich vereinte, treten diese Eigenschaften in Ferdinando und Guelfo radikal auseinander und wenden sich zerstörerisch gegeneinander. Zentral für das Stück ist nun aber nach Mattenklott nicht der Konflikt der Brüder, sondern vielmehr die Konstellation Guelfo-Grimaldi, allegorische Personifizierung des Gegensatzes von leidenschaftlicher Tatkraft und resignierender Melancholie. Wie Ferdinando und Guelfo der Geburt nach Zwillinge sind, so sind Guelfo und Grimaldi Zwillinge in der Seele, im Gemüt und – in ihrer gesellschaftlichen Lage. Damit ist erstmals die für das Verständnis des Stücks entscheidende dramaturgische Funktion Grimaldis erkannt worden. Gemeinsam ist Grimaldi und Guelfo ihre gesellschaftliche Zurücksetzung. Grimaldi war als Bewerber um Guelfos Schwester Juliette von Ferdinando aus Statusgründen zurückgewiesen worden. Und Ferdinando soll Camilla heiraten, die auch Guelfo liebt. Gemeinsam ist ihnen somit auch der Zielpunkt ihres Hasses: Ferdinando. Dieser raubt beiden, was sie zum Glück nötig hätten. Ferner sind beide an die Vergangenheit gefesselt. Guelfo starrt immer wieder gebannt auf den Moment seiner Geburt, der sein Unglück begündete. Grimaldi vermag sich nicht von melancholischer Erinnerung an die mit Juliette glücklich verlebten Stunden zu trennen. Die Fixierung auf Vergangenes aber ist konstitutiv für Melancholie, deren Gesetzen eben nicht nur Grimaldi, sondern auch Guelfo unterliegt. Die melancholischen Stimmungen Guelfos arbeitet Klinger vor allem in den Szenen zwischen Mutter und Sohn heraus. Guelfos starke Mutterbindung betont Klinger nicht,

um Guelfo infantil regressiv erscheinen zu lassen[36], sondern weil nur in der Bindung an die Mutter der Traum von der Möglichkeit eines Glücks beschlossen zu sein scheint, das Guelfo seit der Geburt verwehrt ist und das ihm die Mutter ein weiteres Mal verweigern muß, als sie zögernd bestätigt, daß er der Zweitgeborene sei. Erst nach dieser zweiten Begegnung mit der Mutter (III, 2) beschließt Guelfo endgültig, das Recht der Erstgeburt gewaltsam von Ferdinando einzufordern (III, 3). Mattenklotts generelle Vermutung, daß die Melancholie die Leidenschaft des Stürmers und Drängers erst hervortreibe, läßt sich an den die drei ersten Akte einleitenden Gesprächen zwischen Grimaldi und Guelfo nachweisen. Diese Szenen sind völlig von deren Fixierung auf die Vergangenheit bestimmt, sind also in ihrem Duktus durch und durch melancholisch. Der Unterschied zwischen den melancholischen Zwillingen besteht nur darin, daß Grimaldi von der Sinnlosigkeit jeglichen Handelns überzeugt ist, während Guelfo unfähig ist, sich resignativ in seine Lage zu finden. Sein Entschluß zu handeln gilt jedoch nicht der Hoffnung auf Rettung, auf Glück, sondern entspringt dem Trieb, die Mauer aus Melancholie zu durchbrechen, die ihn im Vergangenen einschließt und Gegenwart als gelebte negiert.

Damit aber der Melancholiker handeln kann, muß erst die Schwermut gebannt sein. Auch dies stellt Klinger mit Hilfe des Schlafmotivs allegorisch dar: Guelfo handelt, während Grimaldi schläft. Nach dem Mord an Ferdinando hingegen ist Grimaldi hellwach, und Guelfo sucht Schlaf (IV, 5), den er dann als Schlaf des Todes im V. Akt findet, wo er für seine Tat mit dem Leben bezahlt. Mit Recht hat Mattenklott gesagt, daß Guelfo nicht durch den Vater, der ihn ersticht, zugrunde gehe, sondern durch sich selbst.

So überzeugend Mattenklotts These von der Dialektik von Melancholie und Leidenschaft im Klingerschen Trauerspiel ist, so problematisch sind seine Schlußfolgerungen. Scharf attackiert Mattenklott die These, daß der Sturm und Drang eine wesentliche Stufe des bürgerlichen Emanzipationskampfes gegen den deutschen Feudalabsolutismus darstelle.[37] Zwar weist er darauf hin, daß die Adligen in den *Zwillingen* eine bürgerliche Sprache sprechen. Der Sprache Guelfos attestiert er mit Recht revolutionäre Brisanz, und ihn selbst charakterisiert er als einen verbürgerlichten Sohn. Aber all dies sieht er nurmehr als Ausdruck der Schwäche bürgerlichen Selbstgefühls. Der Sturm-und-Drang-Autor treibe Mummenschanz mit den Mänteln fürstlicher Autorität, umgebe sich mit der Aura des Hofes und wage nur in dieser Verkleidung die Rebellion. Schärfer noch: im Grunde huldige das Stück der feudalen Ordnung, da Guelfo sein rebellisches Handeln aus demselben Naturrecht herleite, in dem absolute Herrschaft verankert sei. Hier nun liegt der springende Punkt. Mattenklott übersieht die gesellschaftliche Ambivalenz des Naturrechts im 18. Jahrhundert. Er gesteht nicht zu, daß das Naturrecht für das Bürgertum eine emanzipatorische Funktion hatte, insofern es das gegen Adelsprivilegien gerichtete Gleichheitspostulat mitbegründete. Im übrigen wird ja gerade das vermeintliche Naturrecht fürstlicher Herrschaft, die auf dem Erstgeburtsrecht beruht, im Stück als gesellschaftlich, d.h. von Menschen willkürlich gesetzt entlarvt. Nur das kann doch der Umstand bedeuten, daß sowohl Guelfos Mutter als auch der Arzt sich nicht völlig sicher sind, wer wirklich der Erstgeborene ist und daß man trotz dieser Zweifel Ferdinando als Erben eingesetzt hat.

In der Negation jeglicher revolutionärer Intentionen für Klinger und den Sturm und Drang ganz allgemein bleibt Mattenklotts Studie einer Phase politischen Denkens der sechziger Jahre verhaftet, in der man deutscher bürgerlicher Kultur wenn nicht das politische Verdammungsurteil sprach, so doch zumindest die Schwächen bürgerlicher Emanzipation im 18. Jahrhundert herausarbeitete. Problematisch ist Mattenklotts Deutung vor allem deshalb, weil sie die ebenso abstrakte wie unhistorische Forderung nach starken und selbstbewußten bürgerlichen Helden zu implizieren scheint. Damit aber bleibt er ungewollt eben jener flachen Konzeption vom gesellschaftskritischen Drama verpflichtet, die der These vom Sturm und Drang als klassenkämpferischer Bewegung zugrunde liegt.

Gewiß muß man sich davor hüten, bei der Betrachtung der Literatur der Übergangszeit von feudalabsolutistischer zu bürgerlicher Gesellschaft die gesellschaftliche Bedeutung der jeweiligen Kunstfiguren unbedingt mit deren explizitem, sozialem Standort im Werk zu identifizieren. Ähnlich wie etwa französische Aufklärer orientalisches Kostüm anlegen, um französische Zustände zu entlarven, wie Lessing *Emilia Galotti* in Italien ansiedelt und Deutschland meint, so könnte man auch vermuten, daß Klinger solchen Mummenschanz veranstaltet, um seine gesellschaftskritischen Intentionen um so wirksamer verwirklichen zu können. Und wenn es schon Mummenschanz ist, wer sagt uns mit Sicher-

heit, ob sich hier das Bürgertum als Adel verkleidet oder nicht umgekehrt der Adel als Bürgertum. Besonders ein zeitgenössisches Zeugnis stößt uns geradezu darauf, daß man in Guelfo mehr als nur Probleme eines vom Majorat benachteiligten Aristokraten sehen konnte, die in bürgerlicher Sprache zur Darstellung gebracht sind. Karl Philipp Moritz schilderte die Wirkung der *Zwillinge* auf den Helden seines autobiographischen Romans *Anton Reiser*: »Dies schreckliche Stück machte eine außerordentliche Wirkung auf Reisern – es griff gleichsam in alle seine Empfindungen ein. – Guelfo glaubte sich von der Wiege an unterdrückt – das glaubte er von sich auch – ihm fielen dabei alle die Demütigungen und Kränkungen ein, denen er von seiner frühesten Kindheit an, fast so lange er denken konnte, beständig ausgesetzt worden war. [...] Die bittre Lache, die Guelfo in der Verzweiflung über sich selbst aufschlug, griff in Reisers innerste Empfindungen ein – er erinnerte sich dabei aller der fürchterlichen Augenblicke, wo er wirklich am Rande der Verzweiflung stand und eben eine solche Lache über sich aufschlug – indem er sein eignes Wesen mit Verachtung und Abscheu betrachtete und oft mit schrecklicher Wonne in ein lautschallendes Hohngelächter ausbrach.
Der Abscheu vor sich selber, den Guelfo empfand, indem er den Spiegel entzweischlägt, worin er sich nach der Mordtat erblickt – und daß er nun nichts wünscht, als zu schlafen – zu schlafen – das alles schien Reisern so wahr, so aus seiner eignen Seele, die beständig mit dergleichen schwarzen Phantasien schwanger ging, gehoben zu sein, daß er sich ganz in die Rolle des Guelfo hineindachte und eine zeitlang mit allen seinen Gedanken und Empfindungen darin lebte.«[38] Der sozial depravierte Reiser identifiziert sich hier mit der gesellschaftlichen Zurücksetzung des Adligen Guelfo. Der Angehörige der Unterschicht freilich erfährt solche Zurücksetzung als direkte Unterdrückung. Sein Selbsthaß und seine sozialen Minderwertigkeitskomplexe sind daher anders gelagert als die Guelfos. Reisers psychische Identifikation mit Guelfo – so bezeichnend sie für das Selbstverständnis der Gefühlsepoche auch sein mag – sollte uns nicht dazu verleiten, in Guelfo den vom Adel unterdrückten Bürger oder gar Kleinbürger zu sehen. Einer solchen Sicht widersprechen sowohl Guelfos Grausamkeiten gegenüber Untergebenen als auch die ausgeprägt bürgerlichen Züge im Denken und Empfinden Ferdinandos, der sich gerade dadurch von Guelfo unterscheidet.

Hier käme nun Martinis These von der sozialhistorischen Bedeutung des Bruderkonflikt-Motivs zum Tragen, das zwar oft als zentral für den Sturm und Drang bemerkt (außer bei Klinger und Leisewitz auch bei Schiller, Lenz, Schubart et al.), aber nie hinreichend erklärt wurde. Auf das politische Moment des Bruderkonflikts hat vor Martini schon Ladislao Mittner verwiesen. Die feindlichen Brüder seien immer Söhne eines regierenden Fürsten. Die Rebellion des jüngeren gegen den älteren impliziere also eine Polemik gegen das im Feudalismus geltende Majoratsrecht. Aus Furcht, das Prinzip patriarchalischer Herrschaft direkt anzugreifen, verlagerten die Stürmer und Dränger ihre Kritik auf den Bruderkonflikt. Dabei seien sie jedoch noch zu sehr an die Ideale ihres Zeitalters gebunden gewesen, um den Brudermord anders als einen schicksalshaften Weg zum Verbrechen darzustellen.[39]
Martini stellt nun die interessante These auf, daß der Eltern-Kinder-Konflikt in den Sturm-und-Drang-Dramen sich qualitativ vom Generationskonflikt sowohl heroisch geschichtlicher Verstragödien als auch bürgerlicher Trauerspiele der voraufgegangenen Jahrzehnte unterscheide. Während dort das Gefüge der Familie letztlich unangetastet bleibe, dränge der Sturm und Drang auf katastrophale Zuspitzung, die jegliche Versöhnung ausschließe, und sprenge so das bürgerliche Drama von innen. Damit gehe eine Transformation der Vaterfigur im Sturm und Drang einher, die den Vater weniger als Ziel der Aggression denn als Opfer der Söhne erscheinen lasse: »Diese Väter sind nicht nur physisch, sondern historisch-gesellschaftlich älter geworden; die Welt der Söhne ist nicht mehr eine von ihnen beherrschte und gelenkte Welt, sondern eine ihnen ferngerückte, sich ihnen entziehende Welt. Die Wertung des Alters ist [...] Resultat eines geschichtlich weitergetriebenen Prozesses: Die Möglichkeit einer Pietät gegenüber dem alten Vater zeigt, wie man vom unmittelbaren Druck der Vaterübermacht frei wurde, die Emanzipation der Söhne fortgeschritten ist.«[40] Die Forderung der Pietät gegenüber den Vätern erscheine somit nur als Kehrseite von deren faktischer Ohnmacht. Hier zeigt sich besonders deutlich, daß Martinis Argumentation auf einer angenommenen Verschiebung des Familienkonflikts aus dem bürgerlichen Milieu ins aristokratische beruht, wobei sich spezifische Züge beider Bereiche vermischen. Der Frage, inwieweit solche Verschiebung sozialpsychologisch in den Forderungen der Aufklärung

nach allgemeiner Menschlichkeit und in den Wertvorstellungen bürgerlicher Empfindsamkeit beschlossen liegt, die sich auch auf den Lebensstil des Adels auswirkten, kann hier nicht nachgegangen werden. Es genügt festzuhalten, daß nicht nur Guelfo »verbürgerlicht« ist, sondern daß die ganze Familie Züge bürgerlichen Verhaltens aufweist.

Was demnach Klingers Spiel zum Trauerspiel macht, ist nicht der Sieg der (feudalen) Rechtsordnung, verkörpert in der Vaterautorität, über die (bürgerliche) Naturordnung[41], sondern die Widersprüchlichkeit der vom Bürgertum als emanzipatorisch verstandenen Naturordnung. In den *Zwillingen* geht es nicht um den Kampf des starken bürgerlichen Individuums gegen *die* Gesellschaft, sondern um den tragischen Konflikt in diesem Individuum selbst. Und dieser Konflikt ist ein eminent bürgerlicher. Martini spielt darauf an, wenn er sagt: »Der Selbstbewußtwerdung des Bürgertums innerhalb der ganzen Gesellschaft entsprach eine Konflikte auslösende Selbstbewußtwerdung des Einzelmenschen innerhalb dieses Bürgertums.«[42] Das Naturrecht auf Selbstbestimmung der individuellen Person gerät in Widerspruch zu der vom Bürgertum ebenfalls als natürlich verstandenen Setzung der Familie als Liebesgemeinschaft, die im Stück vor allem durch die Mutter repräsentiert wird. Diese Gleichheit versprechende Liebesgemeinschaft der Familie wird in den *Zwillingen* in doppelter Hinsicht als autoritär entlarvt. Einmal verhindert das adlige Erstgeburtsrecht wirkliche Gleichheit der Zwillinge, und zudem ist die Erstgeburt Ferdinandos nicht einmal als Naturvorgang unanfechtbar, sondern ist durch Eltern und Arzt gesellschaftlich gesetzt. Es ist ja vor allem die Willkür solcher Setzung, die Guelfos Angriff auf Bruder und Eltern sowie auf die Prinzipien von deren gesellschaftlichem Handeln provoziert. Martini betont daher zu Recht, daß es sich nicht nur um eine Verschiebung des Vaterkonflikts auf den Bruderkonflikt handele. Der Vatermord, wenn auch in den *Zwillingen* nicht dargestellt, wird im Brudermord latent mit vollzogen.[43] Und die Selbstzerstörung der Familie ist dann komplett, wenn der Vater den Brudermörder ersticht, um ihm das Kainsschicksal zu ersparen.

Martini interpretiert nun den in den Sturm-und-Drang-Dramen geführten Angriff auf die Familie als Angriff auf die Gesellschaft schlechthin. Die Selbstzerstörung der adligen Familie stehe ein für den Zusammenbruch eines ganzen Gesellschaftssystems[44], dessen Ende nicht durch revolutionäre Aktionen einer Klasse, sondern durch selbstzerstörerische Negation herbeigeführt werde, die noch ihren stärksten Repräsentanten, den Aufrührer, in sich hineinreiße. Es scheint mir jedoch problematisch, im Hinblick auf das 18. Jahrhundert vom Verfall *der* Familie, gar vom Untergang des gesamtgesellschaftlichen Systems zu sprechen. Man fragt sich, ob hier nicht vermeintliche Entwicklungstendenzen des 20. Jahrhunderts in die Vergangenheit projiziert werden. Das Wertvolle an Martinis Ansatz ist, daß er den bewußten Angriff des Sturm und Drang auf den Autoritätsnexus der Familie als sozialhistorischen Kern der Bruderkonfliktdramen herausarbeitet. Die Autoren wählen das Milieu des Feudaladels aber wohl kaum, weil dieses »als höchste Repräsentation dieser Gesellschaft zugleich eine politische, die Untertanen einbeziehende Verantwortung trug«.[45] Das aristokratische Ambiente eignete sich vielmehr, weil hier öffentliche und private Sphäre, Autorität des Vaters und Autorität des Fürsten zusammenfallen, was ja z. B. im bürgerlichen Milieu der Familien Wesener (Lenz), Humbrecht (Wagner) oder Miller (Schiller) nicht der Fall ist. Zumindest indirekt wird bei Klinger väterlich familiäre Autorität ganz generell als Politikum begriffen, obwohl klar ist, daß die Stürmer und Dränger eine solche Einsicht in ihrer Zeit kaum bewußt hätten artikulieren können, da die väterliche Autorität in der bürgerlichen Familie eine sozialgeschichtlich andere Funktion hatte als im Adel. Auch bürgerliche Väter erweisen sich als schwach, aber ihre Schwäche ist die ihrer Klasse gegenüber der ihnen übergeordneten Aristokratie. Ihre innerfamiliäre Autorität jedoch wird in der Literatur der Zeit kaum je bewußt in Frage gestellt, sondern vornehmlich von außen durch Übergriffe des Adels bedroht. Eben weil der bürgerliche Familienzusammenhalt als Bollwerk gegen Übergriffe des Feudalabsolutismus zu dienen hatte, konnte der Sturm und Drang kaum die Autoritätsstruktur der bürgerlichen Familie direkt angreifen.

Dennoch könnte man sich in Weiterführung von Martinis Deutung fragen, ob nicht das »revolutionäre« Moment der *Zwillinge* gerade darin liege, daß der Familienkonflikt im Adelsmilieu angesiedelt ist; ob sich Klingers Stück nicht doch als Beitrag zum Emanzipationskampf des Bürgertums lesen läßt, nicht weil der »verbürgerlichte« Guelfo gegen die feudale Gesellschaft und deren Autoritätsverständnis (Majoratsrecht) rebelliert, sondern vielmehr weil bürgerliche Wertvorstellungen (Selbstbewußtsein des Individuums, Naturrecht, Gleichheit, Familie als Liebesgemeinschaft) Eingang in die Adelsfamilie gefunden haben, diese von innen her auflösen und damit indirekt den Übergang von aristokratischer zu bürgerlicher Familienkultur fördern. Unterstützung findet diese Vermutung in Szondis an Diderots *Père de famille* gemachter Beobachtung, daß der Wandel im Lebensstil, in der Organisationsform der Gesellschaft entscheidender sein könne als der direkte Emanzipationskampf des Bürgertums als Klasse.[46] In jedem Fall bedrohen die Zerstörungskräfte, die Martini gegen die gesamte Gesellschaft gerichtet sieht, in Klingers *Zwillingen* nur den Adel: sie transformieren das Selbstverständnis höfischer Gesellschaft und tragen somit in sehr vermittelter Weise zur Emanzipation des Bürgertums bei. Es ist wenig wahrscheinlich, daß derartige Gedanken in Klingers Darstellungsabsicht gelegen haben können. Die soziokulturelle Transformation der adligen Familie unter dem Druck bürgerlicher Wertvorstellungen liegt ohne Frage jenseits von Klingers Erkenntnishorizont. Wohl aber zeigt sich in den *Zwillingen* ein Bewußtsein des Stürmers und Drängers, daß er den familiären Bindungen, die er durch Guelfo radikal angreift, letztlich gerade als Bürger doch verhaftet bleibt. Hier allein spielt das biographische Element eine wichtige Rolle: weder als Identifikation Klingers mit Guelfo noch als Kritik des Autors an seinem Helden, sondern als dialektische Einheit beider. Eben darin liegt die vielbesprochene Selbstkritik Klingers, die man jedoch weder als Affirmation des status quo (Hering), noch als totale Negation der Gesellschaft (Martini) deuten sollte.

5. Friedrich Schiller: Kabale und Liebe

Ende Mai 1782 reiste der Stuttgarter Regimentsmedikus Friedrich Schiller, der einige Monate zuvor durch die Mannheimer Uraufführung der *Räuber* berühmt geworden war, heimlich und ohne Urlaub über die Grenze nach Mannheim, um sein Stück ein zweites Mal auf der dortigen Bühne zu begutachten. Die Sache kam seinem »Landesvater«, dem Herzog Karl Eugen, zu Ohren, der Schiller Ende Juni zu vierzehntägigem Arrest verurteilte und ihm zwei Monate später – auf Grund von Denunziationen hinsichtlich einiger »Stellen« in Schillers Erstlingsdrama – unter Androhung von Festungshaft ein Schreibverbot auferlegte.

Nach dem Bericht von Karoline von Wolzogen soll Schiller den Plan zu seiner »Luise Millerin« in der mit wachsender Erbitterung ertragenen Haft gefaßt haben. Andreas Streicher zufolge jedoch hat Schiller sich erst nach der gemeinsamen riskanten Flucht aus Stuttgart (22./23. September), und zwar auf der Wanderung von Mannheim nach Frankfurt im Herbst desselben Jahres, mit dem Gedanken getragen, ein bürgerliches Trauerspiel zu verfassen. Wie dem auch sei, es kann als gesichert gelten, daß die »Luise Millerin« sich der Auseinandersetzung mit dem Herzog sowie den Erfahrungen am Stuttgarter Hof verdankt, die manchen Einzelzug des Stücks geprägt haben.[1]
Mit der schriftlichen Ausarbeitung des »Luise Millerin«-Plans begann Schiller noch im Oktober 1782 auf der Reise von Frankfurt nach Oggersheim. Dann unterbrach die Arbeit am *Fiesko* das begonnene Projekt, und erst nach einem erneuten Wechsel des Wohnsitzes fand der von Ort zu Ort getriebene Flüchtling in Bauerbach auf dem Gut der Frau von Wolzogen die nötige Muße, um sein bürgerliches Trauerspiel fertigzustellen. Am 14. Januar 1783 teilte Schiller dem Freund Andreas Streicher mit, daß die »Luise Millerin« abgeschlossen sei. Es kann sich jedoch nur um einen vorläufigen Abschluß gehandelt haben, da Schiller sein Stück bis zum Juli 1783 noch mehrfach umgeändert hat. Änderungen betrafen vor allem eine Aufwertung der Lady Milford zur edlen Britin und, wie Briefen an Dalberg und Reinwald zu entnehmen ist, eine Milderung der ursprünglich noch ausgeprägteren Mischung von Komik und Tragik. Am 24. Juli brach Schiller dann mit einem fertigen Manuskript von Bauerbach nach Mannheim auf, wo er am 13. August im Beisein des Intendanten Dalberg vom Nationaltheater eine erste Leseprobe abhielt. Dalberg bot Schiller einen einjährigen Vertrag als Theaterdichter an. Gegen ein Jahresgehalt von 300 Gulden zuzüglich des Ertrags von je einem Theaterabend verpflichtete Schiller sich, drei Stücke abzuliefern, den *Fiesko*, die »Luise Millerin«, von der noch eine Bühnenfassung herzustellen war, und ein drittes Stück, bei dem möglicherweise schon an Don Carlos gedacht war.
Im März 1784 erschien die »Luise Millerin« unter dem von Iffland vorgeschlagenen modischen Doppeltitel *Kabale und Liebe* in der Schwanschen Hofbuchhandlung im Druck. Das erhaltene Mannheimer Soufflierbuch[2] zu *Kabale und Liebe* zeigt, daß die Bühnenfassung gegenüber der Druckfassung nicht nur um etwa ein Achtel gekürzt ist, sondern daß Schiller auch Zugeständnisse

an die kirchliche Zensur gemacht, direkte politische Anspielungen gestrichen und die Sprache teilweise in den im bürgerlichen Trauerspiel à la Iffland üblichen Konversationston herabgestimmt hat. Miller erscheint in der Bühnenfassung weniger grob, Lady Milford noch stärker idealisiert. Die Kammerdienerszene ist im Soufflierbuch völlig beibehalten, wurde allerdings aus politischen Rücksichten weder bei der Mannheimer Aufführung am 15. April 1784, noch auch bei der Frankfurter Uraufführung vom 13. April gespielt. Auch der larmoyant versöhnlerische Schluß der Buchausgabe fehlt in der Bühnenfassung, die so mit dem Eklat zwischen Wurm und dem Präsidenten endet.
Schiller selbst nahm bei der Mannheimer Erstaufführung den stürmischen Beifall des Publikums, vor allem nach Ende des II. Aktes, von seiner Loge aus entgegen. Nach seinem ersten großen Erfolg durfte das Stück zu Lebzeiten Karl Theodors von der Pfalz in Mannheim jedoch nicht mehr aufgeführt werden[3], und in Stuttgart wurde es auf Beschwerde der »Noblesse« gleich nach der ersten Aufführung verboten. Schillers einjähriger Vertrag als Theaterdichter wurde von Dalberg nicht erneuert, und somit war Schiller mit dem 1. September 1784 entlassen. Erst nach Monaten qualvoller Ungewißheit und finanzieller Sorgen jedoch entschloß er sich, Mannheim endgültig den Rücken zu kehren. Schillers Schwierigkeiten mit dem Mannheimer Nationaltheater, dem er schließlich zwei überaus erfolgreiche Stücke, *Die Räuber* und *Kabale und Liebe,* sowie den *Fiesko* geliefert hatte, hängen gewiß mit Intrigen und persönlichen Unstimmigkeiten zusammen. Darüber hinaus aber spielte die Unvereinbarkeit von Schillers explosiv-pathetischer Dramatik und dem an Maß und Besonnenheit orientierten Mannheimer Stil eine gewichtige Rolle. Schließlich läßt sich der Mannheimer Streit um Schiller auch mit den politischen Verhältnissen in Bayern und in der Pfalz in Verbindung bringen. Die Auseinandersetzung um den Jesuitenorden einerseits und Freimaurer und Illuminaten andererseits führte im Juni 1784 zu einem Verbot der Logen, denen Dalberg und sein Kreis nahestanden. Aufklärung und Sturm und Drang, der als Gipfel der Freigeistigkeit galt und in Mannheim am eindeutigsten durch Schiller repräsentiert war, wurden zusehends untragbar.[4] Damit schied auch Mannheim als für Schiller akzeptabler Arbeitswohnsitz aus, und er nahm 1785 eine Einladung einiger ihm unbekannter Verehrer seiner Werke nach Leipzig an.
Andreas Streicher berichtet in seinen Erinnerungen, daß Schil-

ler sein Stück als Versuch angesehen habe, »ob er sich auch in die bürgerliche Sphäre herablassen könne«.[5] Das verweist auf die literarische Tradition des bürgerlichen Trauerspiels, mit der Schiller gut bekannt war und in die er seine »Luise Millerin« ausdrücklich stellte. Während der Arbeit am Stück in Bauerbach beschäftigte Schiller sich mit Lessings *Emilia Galotti* (1772), und schon 1781 war er mit Otto von Gemmingens *Der deutsche Hausvater* bekannt geworden. Dalberg hatte Schiller Ende Mai 1782 auf Wagners *Die Kindermörderin* (1776) verwiesen, und Schillers Aufsatz *Über das gegenwärtige teutsche Theater* (1782) zeigt, daß er auch Wagners *Die Reue nach der Tat* (1775) kannte. Weiterhin hat man in *Kabale und Liebe* Nachwirkungen von Leisewitz' *Julius von Tarent*, einem von Schiller sehr bewunderten Stück, von Klingers *Das leidende Weib*, Goethes *Clavigo*, Großmanns *Nicht mehr als sechs Schüsseln*, Brandes' *Der Landesvater* und Millers Roman *Siegwart* bemerkt.[6] Die literarischen Anregungen entstammen also keineswegs nur dem Sturm und Drang, sondern ebenfalls der Aufklärung sowie einer aufklärerische und empfindsame Momente verbindenden Trivialliteratur. Inwieweit Schillers bürgerliches Trauerspiel *Kabale und Liebe* über alle diese Vorbilder, auch über Lessings *Emilia Galotti* und über die zeit- und gesellschaftskritischen Stücke des frühen Sturm und Drang hinausgeht, wird in der Interpretation aufzuzeigen sein.

Kabale und Liebe hat sich als eines der zugkräftigsten Stücke im deutschen Theaterrepertoire erwiesen, und dies trotz der extremen Schwankungen zwischen höchster Verehrung und barem Hohn in der Geschichte von Schillers Nachruhm, für den Goethes Epilog zu Schillers »Glocke« oder Thomas Manns »Versuch über Schiller« ebenso typisch sind wie Nietzsches Kalauer über den »Moraltrompeter von Säckingen« oder Brechts Schiller-Parodie in *Die heilige Johanna der Schlachthöfe*.[7] Auch *Kabale und Liebe* zog von Anfang an extrem negative Urteile auf sich. So schrieb Karl Philipp Moritz: »In Wahrheit wieder einmal ein Produkt, was unsern Zeiten – Schande macht! Mit welcher Stirn kann ein Mensch doch solchen Unsinn schreiben und drucken lassen [...] Wer 167 Seiten voll ekelhafter Wiederholungen gotteslästerlicher Ausdrücke, wo ein Geck um ein dummes affektiertes Mädchen mit der Vorsicht rechtet, und voll krassen pöbelhaften Witzes, oder unverständlichen Galimathias, durchlesen kann und mag – der prüfe selbst. So schreiben heißt

Geschmack und gesunde Kritik mit Füßen treten.«[8] Solche Kritik an Schillers dramatischem Jugendwerk, die mit Goethes und Wielands Ärger über *Die Räuber* begonnen hatte, setzte sich über die Romantiker, Hegel und Grillparzer bis zu Gerhard Fricke und Erich Auerbach fort, für den *Kabale und Liebe* nichts weiter als ein »melodramatischer Reißer«[9] ist. In der heutigen Forschung jedoch besteht weitgehend Einigkeit darüber, daß *Kabale und Liebe* den Höhepunkt von Schillers Jugenddramen bildet und in der Tradition des bürgerlichen Trauerspiels einen wesentlichen Entwicklungsschritt markiert.

Einen weiteren Streitpunkt bildet die Frage, inwieweit die Jugenddramen als typisch für den Sturm und Drang gelten dürfen. Oft dient dabei dasselbe Argument als Stütze für entgegengesetzte Thesen. Jakob Minor etwa sieht in Schillers tragischem Pathos ein Moment, das ihn deutlich von seinen Vorgängern scheidet[10], während nach Paul Böckmann die pathetische Form nicht nur Schillers Künstlertum, sondern den Sturm und Drang insgesamt charakterisiert.[11] Eine Reihe von spezifischen Unterschieden zwischen Schiller und dem Sturm und Drang der siebziger Jahre läßt sich in der Tat festmachen, ohne daß man deshalb jedoch gleich Schillers Zugehörigkeit zu dieser Bewegung in Frage stellen müßte. Zu verweisen ist auf den zeitlichen Abstand zwischen *Kabale und Liebe* und dem Höhepunkt des Sturm und Drang, der schon im Jahre 1776 erreicht war, sowie auf den räumlichen Abstand zwischen dem absolutistisch regierten Württemberg mit seinen spezifischen Traditionen aus Pietismus und Aufklärung einerseits und Straßburg und Frankfurt andererseits, den bürgerlich städtischen Zentren der Sturm-und-Drang-Bewegung. Weitere Elemente einer Differenzierung zwischen Schiller und den älteren Stürmern und Drängern wären das unterschiedliche Verhältnis zu Shakespeare, Schillers Rückkehr zur geschlossenen Form der Tragödie und seine neue Fundierung von Tragik. Trotz dieser Unterschiede zählt Schillers Jugendwerk im künstlerischen Ausdruck ebenso wie in der politischen Intention zu dem Bereich, den der Epochenbegriff Sturm und Drang abdeckt, ob man Schillers Auftreten nun mit Erich Schmidt als verspäteten zweiten Dammbruch der Geniezeit beschreibt[12], oder ob man eher die Kontinuität von *Kabale und Liebe* mit der Tradition des bürgerlichen Trauerspiels seit Lessing betont.[13]

Helmut Koopmann hat jüngst überzeugend nachgewiesen, daß

Schiller in *Kabale und Liebe* die zentralen Konflikte des älteren bürgerlichen Trauerspiels noch einmal aufgreift, sie jedoch in bezeichnender Weise so verschiebt, daß das Stück nur vor dem Hintergrund der Tendenzen der siebziger Jahre (Bedrohung der Familie von innen, Individualitätsproblematik, Generationskonflikt) voll verständlich wird. Allerdings ordnet Koopmann das Drama des Sturm und Drang insgesamt der Aufklärung zu und verwischt damit den historisch bedeutsamen Bruch zwischen Aufklärung und Sturm und Drang.[14]

Eine für die Deutung des Stücks zentralere Kontroverse entzündete sich an der Frage, ob *Kabale und Liebe* theologisch, metaphysisch und existentiell oder aber soziologisch zu verstehen sei, ob es sich also um ein bürgerliches Freiheitsdrama (Korff), ein revolutionär klassenkämpferisches Stück handele oder aber um die religiös fundierte »Tragödie des endlichen Menschen«[15], um die »Tragödie der unbedingten Liebe«[16], um »Apokalypse, Triumph der Nemesis« und »Theater Gottes«.[17] Auf lange Zeit behaupteten sich diese gegensätzlichen Deutungen mit ebenso polemischer wie unfruchtbarer Ausschließlichkeit. Gewiß hat es nicht an Versuchen gefehlt, zwischen der ständisch politischen und der metaphysisch religiösen bzw. existentiellen Deutung zu vermitteln.[18] Die meisten dieser Versuche, die soziologischen Aspekte stärker zu berücksichtigen, finden freilich in ihrer ungebrochenen Bindung an ein existentielles oder metaphysisches Konzept des Tragischen ihre Grenze, so etwa wenn Martini von der »pessimistischen Erfahrung der psychologischen Gebundenheit des Menschen an seinen Stand« und von dem »Heldentum des bürgerlichen Menschen aus reiner Innerlichkeit«[19] spricht, wenn Müller-Seidel die Tragik allen menschlichen Handelns hervorhebt[20], oder wenn Malsch Luises und Ferdinands Erfahrung der Liebe als religiöses Paradieserlebnis und die Tragik des Stücks als die des verlorenen Paradieses deutet.[21] Die Standesschranken sind in solcher Interpretation dann nichts weiter als äußere Zeichen für einen gebrechlichen Welt- und Gesellschaftszustand und bleiben somit sekundär.

Noch Helmut Koopmann sieht in seiner jüngst vorgelegten Deutung in *Kabale und Liebe* vornehmlich den abstrakten Gegensatz zwischen dem Allgemeinen und dem Einzelnen, wobei er grundsätzlich dem Allgemeinen den Vorzug zu geben scheint. Koopmann spielt die Bedeutung des Standeskonflikts herunter und reduziert das Stück auf die Familienproblematik; ganz im

Selbstverständnis des 18. Jahrhunderts sieht er bürgerliche Familie als »soziale Urordnung« und als »allgemein menschliche Institution«.[22] Die Tragik der Rebellion Ferdinands und Luises gegen die Familie liegt dann darin, »daß das Individuum Teil eben jener Familienordnung ist, gegen die es aufbegehrt, und daß es sich also selbst zerstören muß, wenn es diese Revolution inszeniert«.[23] Ganz so, als handele es sich bei Ferdinand, dem Adligen, und Luise, der Bürgerlichen, um eben dasselbe Familienverständnis. Koopmann vermeidet zwar metaphysische Deutungen und scheint auch von seiner früher vertretenen Auffassung von der Tragödie der unbedingten Liebe abgerückt zu sein. Aber seine allgemeine These vom vorwiegend inneren Zerrüttungsprozeß *der* Familie im 18. Jahrhundert, der mit Schillers *Kabale und Liebe* zu Höhepunkt und Abschluß gelange, vermag nicht zu überzeugen. Abgesehen davon, daß Koopmann der Frage nach dem Verhältnis von Darstellung der Familienordnung im Drama und sozialgeschichtlich relevanten Prozessen durchweg ausweicht, ist es auch von der Textlage der Sturm-und-Drang-Dramen her unzulässig, Familie so zu behandeln, als hätte sie mit dem Standeskonflikt nichts zu tun. Hier wird eben der Nexus zwischen Öffentlichkeit und Privatheit der Familie wieder aufgelöst, der die bürgerliche Familienordnung im 18. Jahrhundert zuallererst konstituierte. Schillers Text selbst legt es doch nahe, die Bedrohung der Familie von innen mit dem Problem des Standeskonflikts zu verknüpfen, der keineswegs nur in den Vorstellungen der Väter (Miller und von Walter) herumspukt, wie Koopmann behauptet, sondern letzten Endes noch das Liebesverhältnis von Ferdinand und Luise bestimmt. Allein die Überlegung, daß Individualitätsanspruch und familiäres Sozialethos nicht in Widerspruch zueinander geraten würden, liebte Luise statt des Adligen einen Bürgerlichen, verweist darauf, daß das Naturrecht des Einzelnen (Koopmann) auch bei Schiller als gesamtgesellschaftliches Problem begriffen wird.
Die bislang einzigen, ernsthaften Versuche, den Zusammenhang scheinbar heterogener Faktoren als für Schillers Stück konstitutiv nachzuweisen und über den apologetischen Nachvollzug des religiösen und ideologischen Bezugssystems einzelner Protagonisten des Stücks hinauszugehen, wurden von Rolf-Peter Janz und – mit Einschränkungen – von Anthony Williams unternommen.[24] Hier wird erstmals dargelegt, wie moralische und soziale, ökonomische und theologische Gehalte ineinandergrei-

fen und die Tragik der Luise Millerin als eine durchaus innerweltliche und sozial- wie gattungsgeschichtlich typische begründen.
Es besteht ja durchaus kein Anlaß, an Lukács' These zu zweifeln, derzufolge die Gattung bürgerliches Trauerspiel aus bewußtem Klassengegensatz erwachsen ist[25], auch wenn man heute zwischen sozialgeschichtlichem Prozeß, dem in Deutschland verzögerten Aufstieg des Bürgertums, und seinem Ausdruck im Drama ein sehr vermittelteres Verhältnis annehmen muß, als es orthodoxe Widerspiegelungs- und Klassenkampftheorien erlauben.[26] Zwar wird der Terminus »bürgerlich« im 18. Jahrhundert häufig als Synonym von allgemein menschlich, mitmenschlich oder häuslich privat benutzt und läßt sich nicht auf eine im eng soziologischen Sinn ständische Bedeutung festlegen. Aber man darf doch nicht übersehen, daß gerade die Universalisierungs- und Privatisierungstendenz, die diesen bürgerlichen Werten und Lebensanschauungen innewohnt, ideologische Waffe war im Kampf gegen den Duodezpartikularismus des deutschen Absolutismus und gegen dessen auf öffentlicher Gewalt beruhende Klassenherrschaft. Die jüngsten Versuche, die sozialkritischen und klassenspezifischen Momente des bürgerlichen Trauerspiels zu neutralisieren[27], statt sie als gesellschaftlich vermittelte zu erkennen, sitzen damit dem Selbstverständnis des 18. Jahrhunderts auf, ohne freilich dessen historisch progressive Funktion zu teilen.[28] Andererseits ist es ebenso fragwürdig, das Stück so gut wie ausschließlich von der Kammerdienerszene und ihren Hinweisen auf die amerikanische Revolution her zu interpretieren und die direkte Anklage gegen absolutistische Gewalt in den Vordergrund zu stellen. Solche marxistischen Analysen[29] übersehen nicht nur die spezifisch dramaturgische Funktion der Kammerdienerszene als Vorbereitung von Lady Milfords Wandlung, sondern operieren mit einem historisch verengten Begriff von Politik und Klassenbewußtsein, der die deutschen Verhältnisse im 18. Jahrhundert verfehlt. Um das einzusehen, braucht man sich nur den Unterschied von Schillers *Kabale und Liebe* und Beaumarchais' revolutionärer Komödie *Die Hochzeit des Figaro* (ebenfalls 1784) vor Augen zu halten. *Kabale und Liebe* weltgeschichtlich revolutionäre Perspektiven zuzuschreiben, verfehlt die spezifische Radikalität Schillers, welche unter deutschen Verhältnissen notwendigerweise Ausdrucksformen annehmen mußte, die von denen Beaumarchais' verschieden sind.

Im Zentrum von Schillers Stück steht nicht der Fürst, sondern die Liebesbeziehung zwischen Ferdinand und Luise, die etwa im Vergleich mit Lessings *Emilia Galotti* ganz und gar privater Natur ist und selbst dort noch an den familiären Intimbereich geknüpft bleibt, wo öffentliche Gewalt angewendet wird: in der Auseinandersetzung zwischen Ferdinand und dem Präsidenten am Ende des II. Aktes. Im Gegensatz zu Lessings Stück, das im Schloß des Prinzen beginnt und auf seinem Lustschloß endet, beginnt und endet *Kabale und Liebe* im häuslich privaten und intimen Raum. Hier wird Martinis Hinweis wichtig, daß im Vergleich zu anderen bürgerlichen Trauerspielen der Konflikt nach innen, in die »Seelengeschichte der Liebenden« verlagert ist, und daß die innere Gefährdung des Bürgertums ebenso zur Debatte steht wie der äußere Konflikt.[30] Der Standesgegensatz wird dadurch freilich nicht in seiner Bedeutung herabgesetzt; er wird vielmehr durch die Darstellung der inneren Schranke, die Luise von Ferdinand trennt, erst voll entfaltet. Der Bürgerwelt und der höfischen Welt wird in der »Welt der Liebenden« keinesfalls »ein dritter Bereich gegenübergestellt«[31], wie Koopmann sagt, um seine These von der Tragödie der unbedingten Liebe zu stützen. Die Liebeserfahrungen Ferdinands und Luises sind vielmehr selbst jeweils klassenmäßig bestimmt und lassen sich nicht auf das Kriterium der Unbedingtheit reduzieren. Gewiß scheint in der Beziehung von Ferdinand und Luise ein Ideal vollkommener Liebe auf; diese Liebe jedoch scheitert nicht einfach am Gegensatz von Unbedingtheit und menschlicher Begrenztheit, sondern an sehr genau bestimmbaren gesellschaftlichen und psychischen Faktoren, die auf den Widerspruch von gesellschaftlicher Realität und bürgerlichen Idealen verweisen, auf eben den Widerspruch also, der die Erfüllung dieser Ideale noch innerhalb der bürgerlichen Gesellschaft selbst verhindert hat. Diesen Zusammenhang erfaßt zu haben, ist das Verdienst Schillers, dessen Künstlertum damit auf andere Art ebenso weitsichtig ist wie das seines in den Wahnsinn getriebenen Vorgängers Lenz.

Die Dynamik von Schillers Stück ist in einer doppelten Motivierung der Katastrophe verankert. Einerseits greift Schiller auf den Sturm und Drang und auf Mercier zurück, der den Einbruch des absolutistischen Staates ins bürgerliche Privatleben als Hauptthema der ›tragédie domestique‹ postuliert hatte. Mit dieser Politisierung der bürgerlichen Intimsphäre gehen Mercier und

Schiller über Diderot und das ältere bürgerliche Trauerspiel hinaus, dem das bürgerliche Interieur als Zufluchtsort, als unantastbarer Bereich des Rein-Menschlichen galt. Wie schon Lenz und Wagner, so hat auch Schiller die aufklärerisch empfindsame Illusion aufgegeben, daß sich reine Menschlichkeit in der Privatheit der Familie verwirklichen könne. Wie in Wagners *Kindermörderin* und in Lenz' *Soldaten* resultiert die Katastrophe in *Kabale und Liebe* aus dem direkten Einbruch höfisch-aristokratischer Kabale in den häuslich bürgerlichen Lebenszusammenhang. Das ist aber nur die eine, äußere Seite der Konfliktmotivierung. Schiller treibt die Merciersche Radikalisierung des bürgerlichen Trauerspiels nämlich noch um einen Schritt weiter, indem er nun den Schauplatz der Auseinandersetzung von Bürgertum und Adel nicht nur ins räumliche Interieur, sondern ins psychische Interieur der Protagonisten selbst verlagert. Durch Darstellung einer beidseitig ernst gemeinten Liebesbeziehung zwischen dem adligen Offizier und dem Bürgermädchen entzieht Schiller dem traditionellen Konflikt zwischen adligem Verführer und bürgerlicher Unschuld scheinbar den Boden. Der Standesgegensatz scheint sich in dem Bereich unbedingter Liebe aufzulösen. Eine Ebene von Privatheit und potentieller Selbstverwirklichung scheint erreicht, die nicht nur dem aristokratischen Lebensstil diametral widerspricht, sondern auch den bürgerlichen Familienzusammenhang zu sprengen droht. Gerade dieses Verfahren jedoch ermöglicht es Schiller, über die Darstellung des bloß äußerlichen Gegensatzes von Kabale und Liebe hinauszugehen und die inneren Widersprüche adliger und bürgerlicher Verkehrsformen an Ferdinand, Luise und Miller sprachlich und gestisch zu entfalten.[32] Der Klassengegensatz wird nicht wie herkömmlich anhand einer unstandesgemäßen Liebesbeziehung entwickelt, bei der Verführung und direkte Gewalt eine entscheidende Rolle spielen. Er wird vielmehr an der inneren Unvereinbarkeit von aristokratischem und bürgerlichem Lebenszusammenhang nachgewiesen, die sich gerade dort durchsetzt, wo die Chance ihrer Aufhebbarkeit aufscheint: in der Liebe zwischen dem adligen Mann und der bürgerlichen Frau. Die Unbedingtheit der Liebe selbst ist bei Ferdinand und Luise in jeweils unterschiedlicher Weise gesellschaftlich vermittelt und führt unausweichlich zur Katastrophe.

Die konkreten Einschätzungen Ferdinands und Luises in der Forschung schwanken erheblich. Ferdinand wurde einerseits von

Korff bis Benno von Wiese und Joachim Müller einseitig positiv gewertet. Benno von Wieses Charakterisierung Ferdinands als religiös Liebender, als »Bürger des Universums«[33] ist dabei in ihrer ideologischen Fixierung und gehaltlichen Unbestimmtheit ebenso falsch und richtig wie die alles- und nichtssagende marxistische These, Ferdinand sei ein Adelsdemokrat, ein aufgeklärter Rebell, der sich von seiner Klasse gelöst hat.[34] Meist verband sich mit dieser unkritischen Interpretation Ferdinands eine durchweg negative Sicht Luises. Schon Korff sprach von der religiösen und sozialen Unfreiheit des kleinbürgerlichen Mädchens.[35] In der marxistischen Forschung wird Luises Gebundenheit meist nur als Ausdruck der Schwäche des deutschen Bürgertums gesehen[36], wenn man ihr nicht gar kleinbürgerliche Gehemmtheit vorwirft und ihre Gebundenheit als Symptom für die tragische Zerrüttetheit der kleinbürgerlichen Klassenbindung nimmt.[37] In einem gängigen literaturgeschichtlichen Standardwerk aus der DDR heißt es kurz und bündig: »Kirchliche Gesinnung und Untertanenverstand haben in Luise über die Liebe gesiegt«[38], und für Anthony Williams reflektiert das Verhältnis Luises zu Ferdinand historisch akkurat den Gegensatz von pietistischem Kleinbürgertum und radikaler bürgerlicher Intelligenz.[39] Daß Luises Liebeserfahrung und noch ihr Selbstmordplan ihr pietistisches Weltverständnis von Grund auf in Frage stellen und daß der adlige Offizier Ferdinand von Walter sich bestenfalls Einzelzüge eines bürgerlichen Intellektuellen angeeignet hat, fällt dabei unter den Tisch.

Gegen die einseitigen Wertungen Korffs protestierte Böckmann schon 1934[40], und vor allem seit Martinis Aufsatz von 1952[41] überwiegt in der Forschung die Tendenz, einer geistesgeschichtlichen Idealisierung Ferdinands als Sturm-und-Drang-Helden entgegenzutreten und Luises Bindung an ihren Stand nicht ausschließlich negativ zu beurteilen. Unter Berufung auf die Ergebnisse Martinis arbeitete aber erst Janz das volle Spektrum der negativen Züge Ferdinands und der komplexen inneren Lage Luises heraus. Es gelingt ihm zu zeigen, daß Ferdinands Verhalten wesentlich und nicht etwa nur in Einzelzügen durch seinen aristokratischen Lebenszusammenhang bestimmt ist, auch und gerade dort, wo er sich gegen seine Herkunft entscheidet. Zwar nähert sich Ferdinand Luise nicht als Verführer, sondern als rein und keusch Anbetender. Janz verweist auf die daraus resultierende Ästhetisierung der Geliebten, die sich in Ferdinands religiöser Metaphorik Ausdruck verschafft, und kommt zu dem Schluß, daß nicht Luise Millerin Ferdinand begeistert, sondern das Bild, das er sich von ihr macht. Solch reine Liebe kann die Frau nur als Engel oder Teufel vorstellen und bleibt letztlich Idolatrie und Eigenliebe. So ist es denn auch kein Zufall, wenn diese ›unbedingte‹ Liebe infolge der leicht durchschaubaren Briefintrige in ebenso unbedingte Eifersucht umschlägt. Der Vorwurf, daß die Intrige etwa im Vergleich zu Shakespeares *Othello* zu plump sei, verfehlt Schillers Intentionen. Ferdinands Liebe ist dermaßen ichbezogen, daß der kleinste, noch so absurde Angriff auf Luises Unschuld genügt, das ganze Gebäude abstrakter Anbetung zum Einsturz zu bringen. In der Eifersucht tritt Ferdinands totaler Besitzanspruch erst voll zutage, der vorher unter Reinheit und Keuschheit verdeckt lag. Vom Ende des Stücks her, wo Ferdinand sich gegenüber Luise zum Stellvertreter göttlicher Gewalt aufwirft (V, 6) und damit seine Mordtat durchaus absolutistisch legitimiert, lesen sich dann schon Szenen des ersten Aktes anders, wo Ferdinand Luise mit seinem Brillantring, also einem aristokratischen Statussymbol, vergleicht und ihr androht, er wolle über sie wachen »wie der Zauberdrach über unterirdischem Golde« (I, 4). Mit herrischem Gestus wird Luise hier zum Objekt degradiert, weniger freilich zum Handelsobjekt, wie Janz sagt[42], als zu einem unveräußerlichen, von der Welt abgeschlossenen Objekt der Schatzbildung. Wenn der Zuschauer oder Leser hier noch nicht die schlimmsten Befürchtungen für Luises Zukunft an Ferdinands Seite hegt, so allein deshalb, weil sich von dieser Szene an die Bedrohung der Liebenden von außen – und zwar durch die Heiratspläne, die der Präsident für seinen Sohn schmiedet – in den Vordergrund schiebt. Sobald nämlich die höfische Kabale, Ferdinand mit Lady Milford zu verheiraten, in Gang gebracht ist, treten Ferdinands bürgerliche Ideale stärker hervor, um derentwillen er sich mit dem Vater und der Welt seiner Herkunft anlegt – empfindsam gefühlvolle Liebe, Berufung auf die Gesetze der Menschheit und auf die Tugend, in deren Namen er Lady Milford verwirft (II, 3) sowie Vorstellungen von »Seelengröße und persönlichem Adel« (III, 1), Grundsätze, die er an einer bürgerlichen Universität schätzen gelernt hat und die der bürgerliche Höfling Wurm verächtlich als »phantastische Träumereien« (III, 1) abqualifiziert. Wie sehr allerdings Ferdinands Aneignung bürgerlicher Ideale selbst noch durch seinen Stand determiniert ist, zeigt die vierte

Szene des dritten Aktes, in der Ferdinand Luise den Plan zu ihrer Flucht entwickelt, die den äußeren Bruch mit der Welt seines Vaters bedeuten würde. Ferdinand ist fasziniert von der Gefahr, die seine Liebe zu Luise bedroht. Er ist gepackt von dem Gedanken, das Verbrechen seines Vaters bekanntzumachen und den Vater in die Hände des Henkers zu liefern. Noch die Einsamkeit der Natur, in die er mit Luise aus der Unnatur des höfischen Lebens fliehen will, kann er sich nur als üppiges Schauspiel vorstellen, das zur Feier seiner Liebe inszeniert wird. Janz weist mit Recht daraufhin, daß Ferdinands großzügige Verfügung über weit entfernte Ziele mehr mit der feudalen ›grand tour‹ und aristokratischem Abenteurertum zu tun hat als mit der Reise eines Bürgers.[43] Noch die Finanzierung der Reise soll ja mit Geldern gewährleistet werden, die Ferdinand seinem Vater stehlen will und die er somit seinem Stand verdanken würde. Die Szene bezeichnet die Peripetie im Verhältnis Luises zu Ferdinand, und nicht zufällig läßt Schiller Ferdinands aristokratisches Sozialverhalten gerade hier erstmals voll in Erscheinung treten. Ebenfalls nicht zufällig erkennt Luise gerade hier den Abgrund, der sie von Ferdinand trennt. Nicht nur das Pflichtgefühl gegenüber ihrem Vater und der religiös begründete Wunsch, Ferdinand vor realem oder symbolischem Vatermord zurückzuhalten, treiben sie zum Verzicht auf den Geliebten, sondern vor allem die Einsicht, daß ihre Liebe selbst eine Illusion war: »Ferdinand! dich zu verlieren! – Doch! Man verliert ja nur, was man besessen hat, und dein Herz gehört deinem Stande – « (III, 4). Dasselbe Herz, das die Forschung immer wieder als Schlüsselwort für die Sprengung ständischer Schranken, für das Humane schlechthin begriffen hat, erweist sich hier als standesgebunden. Janz spricht mit Recht von Ferdinands »Absolutismus der Liebe«, der nicht im Adelstitel, sondern im aristokratischen Sozialverhalten verankert sei.[44] Er betont, daß Schiller nur Luise, nicht jedoch Ferdinand selbst, diesen Absolutismus der Liebe als unbürgerlich durchschauen läßt.

Der Text selbst deutet hier eine sozialgeschichtlich bedingte Ambivalenz jener bürgerlichen Subjektivität an, die das Pathos individueller Selbstherrlichkeit im Sturm und Drang begründete. Extreme Subjektivität des Gefühls, die in Goethes *Werther* im bürgerlichen Kontext und in ihren anti-aristokratischen Aspekten thematisiert wurde, erscheint in *Kabale und Liebe* als durchaus vereinbar mit aristokratischem Sozialverhalten. Indirekt verweist

Schiller damit auf das in den bürgerlichen Idealen des 18. Jahrhunderts noch latente Gewaltpotential, das sich historisch und gesellschaftlich erst nach der Etablierung bürgerlicher Herrschaft voll entfalten konnte, sich aber im bürgerlichen Trauerspiel immer schon im Leiden der Frauen niederschlug. Diese Deutung Ferdinands scheint nun zunächst in sogar noch erweiterter Form zu der These zurückzuführen, daß es in *Kabale und Liebe* nur um den Konflikt von bürgerlicher Moral und feudaler Amoral gehe, daß Luise nicht nur das Opfer einer höfischen Kabale, sondern auch des Aristokratismus ihres Liebhabers sei. Daß Schiller aber nicht nur die offene und öffentliche Gewalttätigkeit adligen Sozialverhaltens kritisiert, sondern auch bürgerlich häusliche und familiäre Verkehrsformen als repressiv darstellt, weist Janz in seiner Analyse von Millers väterlicher Moral nach.
Während die Darstellung des Verhältnisses Luises zu Ferdinand die Widersprüchlichkeit in Ferdinands Verhalten aufdeckte, so zeigen sich im Verhältnis von Vater und Tochter gewisse Widersprüche bürgerlicher Realität und Ideologie, die Luises Anspruch auf Selbstverwirklichung in anderer Weise ebenso zunichte machen wie die Einwirkungen der höfischen Kabale und der Verfügungsanspruch Ferdinands. In der Tat dient ja die ausgeklügelte Kombination von Momenten direkter feudaler Gewalt mit solcher bürgerlicher, verinnerlichter Gewalt der Intrige Wurms als Ausgangspunkt. Wo offene feudale Gewalt allein versagt (II, 7), setzt Wurm zusätzlich auf die der bürgerlichen Familienstruktur inhärente Gewalt, die sich in Luises Gewissen niedergeschlagen hat: »Ich kenne das gute Herz auf und nieder. Sie hat nicht mehr als zwo tödliche Seiten, durch welche wir ihr Gewissen bestürmen können – ihren Vater und den Major« (III, 1). Die zentrale Funktion Wurms ist es, dem Präsidenten Kenntnisse der bürgerlichen Psyche und Moral zu vermitteln, die dieser auf Grund seiner Klassenzugehörigkeit entbehrt. Der Kleinbürger als Höfling stellt also dem in seiner Herrschaftsposition bedrohten Adel die Mittel zur Verfügung, mit denen dieser noch die Stärke des Bürgertums in eine Schwäche ummünzen kann. Im Gegensatz zu Lessings Marinelli, dessen Intrigen ausschließlich auf absolutistisch unumschränkter Gewalt beruhen, stützt Wurms Kabale sich auf die verinnerlichten Kontrollmechanismen bürgerlicher Lebensanschauungen. Nachdem Luises Vater gefangengesetzt und der Majestätsbeleidigung angeklagt ist, legt Wurm sein Schicksal berechnend in Luises Hand,

wobei er ganz auf ihr Schuldgefühl vertraut. Er beutet ihre Vaterbindung aus und zwingt sie so, jenes folgenreiche Billetdoux zu schreiben und den Eid des Schweigens darauf zu schwören. Luise verrät ihre Liebe zu Ferdinand, um ihren Vater zu retten. Aber nicht hier liegt die tiefere Problematik ihrer Vaterbindung. Denn nach der Freilassung des Vaters ist sie durchaus entschlossen, ihren eigenen Weg weiterzugehen. Sie schreibt Ferdinand einen Brief, in dem sie ihn auffordert, mit ihr gemeinsam aus dem Leben zu scheiden. Im Angesicht des Todes fühlt sie sich frei, jenen Schweigeeid zu brechen, Ferdinand über den Betrug aufzuklären und ihre Liebe ins Grab hinein zu »retten«. Nur im gemeinsamen Tod glaubt Luise, jenen im III. Akt ausgesprochenen Verzicht auf Ferdinand rückgängig machen und ihre Liebe doch noch verwirklichen zu können; schon in der dritten Szene des I. Aktes hatte sie ja festgestellt, daß im Jenseits die Schranken des Standesunterschieds einstürzen, die verhaßten Hülsen des Standes abspringen und Menschen nur Menschen sind. So problematisch eine solche Erfüllung der Liebe im Tode auch sein mag, so zeigt sich hier doch eine Tapferkeit und Entschlossenheit Luises, die das Gerede von ihrer Passivität und Schwächlichkeit Lügen straft. Um ihre Liebe zu verwirklichen, ist sie bereit, diesen letzten Schritt zu wagen, obwohl sie sehr gut weiß, daß sie sich einer Todsünde schuldig macht. Wenn sie ihren Selbstmordentschluß dennoch aufgibt, so weniger auf Grund ihrer christlichen Moralvorstellungen – sie vertraut ja auf die Güte Gottes, des Vaters der Liebenden (vgl. I, 3) – als auf Grund der Vorhaltungen ihres Vaters, der christliche Moral und bürgerliche Tugend bewußt als Druckmittel einsetzt, um Ferdinand endgültig aus dem Feld zu schlagen und seine Tochter zurückzugewinnen. Miller mobilisiert sein ganzes patriarchalisches Autoritätspotential, um Luise von ihrem Entschluß abzubringen. Dabei ist durchaus echte väterliche Liebe im Spiel, Sorge um das Seelenheil seiner Tochter, die ihm »Abgott« (V, 1) ist. Die Fragwürdigkeit der väterlichen Moral nun sieht Janz darin, daß sich in ihr Ökonomie und Moral wie selbstverständlich zusammenschließen. Millers Sprache verrät die augenfällige Affinität seiner Moralvorstellungen zur Erwerbssphäre. Schon in der ersten Szene des Stücks bezeichnet Miller die Liebesbeziehung zwischen Ferdinand und Luise als zweifelhaften »Kommerz«, warnt vor der Versuchung eines »Herumschwänzen[s] in der Schlaraffenwelt« des Adels und sorgt sich um Luises Unschuld, die allein

Garantie dafür sein kann, daß sich ein bürgerlicher Schwiegersohn als »Kundschaft« des Vaters findet. Das Kind ist ihm des Vaters Arbeit (II, 6), und Väter legen im Herzen ihrer Kinder Kapitale an (V, 1), die ihnen im Alter eine Rendite bringen sollen. Die Zinsen dieser Kapitalanlage klagt Miller jetzt ein, wodurch er seiner Tochter auch die letzte Möglichkeit verstellt, den erzwungenen Verrat ihrer Liebe zu Ferdinand wieder rückgängig zu machen. Ausdrücklich bezeichnet er Selbstmord als Diebstahl, und in der Tat muß Luises Vorhaben als Raub gelten, wo Leben selbst sich unveräußerlich dem Gott-Vater verdankt. Religiöses und weltliches Patriarchat fallen hier zusammen, und Luise akzeptiert diesen Autoritätszusammenhang, den sie nur als »natürlich« verstehen kann. Schon in der zentralen Fluchtplanszene (III, 4) hatte Luise selbst sich als einziges Vermögen ihres alternden Vaters bezeichnet; aber erst im V. Akt wird ihre Unterwerfung vollständig.

Bezeichnend ist, wie Schiller den Prozeß dieser Unterwerfung ins Bild setzt. Der von Wurm diktierte Brief, der die erzwungene Lüge enthielt, die Miller befreien und Ferdinands Eifersucht hervortreiben sollte, hatte seinen Empfänger erreicht und seine Wirkung getan. Der Brief Luises jedoch, der Ferdinands Verblendung aufheben könnte, wird unter dem Druck des Vaters vernichtet. Der Vergewaltigung Luises durch feudale Gewaltandrohung folgt hier die Vergewaltigung durch väterliche Moral. Wie problematisch der moralische Zwang ist, den der Vater über die Tochter ausübt, zeigt sich daran, daß sich die Befreiung des Vaters aus dem Gefängnis einer wenn auch erzwungenen Lüge verdankt und daß sich Millers Besitzanspruch auf Luise nur um den Preis der Unterdrückung von Wahrheit erkaufen läßt. Luise ihrerseits hat ein Stadium totaler Ausweglosigkeit erreicht, in dem nicht nur schriftliche Kommunikation unmöglich geworden, sondern auch das gesprochene Wort nur noch unter äußerster Qual möglich ist. Die Repressivität des Tugendpostulats wird von Schiller dramatisch umgesetzt und erscheint im Stück als Luises Sprachnot. Auffällig kontrastiert damit die Geschwätzigkeit Millers (vor allem in V, 5), der seine Tugendprinzipien ohne große Umstände verabschiedet und Ferdinands Gold akzeptiert, mit dem dieser ihm seine Tochter gewissermaßen abkaufen will. Diese Szene legt offen, was bislang latent geblieben war: die Tochter ist für den Vater Handelsobjekt. Daran ändert auch der Umstand nichts, daß Miller das Gold annimmt, um seiner Tochter ein neues, besseres Leben zu ermöglichen. Luises Tugend ist nicht nur ein symbolisches Gut, das im bürgerlichen Familienzusammenhang die Machtstellung des Vaters gegenüber der Tochter begründet, sondern hat ihr materielles Substrat in der Notwendigkeit innerweltlicher Askese, die nach Max Weber Voraussetzung für den Akkumulationsprozeß des Kapitals ist. Nach der protestantischen Ethik sind Reichtum und Tugend innerlich vermittelt. Bürgerliche Kapitalbildung, an der Miller als Geldverdiener und durch das Zusammenraffen von Scholaren (I, 1) freilich nur sehr begrenzt teilhat, erfordert eine rationale Lebensführung. Rationale Lebensführung ihrerseits verlangt Askese, und Askese wiederum verlangt »die Vernichtung der Unbefangenheit des triebhaften Lebensgenusses«[45], d. h. im Fall Luises Unterdrückung von Sinnlichkeit. Resümierend schreibt Janz: »Der Zusammenhang von Moralität und Geschäft verfällt in *Kabale und Liebe* in dem Maße der Kritik, wie die Forderung Millers nach der Tugendhaftigkeit der Tochter von ökonomischen Erwägungen nicht frei ist und sich hinwegsetzt über ihren eigenen Anspruch auf Selbstverwirklichung.«[46] Somit zeigt *Kabale und Liebe* nicht nur den Gegensatz von bürgerlicher Moral und feudaler Unmoral, sondern entfaltet zugleich die Dialektik bürgerlicher Moral selbst, die ohne verinnerlichte Gewaltmechanismen nicht auskommen kann. Wenn Luise daher ihre Entsagung damit begründet, daß ihr Bündnis mit Ferdinand »die Fugen der Bürgerwelt auseinander treiben und die allgemeine ewige Ordnung zu Grund stürzen würde« (III, 4), so geht es nicht einfach um eine religiös verankerte Kapitulation vor der göttlichen Weltordnung, die in der bürgerlichen Familie ihren gottgewollten Ausdruck findet. Die Bürgerwelt, die nicht zuletzt durch den Kitt der Unterdrückung von Sinnlichkeit zusammengehalten wird, wäre in der Tat bedroht, wenn Luise auf Selbstverwirklichung und Erfüllung ihrer Liebe bestünde. Luises wiederholter Bezug auf Gott als den Vater der Liebenden, ihre Überzeugung, daß ihre Liebe kein Frevel sei, und noch ihr Selbstmordplan lassen nur den Schluß zu, daß ihr Verzicht auf Ferdinand weniger in ihrer Angst gründet, die göttliche Ordnung zu verletzen, als in dem durch Vaterautorität vermittelten Zwang, die bürgerliche Ordnung *nicht* zu verletzen. Daß sie die bürgerliche Ordnung dabei als religiös gesetzt und ewig ansieht, widerspricht dem nicht und darf nicht als kleinbürgerliche Beschränktheit abgetan werden. Noch in Luises religiöser Überzeugung, daß vor Gott alle Menschen gleich sind (I, 3), versteckt sich der bürgerliche Universalitäts- und Gleichheitsanspruch. Daß sie selbst dies nicht weiß, tut dem keinen Abbruch. Die Radikalität des Textes erweist sich daran, daß Luise nicht nur an Ferdinands Absolutismus der Liebe, sondern auch an der »grausam-liebevollen Repression bürgerlicher Moral«[47] zugrunde geht. Bezeichnenderweise ist Luise wiederum die einzige, die diesen Zusammenhang erfaßt, wenn sie auf des Vaters Vorhaltungen erwidert: »Daß die Zärtlichkeit noch barbarischer zwingt als Tyrannenwut« (V, 1). Die Überlegenheit bürgerlicher Tugend über aristokratische Willkür und Gewalt, die ihren sprachlich und gestisch überzeugendsten Ausdruck in der Begegnung Luises mit Lady Milford sowie in der offenen Rebellion Millers gegen die Autorität des Präsidenten findet, scheint sich am Ende als der größere barbarische Zwang zu erweisen. Die Stärke des Bürgertums gegenüber dem Adel, die in ethischen Prinzipien begründet liegt, macht genau seine Schwäche aus; und dies nicht nur, weil der prinzipienlose Präsident seine Gewaltherrschaft mit Wurms Hilfe durch Manipulation eben dieser Tugend festigen kann, sondern mehr noch, weil Askese und Tugend als notwendiger Ausdruck des Geistes des Kapitalismus (Weber) humane Selbstverwirklichung verhindern. Das abstrakte Tugendpostulat verleiht Luise zwar ihre Überzeugungskraft in der Begegnung mit Lady Milford, widerspricht aber diametral ihren wirklichen Bedürfnissen.

Diese Bedürfnisse brechen immer wieder durch und setzen der väterlichen Moral noch dort indirekten Widerstand entgegen, wo sie sich ihr unterwerfen. Luises Bekenntnis, es sei ihre Pflicht zu »dulden« (V, 7) und zu schweigen, weist zurück auf internalisierte Vaterautorität und ist gewiß nicht Ausdruck eines eigenen Bedürfnisses. Natürlich speist sich ihr Widerstand gegen die von der bürgerlichen Moral erzwungene Triebunterdrückung nicht aus Einsicht, sondern aus Gefühlen. Noch in Luises Entsagung und in ihren Todeswünschen artikuliert sich ein Anspruch auf Sinnlichkeit und sexuelle Hingabe (I, 3 und V, 1). Das Grab beschreibt Luise als Ort der Liebe, und der Tod ist für sie kein Gerippe, sondern »ein holder niedlicher Knabe, blühend, wie sie den Liebesgott malen« (V, 1). Nach Janz rebelliert Luises Sinnlichkeit nicht nur gegen die religiös verklärte Liebe Ferdinands, sondern auch gegen die doppelte Deformation von Liebe in der Familie, die in der Erniedrigung der Ehefrau und der Autorität des Vaters über die Tochter ihren patriarchalischen Ausdruck findet. So ist Luises Selbstmordentschluß nicht etwa Zeichen für Opferbereitschaft und Entsagung, sondern Festhalten am Anspruch sinnlicher Liebe, die in der Welt, in der sie lebt, von feudaler *und* bürgerlicher Gewalt unterdrückt wird. Von Entsagung läßt sich erst dort sprechen, wo Luise sich der Autorität des Vaters beugt und den Brief an Ferdinand zerreißt. Wenn man also behauptet, Luise sei wie geschaffen zur Selbstaufopferung[48], muß man zumindest ergänzen: geschaffen als Frau durch die verinnerlichten Gewaltmechanismen des bürgerlich-patriarchalischen Familienzusammenhangs und bürgerlicher Sexualmoral.

Selbstredend ist der beschriebene Zusammenhang von Kapitalakkumulation, Askese, Patriarchat und Unterdrückung von Sinnlichkeit nicht als logische Kausalkette, sondern nur in äußerst vermittelter Form in den Text eingegangen. Zweifel, ob Schiller wirklich schon die religiös fundierte autoritäre Familienstruktur darstellen und kritisieren *wollte*, sind daher mehr als berechtigt. Schiller konnte das gar nicht wollen, da er in der religiös begründeten Moral des Bürgertums gerade die Gegenwelt zeigen mußte, die sich der Brutalität öffentlicher absolutistischer Gewalt zu entziehen sucht. Auf der intentionalen Ebene ist Schillers schwäbischer Pietismus, der sich im Stück in Luises Gewissenskonflikt niederschlägt, durchaus ernst zu nehmen. Gerade weil unter dem württembergischen Absolutismus ein gewaltiger Unterschied bestand zwischen öffentlich feudaler Gewalt und dem Druck bürgerlich patriarchalischer Moral, konnte Schiller nicht beide gleichzeitig kritisieren *wollen*. Dennoch tut der Text eben dies. Die Dialektik von Entstehungsgeschichte und Wirkungsgeschichte soll hier nicht zugunsten der letzteren aufgelöst werden. Aber es ist darauf zu bestehen, daß sich jener auf der Makroebene lokalisierte Zusammenhang von Kapitalakkumulationen und Triebunterdrückung, den Szondi als essentiell für die Konstitution des bürgerlichen Trauerspiels seit Lillos *The London Merchant* herausgearbeitet hat[49], auch in die Mikrostruktur von Schillers *Kabale und Liebe* eingeschrieben hat, und zwar deutlicher und offenbar dem Autor bewußter, als es bei Lessing der Fall gewesen war. Eben darin liegt aus heutiger Perspektive der wesentliche Fortschritt von *Kabale und Liebe* gegenüber *Emilia Galotti*.

Abschließend sollen noch einige bisher offengebliebene Fragen vom zentralen Gehalt des Stückes her angeschnitten werden. Es ist oft behauptet worden, die Kammerdienerszene beeindrucke zwar als Anklage gegen den Feudalabsolutismus, sei aber dramaturgisch schlecht integriert. Dieser Vorwurf ist aus zwei Gründen unberechtigt. Einmal dient die Konfrontation zwischen Lady Milford und dem Kammerdiener dramaturgisch dazu, deren Wunsch plausibler zu machen, Fürst und Hof zu verlassen, und diesem Wunsch eine über ihre Liebe zu Ferdinand hinausgehende objektive Begründung zu verleihen. Darüber hinaus aber ist die Kammerdienerszene auch gehaltlich mit dem Zentrum des Stücks verknüpft und verbindet dieses mit der Peripherie. Gemeint ist folgendes: im Zentrum von *Kabale und Liebe* steht die intime Dreiecksbeziehung von Ferdinand, Luise und Miller; an der Peripherie aber steht der Fürst, der – wiederum im Gegensatz zu Lessings Emilia Galotti – im Stück nicht als Handelnder auftritt. Dennoch ist er von der Kammerdienerszene an gewissermaßen als Abwesender ständig anwesend. Sein Schatten liegt nicht nur auf dem Schicksal des Kammerdieners, der durch fürstliche Willkür seine beiden Söhne verloren hat, sondern ebenso auf allem, was Lady Milford unternimmt, um sich dem fürstlichen Machtbereich zu entziehen. Der Fürst wirkt in *Kabale und Liebe* um so bedrohlicher, als er im Hintergrund bleibt und seine Machtfülle nur in Reden und Verhalten seiner Untergebenen aufscheint. Es läßt sich hier von einer versteckten Dialektik von Zentrum und Peripherie sprechen. Vom öffentlichen Machtapparat her betrachtet, der sich im Fürsten verkörpert, ist nämlich der Fürst selbst das geheime Zentrum des Stücks und bestimmt letztlich auch die Handlung. Wie eng die Rolle des Landesvaters gerade durch die Kammerdienerszene mit der des bürgerlichen Vaters verknüpft wird, zeigt die Überlegung, daß beide ihre Macht- bzw. Autoritätsfülle durch den Handel mit Menschen gewinnen. Daß dabei ein großer Unterschied besteht zwischen der feudal demonstrativen Verschwendung des Reichtums, der aus dem Verkauf von Landeskindern als Soldaten herstammt, und der bürgerlichen Behandlung des eigenen Kindes als Investitions- und Handelsobjekt, versteht sich von selbst. Feudal öffentliche Machtausübung und der verinnerlichte Gewaltzusammenhang der bürgerlichen Familie stehen sich jedenfalls nicht als Zwang und Freiheit gegenüber, sondern erscheinen durch die Kammerdienerszene durchaus miteinander vermittelt. Gerade dadurch, daß in beiden Fällen der Mensch zum Tausch-

objekt erniedrigt wird, kann sich Verfügungsautorität in jeweils verschiedener Weise erst konstituieren.
Auf die Ambivalenz der Rolle der Lady Milford hat man oft kritisch verwiesen. Dabei erklärte man ihre Widersprüchlichkeit zumeist damit, daß Schillers Auffassung dieser Gestalt sich während der Arbeit am Stück verschoben habe. Einerseits ist Lady Milford die edle Mätresse, der es darum zu tun ist, die schlimmsten Auswüchse fürstlicher Willkür zu verhindern oder abzumildern, andererseits aber ist ihr Verhalten – ähnlich dem Ferdinands – durch und durch aristokratisch geprägt. Dies kann aber nur dann als ungereimt erscheinen, wenn man in Lady Milford eine Idealgestalt sehen will, die zusammen mit Ferdinand antihöfische, bürgerliche Ideale vertritt und deren Tragik darin besteht, dem Mann, den sie um seiner Ideale willen liebt, entsagen zu müssen. Auch in der Darstellung Milfords erweist sich Schillers Realismus. Wie Ferdinand hat sie sich bürgerliche Ideale angeeignet, ohne diese jedoch als bürgerliche verwirklichen zu können. So ist ihre Flucht vom Hof letztlich nur Flucht, kein Neuanfang. Lady Milfords aristokratisches Sozialverhalten zeigt einmal mehr, daß für den jungen Schiller bürgerlicher und aristokratischer Lebenszusammenhang grundsätzlich unvereinbar sind.
Ein letzter Punkt betrifft den Ausgang des Stücks. Angesichts des harmonisierenden Endes der Buchausgabe, wo der sterbende Sohn dem um Verzeihung bittenden Vater die Hand reicht, ist daran zu erinnern, daß Schiller in der Mannheimer Erstaufführung das Stück mit der Auseinandersetzung zwischen Wurm und dem Präsidenten enden ließ. Dort folgte dem wilden und verzweifelten Ausbruch Wurms kein christlich versöhnliches Ende. Ob nun der harmonisierende Schluß der Buchausgabe ein Zugeständnis Schillers an den Zeitgeschmack ist oder aber einem Bedürfnis des Dichters nach Überwindung extrem aufgerissener Konflikte entspricht, ist für die Einschätzung des Stücks weniger wichtig als die Frage, ob der Tod der Liebenden dem Adel die Position der Macht ohne Moral, dem Bürgertum aber den machtlosen Protest der Moral bestätigt, wie Horst Albert Glaser behauptet hat.[50] In der Tat besteht ja die größte Gefahr des bürgerlichen Trauerspiels darin, daß die dramaturgisch als notwendig und unausweichlich entwickelte tragische Katastrophe den bürgerlichen Emanzipationsanspruch unterhöhlt, der sich im bürgerlichen Trauerspiel allererst Ausdruck zu verschaffen sucht.

Glaser erhob diesen Vorwurf im Bezugsrahmen seiner These, daß gattungsgeschichtlich Lenz' Komödien den radikalsten Punkt der Sturm-und-Drang-Dramatik bezeichnen, von dem aus gesehen Schillers Festhalten am bürgerlichen Trauerspiel nur als Rückschritt gesehen werden könne. Für Glaser deutet sich schon im Jugendwerk der spätere Klassizismus Schillers an, der sich ins Bestehende schickt und den Kompromiß zwischen Absolutismus und Demokratie anstrebt. Nur der »neue Ton bürgerlichen Selbstbewußtseins« lasse Schiller »auch wieder eine historische Stufe weiter scheinen als Lenz, dessen bürgerliche Hampelmänner zwischen den Schranken der Ständegesellschaft einfach zu Fall kommen, bevor sie ihr Interesse als allgemeines Standesinteresse hätten begreifen können«.[51] Gewiß läuft alle Tragik und somit auch die des bürgerlichen Trauerspiels Gefahr, Unrecht, Leiden und Tod als notwendig und unausweichlich zu verklären, und insofern mag Glasers Vorwurf gegen Schiller als allgemeine Kritik am bürgerlichen Trauerspiel zum Teil berechtigt sein. Andererseits übersieht Glaser, daß das bürgerliche Trauerspiel Schillers sich weit über die Seichtheit der in den achtziger Jahren dominanten Rührstücke à la Iffland erhebt und selbst im Verhältnis zu Lessings *Emilia Galotti* fraglos eine Radikalisierung der Gattung bedeutet, die unter den Bedingungen des 18. Jahrhunderts nicht mehr weitergetrieben werden konnte.

Weder Schiller noch den anderen Stürmern und Drängern konnte es gelingen, die in der traditionellen Geschlechtsfeindlichkeit bürgerlicher Moral sich niederschlagende Unterdrückung von Sinnlichkeit, die immer wieder Kristallisationspunkt des Tragischen ist, wirklich zu überwinden und Bilder von befreiter Sinnlichkeit und Emanzipation zu schaffen. In der kleinstaatlichen Enge und unter den für die deutsche Situation typischen, drükkenden materiellen Lebensverhältnissen waren solche Versuche, wie das Beispiel von Heinses *Ardinghello* zeigt, zum Scheitern verurteilt. Dies ist nicht als Vorwurf zu verstehen, sondern zu erklären aus der historischen Lage von Intellektuellen, die zwar die Widersprüchlichkeit von Emanzipation und bürgerlicher Ethik teilweise erkannten, dennoch aber auf die für die gesellschaftspolitische Auseinandersetzung mit dem Adel entscheidenden bürgerlichen Tugendideale nicht verzichten konnten. Darin, wenn überhaupt, liegt die Tragik des deutschen Bürgertums, die nicht als condition humaine, sondern als historisch objektive Grenze von Emanzipation im 18. Jahrhundert zu bestimmen ist.

Es ist die Leistung Schillers – sichtbar in der künstlerischen Transformation des bürgerlichen Trauerspiels in eine doppelte Tragödie des Bürgertums (Konflikt mit dem Adel und mit sich selbst), diese Grenze erkannt und nicht einfach übersprungen zu haben. Damit aber markiert *Kabale und Liebe* als Tragödie der Luise Millerin und ihres Vaters den konsequenten Endpunkt des bürgerlichen Trauerspiels, jener für das 18. Jahrhundert so zentralen Gattung, deren Entstehen mit der optimistischen Phase der Aufklärung eng verknüpft war und deren durch alle Tragik durchscheinender Optimismus im Sturm und Drang von Lenz und Schiller in unterschiedlicher Weise einer radikalen Kritik unterzogen wurde.

ANMERKUNGEN

EINLEITUNG

I. Forschungsprobleme

[1] Siehe H.-M. Lumpp, Philogia crucis. Zu Johann Georg Hamanns Auffassung von der Dichtkunst mit einem Kommentar zur ›Aesthetica in nuce‹ (Tübingen 1970).
[2] Die herkömmliche Deutung des Sturm und Drang als Jugendrevolte, die oft mit einer Biologisierung des Generationenkonflikts und mit dem Unreifevorwurf verknüpft war, hat jüngst Richard Quabius kritisch wiederaufgenommen. Trotz interessanter Einzelbeobachtungen hat auch diese Untersuchung ihre Grenzen darin, daß die Konzentration auf Generationsverhältnisse in Leben und Werk der Stürmer und Dränger die Einsicht in die gesamtgesellschaftliche und kulturelle Konstellation um 1770 gründlich verstellen muß. Richard Quabius, Generationsverhältnisse im Sturm und Drang (Köln-Wien 1976).
[3] Peter Müller, Einleitung zu: Sturm und Drang. Weltanschauliche und ästhetische Schriften, hrsg. von Peter Müller, Bd. 1 (Berlin und Weimar 1978), S. XXIV.
[4] Zitiert nach: Der junge Goethe im zeitgenössischen Urteil, bearbeitet und eingeleitet von Peter Müller (Berlin 1969), S. 57.
[5] Vgl. das Nachwort zu: Frankfurter Gelehrte Anzeigen 1772. Auswahl, hrsg. von Hans-Dietrich Dahnke und Peter Müller (Leipzig 1971).
[6] J. H. Voß, Briefe an Goeckingh (1775–1786), hrsg. von G. Hay (München 1976), S. 48.
[7] Reinhart Koselleck. Kritik und Krise (Frankfurt am Main 1973), S. 115.
[8] Ibid., S. 115.
[9] Vgl. Peter Müller, Einleitung, a.a.O., S. XXXVII ff.
[10] Vgl. besonders Gerhard Sauder, Empfindsamkeit, Bd. 1 (Stuttgart 1974) und Gerhart von Graevenitz, Innerlichkeit und Öffentlichkeit. Aspekte deutscher ›bürgerlicher‹ Literatur im frühen 18. Jahrhundert, DVJS, 49 (1975), Sonderheft ›18. Jahrhundert‹, 1–82. Zur Empfindsamkeit im Roman vgl. die einschlägigen Arbeiten von Norbert Miller, Georg Jäger und Peter Uwe Hohendahl.
[11] Vgl. Klaus L. Berghahn, Von Weimar nach Versailles. Zur Entstehung der Klassik-Legende im 19. Jahrhundert, in: Die Klassik-Legende, hrsg. von Reinhold Grimm und Jost Hermand (Frankfurt am Main (1971), S. 50–78.

[12] Franz Mehring, Die Lessing-Legende. Mit einer Einleitung von Rainer Gruenter (Frankfurt-Berlin-Wien 1972), S. 199.
[13] Vgl. Kants berühmte Schrift von 1784: Beantwortung der Frage: Was ist Aufklärung?
[14] Siehe Franz Mehring, Etwas über Naturalismus, in: F. M., Werkauswahl, Bd. 3, hrsg. von Fritz Raddatz (Neuwied 1975), S. 9.
[15] Beispielhaft dafür ist Heinz Kindermann, Jakob Michael Reinhold Lenz und die deutsche Romantik (Wien 1925).
[16] Vgl. Deutsche Literatur in Entwicklungsreihen, Reihe Irrationalismus, Bd. 6, hrsg. von Heinz Kindermann (Leipzig 1935), besonders S. 8 f.
[17] Hans Mayer, Stichwort: Literaturwissenschaft in Deutschland, in: Fischer Lexikon: Literatur, Bd. 2/1, hrsg. von Wolf-Hartmut Friedrich und Walther Killy (Frankfurt am Main 1965), S. 331.
[18] Walther Linden, Deutschkunde als politische Lebenswissenschaft – das Kerngebiet der Bildung!, Zeitschrift für Deutschkunde, 47 (1933), 337.
[19] Emil Staiger, Literatur und Öffentlichkeit, Sprache im technischen Zeitalter, Heft 22 (1967), 96.
[20] So etwa Wilfried Malsch, Die geistesgeschichtliche Legende der deutschen Klassik, in: Die Klassik-Legende, a.a.O., S. 108.
[21] Wolfgang Fritz Haug, Der hilflose Antifaschismus (Frankfurt am Main [3]1970).
[22] Hans Robert Jauß, Schlegels und Schillers Replik auf die ›Querelle des Anciens et des Modernes‹, in: H. R. J., Literaturgeschichte als Provokation der Literaturwissenschaft (Frankfurt am Main 1970), S.68.
[23] Vgl. dazu Walter Hinck, Produktive Rezeption heute: Am Beispiel der sozialen Dramatik von J. M. R. Lenz und H. L. Wagner, in: W. Hinck (Hrsg.), Sturm und Drang (Kronberg /Ts. 1978), S. 257–269.
[24] Vor allem mit Heinz Stolpe, Die Auffassung des jungen Herder vom Mittelalter. Ein Beitrag zur Geschichte der Aufklärung (Weimar 1955) und Edith Braemer, Goethes Prometheus und die Grundpositionen des Sturm und Drang (Weimar 1963).
[25] Georg Lukács, Faust und Faustus. Ausgewählte Schriften, Bd. 2 (Reinbek 1967), S. 13 und 17.
[26] Ibid., S. 18.
[27] Ibid., S. 13.
[28] Georg Lukács, Skizze einer Geschichte der neueren deutschen Literatur (Neuwied 1963), S. 25 und 26 f.
[29] Vgl. dazu Peter Szondi, Die Theorie des bürgerlichen Trauerspiels im 18. Jahrhundert (Frankfurt am Main 1973), besonders S. 18 f.
[30] Zum folgenden vgl. Braemer, a.a.O., S. 21 ff.
[31] Lukács, Skizze, a.a.O., S. 34.
[32] Peter Müller, Einleitung, a.a.O., XI–CXXIV.
[33] Vgl. jüngst Walter Hinck (Hrsg.), Sturm und Drang. Ein literaturwissenschaftliches Studienbuch (Kronberg/Ts. 1978) und Gerhard

Kaiser, Aufklärung, Empfindsamkeit, Sturm und Drang (München ²1976).

[34] Vgl. Braemer, a.a.O., S. 21.

[35] In der theoretischen Erbe-Diskussion in der DDR gibt es durchaus Kritik an der ausschließlichen Orientierung an geschichtlicher Kontinuität; abgesehen von Peter Müllers Arbeiten hat sich der Diskontinuitätsgedanke meines Wissens noch nicht auf die Sturm-und-Drang-Forschung ausgewirkt, und Müller scheint einer direkten Auseinandersetzung mit Stolpes Thesen und dem Widerspiegelungsdogma aus dem Wege zu gehen.

[36] Friedrich Engels, Brief an Conrad Schmidt vom 27. Oktober 1890. Vgl. dazu Braemer, a.a.O., S. 13 f.

[37] Karl Marx und Friedrich Engels, Über Kunst und Literatur, Bd. 1 (Berlin 1967), S. 450 f.

[38] Rudolf Vierhaus, Deutschland im 18. Jahrhundert: soziales Gefüge, politische Verfassung, geistige Bewegung, in: Lessing und die Zeit der Aufklärung, Veröffentlichung der Joachim Jungius-Gesellschaft der Wissenschaften Hamburg (Göttingen 1968), S. 16.

[39] Vgl. Braemer, a.a.O., S. 17 und Stolpe, a.a.O., S. 245 f.

[40] Das gilt für Lore Kaim-Kloock, Gottfried August Bürger. Zum Problem der Volkstümlichkeit in der Lyrik (Berlin 1963), bes. S. 153; Braemer, a.a.O., und Erläuterungen zur deutschen Literatur. Sturm und Drang, hrsg. vom Kollektiv für Literaturgeschichte im volkseigenen Verlag Volk und Wissen, Leitung: Klaus Gysi (Berlin ³1967).

[41] Stolpe, a.a.O., S. 228–332.

[42] Vgl. Gert Mattenklott, Melancholie in der Dramatik des Sturm und Drang (Stuttgart 1968), S. 120, Anm. 74; Christoph Siegrist, Aufklärung und Sturm und Drang: Gegeneinander oder Nebeneinander?, in: Hinck, a.a.O., S. 12, Anm. 4.

[43] Braemer, a.a.O., S. 14.

[44] Werner Krauss, Zur Konstellation der deutschen Aufklärung, in: W. K., Die französische Aufklärung im Spiegel der deutschen Literatur des 18. Jahrhunderts (Berlin 1963), S. CIII.

[45] Aus Herders Frühzeit. VII. Problem: wie die Philosophie zum Besten des Volkes allgemeiner und nützlicher werden kann, Suphan, Bd. 32, S. 51 (exakte Datierung unsicher).

[46] Suphan, Bd. 25, S. 323. Zum Problem der Volkstümlichkeit in der Literatur des 18. Jahrhunderts vgl. Klaus L. Berghahn, Volkstümlichkeit ohne Volk? Kritische Bemerkungen zu einem Kulturkonzept Schillers, in: Popularität und Trivialität, hrsg. von Reinhold Grimm und Jost Hermand (Frankfurt am Main 1974), S. 51–75.

[47] So interpretiert Roy Pascal, Der Sturm und Drang (Stuttgart ²1977), S. 107 f.

[48] Müller, Einleitung, a.a.O., S. LII.

[49] Stolpe, a.a.O., S. 233, 296, 279, 272 und 320.

[50] Klaus Scherpe, Natürlichkeit und Produktivität im Gegensatz zur

›bürgerlichen Gesellschaft‹, in: Westberliner Projekt: Grundkurs 18. Jahrhundert (Analysen), hrsg. von Gert Mattenklott und Klaus R. Scherpe (Kronberg/Ts. 1974), S. 191.

[51] Vgl. Mattenklott, Melancholie, a.a.O.; Klaus Scherpe, Werther und Wertherwirkung (Bad Homburg-Berlin-Zürich 1970); Wolf Lepenies, Melancholie und Gesellschaft (Frankfurt am Main 1972); Heinz Schlaffer, Der Bürger als Held (Frankfurt am Main 1973); Gerhard Sauder, Empfindsamkeit, Bd. 1 (Stuttgart 1974). Eine ordnende Übersicht über unterschiedliche Einstellungen zum literarischen Erbe gibt Jost Hermand, Die Literatur wird durchforscht werden. Einstellungen zum ›progressiven‹ Erbe, in: Basis. Jahrbuch für Gegenwartsliteratur, 8 (1978), S. 33–59.

[52] Vgl. Mattenklott, Melancholie, a.a.O., bes. S. 46f.; Scherpe, Werther, a.a.O.; Gerd Stein, Genialität als Resignation bei Gerstenberg, in: Mattenklott/Scherpe (Hrsg.), Literatur der bürgerlichen Emanzipation im 18. Jahrhundert (Kronberg/Ts. 1973), S. 105–110.

[53] Siehe Lutz Winckler, Kulturwarenproduktion (Frankfurt am Main 1973), bes. S. 12–75.

[54] Vgl. Mattenklotts Kritik an Stolpe in Melancholie, a.a.O., S. 120 Anm. 74 und Lepenies' Abrücken von Lukács' Ansatz in» Melancholie und Gesellschaft«, a.a.O., S. 76.

[55] Lepenies, a.a.O., S. 76.

[56] Mattenklott, a.a.O., S. 47.

[57] Walter Benjamin, Gesammelte Schriften, Bd. I, 1 (Frankfurt am Main 1974), S. 298.

[58] Mattenklott, a.a.O., S. 47.

[59] Vgl. Johannes Werner, Gesellschaft in literarischer Form (Stuttgart 1977), S. 38 f.

[60] Germaine de Staël, Über Deutschland, hrsg. und eingel. von Sigrid Methken (Stuttgart 1973), S. 57.

[61] Ibid., S. 113.

[62] W. H. Bruford, Germany in the Eighteenth Century: The Social Background of the Literary Revival (Cambridge 1935), bes. Teil IV, Kapitel II.

[63] Arnold Hauser, Sozialgeschichte der Kunst und Literatur (München 1967), Abschnitt VI, 4 (Deutschland und die Aufklärung).

[64] Hans Jürgen Haferkorn, Zur Entstehung der bürgerlich-literarischen Intelligenz und des Schriftstellers in Deutschland zwischen 1750 und 1800, in: Bernd Lutz (Hrsg.), Deutsches Bürgertum und literarische Intelligenz 1750–1800 (Stuttgart 1974), S. 182 (Literaturwissenschaft und Sozialwissenschaften 3).

[65] Norbert Elias, Über den Prozeß der Zivilisation, Bd. 1 (Bern, 1969), S. 20 ff.

[66] von Graevenitz, a.a.O., bes. S. 2.

[67] Jürgen Habermas, Strukturwandel der Öffentlichkeit (Neuwied [4]1969), S. 55 ff.

[68] Reinhart Koselleck, a.a.O., S. 41.
[69] von Graevenitz, a.a.O., S. 73.
[70] Paul Mog, Ratio und Gefühlskultur. Studien zu Psychogenese und Literatur im 18. Jahrhundert (Tübingen 1976), S. 41.
[71] Ibid., S. 93.

II. Der Sturm und Drang als Kritik der Aufkläung

[1] Joh. Chr. Gottlieb Schaumann, Versuch über Aufklärung, Freiheit, Gleichheit (Halle 1793), S. 15 ff., zitiert nach: Geschichtliche Grundbegriffe. Historisches Lexikon zur politisch-sozialen Sprache in Deutschland, hrsg. von Otto Brunner, Werner Conze und Reinhard Koselleck, Bd. 1 (Stuttgart 1972), S. 287.
[2] Lorenz von Westenrieder, Aufklärung in Bayern (1780), zitiert nach: Geschichtliche Grundbegriffe, a.a.O., S. 250 f. Eine Sammlung wichtiger Texte zum Aufklärungsbegriff hat Reclams UB vorgelegt, E. Bahr (Hrsg.), Was ist Aufklärung? (Stuttgart 1974).
[3] Vgl. den Kommentar zu Schillers Schaubühnenaufsatz.
[4] Herder, Vom Erkennen und Empfinden der menschlichen Seele, 2. Fassung (1775), in: Suphan, Bd. 8, S. 324.
[5] Vgl. Friedrich Gundolf, Goethe (Berlin 1916).
[6] Ferdinand Josef Schneider, Die deutsche Dichtung der Geniezeit (Stuttgart 1952), S. 34.
[7] Gotthold Ephraim Lessing, Hamburgische Dramaturgie, in: Werke, hrsg. von Herbert G. Göpfert, 8 Bände (München 1970–79), Bd. 4, S. 673, (im folgenden Göpfert).
[8] Ibid., S. 673.
[9] Ibid., S. 385.
[10] Herder, Rezension von Batteux' Réduction des Beaux-Arts, in: Suphan, Bd. 5, S. 285 f.
[11] Immanuel Kant, Kritik der Urteilskraft, in: Werke in zehn Bänden, hrsg. von Wilhelm Weischedel, Bd. 8 (Darmstadt 1968), S. 405 f.
[12] Ibid., S. 406 f.
[13] Vgl. das Kapitel zur Dramaturgie des Sturm und Drang.
[14] Vgl. Braemer, a.a.O., S. 87–99.
[15] Herder, Fragmente über die neuere deutsche Literatur, in: Suphan, Bd. 1, S. 211.
[16] Herder, Kritische Wälder, in: Suphan, Bd. 3, S. 48.
[17] Herder, Ursachen des gesunkenen Geschmacks bei den verschiedenen Völkern, da er geblühet, in: Suphan, Bd. 5, S. 605.
[18] Herder, Vom Erkennen und Empfinden der menschlichen Seele, 3. Fassung (1778), in: Suphan, Bd. 8, S. 230.
[19] Herder, Journal meiner Reise, in: Suphan, Bd. 4, S. 349.
[20] Jakob Michael Reinhold Lenz, Anmerkungen übers Theater, WS, Bd. 1, S. 346.

[21] Theodor W. Adorno, Ästhetische Theorie (Frankfurt am Main 1970), S. 256.
[22] Lessing, Vorrede, Vermischte Schriften des Hrn. Christlob Mylius, in: Göpfert, Bd. 3, S. 528.
[23] Goethe, Maximen und Reflexionen. Aus dem Nachlaß, hrsg. von Max Hecker (Weimar 1907), Nr. 958, S. 203.
[24] Goethe, Dichtung und Wahrheit, in: HA, Bd. 10, S. 160 f.
[25] Herder, Vom Erkennen und Empfinden der menschlichen Seele, in: Suphan, Bd. 8, S. 223.
[26] Herder, Journal meiner Reise, in: Suphan, Bd. 4, S. 454 f.
[27] Ibid., S. 455.
[28] Braemer, a.a.O., S. 83.
[29] Herder, Über den Ursprung der Sprache, in: Suphan, Bd. 5, besonders S. 144.
[30] Vgl. Kurt Wölfel, Zur Geschichtlichkeit des Autonomiebegriffs, in: Historizität in Sprach- und Literaturwissenschaft, hrsg. von Walter Müller-Seidel (München 1974), S. 563–577.
[31] Adorno, a.a.O., S. 257.
[32] Über den Auflösungsprozeß der Aufklärungspoetik von Baumgarten bis Herder informiert vorzüglich Klaus Scherpe, Gattungspoetik im 18. Jahrhundert (Stuttgart 1968), S. 169–274.
[33] Adorno, a.a.O., S. 255 f.
[34] Ibid., S. 255.
[35] Ibid., S. 256.
[36] Robert Spaemann, Natürliche Existenz und politische Existenz bei Rousseau, in: Collegium Philosophicum. Studien Joachim Ritter zum 60. Geburtstag (Basel und Stuttgart 1965), S. 385.
[37] Braemer, a.a.O., S. 18 f.; wörtlich auch in: Sturm und Drang. Erläuterungen zur deutschen Literatur (Berlin [3]1967), S. 17.
[38] Braemer, a.a.O., S. 19.
[39] Ibid., S. 59.
[40] Vgl. vor allem Lothar Pikulik, ›Bürgerliches Trauerspiel‹ und Empfindsamkeit (Köln 1966).
[41] Vgl. Fritz Brüggemann, Der Kampf um die bürgerliche Welt- und Lebensanschauung in der deutschen Literatur des 18. Jahrhunderts, DVJS, 3 (1925), 94 ff.; Braemer, a.a.O.; siehe auch Braemers Kritik an Brüggemann in: Braemer, a.a.O., S. 43–46.
[42] Peter Szondi, Die Theorie des bürgerlichen Trauerspiels im 18. Jahrhundert (Frankfurt am Main 1973), S. 128.
[43] Vgl. Andreas Huyssen, Das leidende Weib in der dramatischen Literatur von Empfindsamkeit und Sturm und Drang, in: Monatshefte, 69, No. 2 (1977), 159–173.

KOMMENTARE ZU EINZELNEN WERKEN

I. Dramaturgische Schriften

1. Bruch mit Ästhetik und Dramaturgie der Aufklärung

1 Peter Müller, Einleitung zu: Sturm und Drang. Weltanschauliche und ästhetische Schriften, hrsg. von Peter Müller, Bd. 1 (Berlin und Weimar 1978), S. LXXV.
2 Vgl. dazu Müller, a.a.O., S. LXXVIII.
3 Zu Gerstenberg vgl. neuerdings die ausgezeichnete Studie von Henry J. Schmidt, The Language of Confinement. Gerstenberg's *Ugolino* and Klinger's *Sturm und Drang*. Vorgesehen für Lessing Yearbook, 11 (1979).
4 Siegfried Melchinger, Dramaturgie des Sturms und Drangs (Gotha 1929).
5 Kurt May, Die Struktur des Dramas im Sturm und Drang. An Klingers »Zwillingen«, in: K. M., Form und Bedeutung. Interpretationen deutscher Dichtung des 18. und 19. Jahrhunderts (Stuttgart 1957), S. 42 ff. Zuerst veröffentlicht unter dem Titel Beitrag zur Phänomenologie des Dramas im Sturm und Drang, Germanisch Romanische Monatsschrift, 18 (1930), 260 ff.
6 Vgl. Christoph Hering, Friedrich Maximilian Klinger. Der Weltmann als Dichter (Berlin 1966).
7 Goethe, Charakteristik der vornehmsten europäischen Nationen, Frankfurter Gelehrte Anzeigen, 27. Oktober 1772.

2. Heinrich Wilhelm Gerstenberg: Briefe über Merkwürdigkeiten der Literatur

1 Vgl. Bruno Markwardt, Geschichte der deutschen Poetik, Bd. 2 (Berlin 1956), S. 349–357.
2 Vgl. Klaus Gerth, Studien zu Gerstenbergs Poetik (Göttingen 1960).
3 Heinrich Wilhelm von Gerstenberg, Briefe über Merkwürdigkeiten der Literatur, Deutsche Literaturdenkmale des 18. und 19. Jahrhunderts, Nos. 29–30, Kraus Reprint der Stuttgarter Ausgabe von 1890 (Nendeln 1968), S. 112.
4 Ibid., S. 112 f.
5 Ibid., S. 121.
6 Ibid., S. 114.
7 Gerth, a.a.O., S. 196 f.
8 Gerstenberg, a.a.O., S. 222–224 (20. Brief).
9 Ibid., S. 217.
10 Ibid., S. 228.
11 Ibid., S. 139.

3. Johann Gottfried Herder: Von deutscher Art und Kunst

[1] Herder/Goethe/Frisi/Möser, Von deutscher Art und Kunst, hrsg. von Hans Dietrich Irmscher (Stuttgart 1968), S. 67. (RUB).
[2] Ibid., S. 77.
[3] Ibid., S. 78.
[4] Ibid., S. 70.
[5] Ibid., S. 84.
[6] Ibid.
[7] Ibid., S. 80.
[8] Fritz Martini, Die Poetik des Dramas im Sturm und Drang, in: Deutsche Dramentheorien, hrsg. von Reinhold Grimm, Bd. 1 (Frankfurt am Main 1971), S. 134.
[9] Herder et al., a.a.O., S. 83.
[10] Hermann Hettner, Literaturgeschichte der Goethezeit (München 1970), S. 33 f.; jüngst noch in: Erläuterungen zur deutschen Literatur. Sturm und Drang, hrsg. vom Kollektiv für Literaturgeschichte im volkseigenen Verlag Volk und Wissen, Leitung: Klaus Gysi (Berlin [3]1967), S. 109.
[11] Vgl. Rudolf Haym, Herder, Bd. 1, hrsg. von Wolfgang Harich (Berlin 1954), S. 469 f.; Markwardt, a.a.O., S. 393; Klaus Scherpe, Gattungspoetik im 18. Jahrhundert (Stuttgart 1968), S. 248.

4. Johann Wolfgang Goethe: Rede zum Schäkespears Tag

[1] Goethes Werke, HA, Bd. 12, S. 225.
[2] Ibid. (Hervorhebung des Verfassers).
[3] Ibid., S. 226.
[4] Lessings Werke, hrsg. von Kurt Wölfel, Bd. 2 (Frankfurt am Main 1967), S. 437.
[5] Herder et al., a.a.O., S. 78.
[6] Ibid.
[7] Goethe, a.a.O., S. 226.
[8] Ibid., S. 224.
[9] Ibid.
[10] Ibid., S. 226.
[11] Ibid.
[12] Ibid., S. 224.
[13] Goethe, Dichtung und Wahrheit, HA, Bd. 9, S. 478.
[14] Martini, a.a.O., S. 143.
[15] Goethe, a.a.O., S. 227.

5. Jakob Michael Reinhold Lenz: Anmerkungen übers Theater

[1] Zur Rekonstruktion der Entstehungsgeschichte vgl. Theodor Friedrich, Die Anmerkungen übers Theater des Dichters Jakob Michael Reinhold Lenz (Leipzig 1909).
[2] Fritz Martini, Die Einheit der Konzeption in J. M. R. Lenz' »Anmerkungen übers Theater«, JDSG, 14 (1970), S. 163.
[3] Eckart Oehlenschläger, Jakob Michael Reinhold Lenz, in: Deutsche Dichter des 18. Jahrhunderts. Ihr Leben und Werk, hrsg. von Benno von Wiese (Berlin 1977), S. 763 f. Vgl. auch Leo Kreutzer, Literatur als Einmischung: Jakob Michael Reinhold Lenz, in: Walter Hinck (Hrsg.), Sturm und Drang (Kronberg/Ts. 1978), S. 213–229, bes. S. 220.
[4] Vgl. dazu vor allem Martini, a.a.O.
[5] Elisabeth Genton, Jakob Michael Reinhold Lenz et la Scène Allemande (Paris 1966).
[6] Vgl. René Girard, Lenz 1751–1792. Genèse d'une Dramaturgie du Tragi-Comique (Paris 1968), S. 179 f.; Peter Szondi, Die Theorie des bürgerlichen Trauerspiels im 18. Jahrhundert (Frankfurt am Main 1973), S. 176; vgl. ferner W. W. Pusey, Louis-Sébastien Mercier in Germany (New York 1966), bes. Kapitel VIII.
[7] Lenz' Brief an Gotter, 10. Mai 1775, in: Briefe von und an J. M. R. Lenz, hrsg. von Karl Freye und Wolfgang Stammler, Bd. 1 (Leipzig 1918), S. 105.
[8] Lenz, Anmerkungen übers Theater, WS, Bd. 1, S. 329.
[9] Ibid., S. 359.
[10] Lenz, Rezension des Neuen Menoza, von dem Verfasser selbst aufgesetzt, WS, Bd. 1, S. 419.
[11] Ibid.
[12] Karl S. Guthke, Geschichte und Poetik der deutschen Tragikomödie (Göttingen 1961), S. 54.
[13] Lenz, Über Götz von Berlichingen, WS, Bd. 1, S. 379.
[14] Lenz, Briefe über die Moralität der Leiden des jungen Werthers, WS, Bd. 1, S. 398.
[15] Lenz, Anmerkungen, WS, Bd. 1, S. 341.
[16] Ibid., S. 358.
[17] Vgl. Kreutzer, a.a.O., S. 223 f.
[18] Lenz, Über Götz von Berlichingen, WS, Bd. 1, S. 378.
[19] Lenz, Pandaemonium Germanicum, WS, Bd. 2, S. 275 f.
[20] Lenz, Rezension des Neuen Menoza ,WS, Bd. 1, S. 418 f.
[21] Lenz, Moralische Bekehrung eines Poeten, WS, Bd. 1, S. 278.
[22] Lenz, Anmerkungen, WS, Bd. 1, S. 359.
[23] Lenz, Über die Natur unsers Geistes, WS, Bd. 1, S. 572.

6. Friedrich Schiller: Was kann eine gute stehende Schaubühne eigentlich wirken?

[1] Klaus L. Berghahn, »Das Pathetischerhabene«: Schillers Dramentheorie, in: Reinhold Grimm (Hrsg.), Deutsche Dramentheorien, Bd. 1 (Frankfurt am Main 1971), S. 221 f.
[2] Schiller, Über das gegenwärtige teutsche Theater, SA, Bd. 11, S. 81 f.
[3] Ibid., S. 82.
[4] Ibid.
[5] Ibid., S. 83
[6] Schiller, Die Schaubühne als eine moralische Anstalt betrachtet, SA, Bd. 11, S. 98.
[7] Ibid.
[8] Schiller, Unterdrückte Vorrede, SA, Bd. 16, S. 11 f.
[9] Schiller, Besprechung der *Räuber* im Wirtembergischen Repertorium, SA, Bd. 16, S. 37 f.
[10] Schiller, Über das gegenwärtige teutsche Theater, SA, Bd. 11, S. 84.
[11] Ibid., S. 80 f.
[12] Vgl. Schiller, Die Schaubühne als eine moralische Anstalt betrachtet, SA, Bd. 11, S. 98.
[13] Ibid., S. 94.
[14] Ibid., S. 93.
[15] Schiller, Erinnerung an das Publikum, SA, Bd. 16, S. 45.
[16] Martini, Die Poetik des Dramas im Sturm und Drang, a.a.O., S. 162.
[17] Schiller, Vorrede zur ersten Auflage der *Räuber*, SA, Bd. 16, S. 26.
[18] Schiller, Nationalausgabe, Bd. 23. Schillers Briefe 1772–1785, hrsg. von Walter Müller-Seidel (Weimar 1956), S. 79 ff.
[19] Schiller, Die Schaubühne als eine moralische Anstalt betrachtet, SA, Bd. 11, S. 91 (Hervorhebung des Verfassers).
[20] Ibid.
[21] Vgl. Benno von Wiese, Schiller (Stuttgart ³1963), S. 113.
[22] Schiller, Die Schaubühne als eine moralische Anstalt betrachtet, SA, Bd. 11, S. 96.
[23] Ibid., S. 100.

II. Dramen

1. Johann Wolfgang Goethe: Götz von Berlichingen mit der eisernen Hand

[1] Brief Goethes an Herder, Anfang 1772, zitiert nach Volker Neuhaus (Hrsg.), Johann Wolfgang Goethe, Götz von Berlichingen. Erläuterungen und Dokumente (Stuttgart 1973), S. 113.
[2] Brief Goethes an Herder, Mitte Juli 1772, zitiert nach Peter Müller, Der junge Goethe im zeitgenössischen Urteil (Berlin 1969), S. 109.

[3] So etwa Ernst Beutlers Kommentar in der Gedenkausgabe der Werke, Briefe und Gespräche, Bd. 4 (Zürich 1953), S. 1705 und Wolfgang Kaysers Kommentar in Bd. 4 der Hamburger Ausgabe, S. 492 ff. Anders J. Minor/A. Sauer, Die zwei ältesten Bearbeitungen des Götz von Berlichingen, in: J. M./A. S., Studien zur Goethe-Philologie (Wien 1880), S. 117–236; Heinrich Meyer-Benfey, Goethes Götz von Berlichingen (Weimar 1929).

[4] Siehe die Zusammenstellung bei Minor/Sauer, a.a.O. sowie die Szenenauswahl aus der Erstfassung bei Neuhaus, a.a.O., S. 57 ff. und in HA, Bd. 4, S. 501 ff.

[5] Brief Goethes an Herder, Mitte Juli 1772, zitiert nach Müller, a.a.O., S. 110. Vgl. auch Herders Brief an Caroline Flachsland, Ende Juli 1772, ibid.

[6] Bibliographische Angaben bei Ilse A. Graham, Vom Urgötz zum Götz: Neufassung oder Neuschöpfung? Ein Versuch morphologischer Kritik, JDSG, 9 (1965), 264 Anm. 23.

[7] Goethe, Dichtung und Wahrheit, 13. Buch, HA, Bd. 9, S. 569.

[8] Friedrich Rothe, Götz oder Sickingen? Herders Kontroverse mit Goethe über »Götz von Berlichingen«, Annali. Studi Tedeschi, 19 (1976), 137 f.

[9] Graham, Vom Urgötz zum Götz, a.a.O., S. 260.

[10] Ibid.

[11] Goethe, Dichtung und Wahrheit, 13. Buch, HA, Bd. 9, S. 571.

[12] Herder/Goethe/Frisi/Möser, Von deutscher Art und Kunst. Einige fliegende Blätter, hrsg. von Hans Dietrich Irmscher (Stuttgart 1968), S. 90.

[13] Rothe, a.a.O., S. 132.

[14] Fritz Martini, Goethes ›Götz von Berlichingen‹. Charakterdrama und Gesellschaftsdrama, in: Ferdinand van Ingen et al. (Hrsg.), Dichter und Leser. Studien zur Literatur (Groningen 1972), S. 31.

[15] Herder et al., a.a.O., S. 90.

[16] Die einschlägigen Zeugnisse bei Neuhaus, a.a.O., S. 125 ff. und Müller, a.a.O., S. 68 ff.

[17] Zitiert nach Müller, a.a.O., S. 75.

[18] Ibid., S. 75.

[19] Ibid., S. 73.

[20] Ibid., S. 79.

[21] Ibid., S. 94.

[22] Ibid., S. 95.

[23] Ibid., S. 112.

[24] Ibid., S. 68.

[25] Ibid., S. 105.

[26] Georg Lukács, Skizze einer Geschichte der neueren deutschen Literatur (Neuwied und Berlin 1963), S. 40 f. Vgl. auch Lukács' Äußerungen zu *Götz* im Briefwechsel mit Anna Seghers von 1938.

[27] Zitiert nach Müller, a.a.O., S. 77.
[28] Lenz, Über Götz von Berlichingen, in: WS, Bd. 1, S. 379.
[29] Ibid., S. 380.
[30] Ibid., S. 380.
[31] Zitiert nach Neuhaus, a.a.O., S. 112.
[32] Emil Staiger, Goethe, Bd. 1 (Zürich 1952), S. 85.
[33] Im Götz-Kommentar, HA, Bd. 4, S. 484.
[34] Benno von Wiese, Die deutsche Tragödie von Lessing bis Hebbel (Hamburg [5]1961), S. 61.
[35] Ibid., S. 64.
[36] Gerhard Kaiser, Aufklärung, Empfindsamkeit, Sturm und Drang (München [2]1976), S. 199.
[37] Vgl. Max Morris, Der junge Goethe, Bd. 2 (Leipzig 1910), S. 284.
[38] Günther Müller, Kleine Goethebiographie (Bonn 1948), S. 56.
[39] Graham, Vom Urgötz zum Götz, a.a.O., 247 und 248.
[40] Ibid., 274.
[41] Rainer Nägele, Götz von Berlichingen: Eine Geschichte und ihre Dekonstruktion (ms.). Wird erscheinen in Walter Hinderer (Hrsg.), Interpretationen zu Goethes Dramen (Stuttgart 1979).
[42] H. A. Korff, Geist der Goethezeit, Bd. 1 (Leipzig [8]1966), S. 221 ff. Zur Rechtsproblematik im *Götz*, die bei Korff geistesgeschichtlich gefaßt ist, vgl. neuerdings Gottfried Weißert, Goethes »Götz von Berlichingen« – Recht und Geschichte, in: Projekt Deutschunterricht, Bd. 7, Literatur der Klassik I – Dramenanalysen, hrsg. von Heinz Ide und Bodo Lecke in Verbindung mit dem Bremer Kollektiv (Stuttgart 1974), S. 199–228.
[43] Frank G. Ryder, Toward a Revaluation of Goethe's *Götz*: The Protagonist, PMLA, 77 (1962), 65.
[44] Ilse Applebaum Graham, Götz von Berlichingen's Right Hand, German Life and Letters, N. S. 16 (1963), 225.
[45] Vgl. Martini, a.a.O., bes. S. 35.
[46] Ibid.
[47] Ibid.
[48] von Wiese, a.a.O., S. 63.
[49] Nägele, a.a.O.
[50] Lukács, Skizze, a.a.O., S. 41.
[51] Vgl. Edith Braemer, Goethes Prometheus und die Grundpositionen des Sturm und Drang (Weimar 1963), S. 100; Heinz Stolpe, Die Auffassung des jungen Herder vom Mittelalter (Weimar 1955), S. 331 f. Eine ähnliche Wertung bei Hannelore Schlaffer, Dramenform und Klassenstruktur. Eine Analyse der dramatis persona »Volk« (Stuttgart 1972), S. 68–71.
[52] Erläuterungen zur deutschen Literatur. Klassik, hrsg. vom Kollektiv für Literaturgeschichte im volkseigenen Verlag Volk und Wissen, Leitung: Kurt Böttcher (Berlin [7]1974), S. 83.
[53] Nägele, a.a.O.

[54] Martini, a.a.O., S. 40.
[55] Ibid., S. 36.
[56] Nägele, a.a.O.
[57] Graham, Vom Urgötz zum Götz, a.a.O., 271
[58] Martini, a.a.O., S. 42.
[59] Ibid., S. 43.
[60] Ibid., S. 44.

2. Jakob Michael Reinhold Lenz: Der Hofmeister

[1] Dichtung und Wahrheit, HA, Bd. 10, S. 7–11; vgl. auch 11. Buch, HA, Bd. 9, S. 495.
[2] Hermann Hettner, Literaturgeschichte der Goethezeit, hrsg. von Johannes Anderegg (München 1970), S. 170.
[3] Erich Schmidt, Lenz und Klinger (Berlin 1878), S. 32 und 35 f.
[4] Chr. Fr. D. Schubart, Deutsche Chronik, August 1774.
[5] Zitiert nach Gert Mattenklott, Melancholie in der Dramatik des Sturm und Drang (Stuttgart 1968), S. 122.
[6] Weitere Ausführungen mit Quellenangaben bei Elisabeth Genton, Jakob Michael Reinhold Lenz et la Scène Allemande (Paris 1966), S. 71 f.
[7] H. A. Korff, Geist der Goethezeit, Bd. 1 (Leipzig [8]1966), S. 246.
[8] Albrecht Schöne, Säkularisation als sprachbildende Kraft (Göttingen [2]1968, erste Auflage 1958).
[9] Ernst Bloch, Das Prinzip Hoffnung, Bd. 1 (Frankfurt am Main 1959), S. 495.
[10] Vgl. Volker Klotz, Geschlossene und offene Form im Drama (München 1960); Klaus Ziegler, Das deutsche Drama der Neuzeit, in: Deutsche Philologie im Aufriß, Bd. 2 (Berlin [2]1966).
[11] Karl S. Guthke, Geschichte und Poetik der deutschen Tragikomödie (Göttingen 1961), S. 63.
[12] Ibid., S. 52.
[13] Helmut Arntzen, Die ernste Komödie (München 1968), S. 267, Anm. 11.
[14] René Girard, Lenz 1751–1792. Genèse d'une Dramaturgie du Tragi-Comique (Paris 1968), S. 288.
[15] Horst Albert Glaser, Heteroklisie – der Fall Lenz, in: Gestaltungsgeschichte und Gesellschaftsgeschichte, hrsg. von Helmut Kreuzer (Stuttgart 1969), S. 147.
[16] Vgl. dazu Heinz Kindermann, Jakob Michael Reinhold Lenz und die deutsche Romantik (Wien 1925), S. 125 und Girard, a.a.O., S. 113.
[17] Vgl. dazu Genton, a.a.O.; ferner Walter Hinck, Das deutsche Lustspiel des 17. und 18. Jahrhunderts und die italienische Komödie (Stuttgart 1965).

[18] Vgl. Karl S. Guthke, Das deutsche bürgerliche Trauerspiel (Stuttgart 1972), S. 75 und Peter Szondi, Die Theorie des bürgerlichen Trauerspiels im 18. Jahrhundert (Frankfurt am Main 1973), S. 163.
[19] Vgl. Walter Hinderer, Lenz. Der Hofmeister, in: Die deutsche Komödie, hrsg. von Walter Hinck (Düsseldorf 1977), S. 82.
[20] Die Erstfassung dieser Szene ist abgedruckt in Lenz, Werke und Schriften, Bd. 2, hrsg. von Britta Titel und Hellmut Haug (Stuttgart 1967), S. 720 f.
[21] Glaser, a.a.O., S. 148.
[22] Siehe Erläuterungen zur deutschen Literatur. Sturm und Drang, hrsg. vom Kollektiv für Literaturgeschichte im volkseigenen Verlag Volk und Wissen, Leitung: Klaus Gysi (Berlin [3]1967), S. 174 und 178.
[23] Vgl. dazu die anregende Diskussion von Lenz' stummfilmähnlicher Szenentechnik bei Mattenklott, a.a.O., S. 131 ff.
[24] So interpretiert Clara Stockmeyer, Soziale Probleme im Drama des Sturmes und Dranges (Frankfurt am Main 1922), S. 20; Paul Böckmann, Formgeschichte der deutschen Dichtung, Bd. 1 (Hamburg, [2]1965), S. 664 f.; Hans Mayer, Bertolt Brecht und die Tradition, in: H. M., Brecht in der Geschichte (Frankfurt am Main 1971), S. 72; modifiziert auch noch Mattenklott, a.a.O., S. 146; anders jüngst Hinderer, a.a.O., S. 72.
[25] Lenz, Briefe über die Moralität der Leiden des jungen Werthers, WS, Bd. 1, S. 385.
[26] Heinz Otto Burger, J. M. R. Lenz: ›Der Hofmeister‹, in: Das deutsche Lustspiel, Bd. 1, hrsg. von Hans Steffen (Göttingen 1968), S. 59.
[27] Evamarie Nahke, Über den Realismus in J. M. R. Lenzens Dramen und Fragmenten. Diss. phil. Berlin 1955 (Masch.), S. 219.
[28] Erläuterungen, a.a.O., S. 179.
[29] Vgl. hingegen die durchweg positive Bewertung des Wenzeslaus bei Hinderer, a.a.O., S. 73 und 84.
[30] Hans Mayer, Lenz oder die Alternative, Nachwort zu: Lenz, Werke und Schriften, Bd. 2, S. 810.
[31] Max Weber, Die protestantische Ethik. II. Kritiken und Antikritiken, hrsg. von Johannes Winckelmann (München und Hamburg 1968), S. 187.
[32] Vgl. hingegen Erläuterungen, a.a.O., S. 179.
[33] Mattenklott, a.a.O., S. 165.
[34] Arntzen, a.a.O., S. 89.
[35] Hinderer, a.a.O., S. 79.

3. Heinrich Leopold Wagner: Die Kindermörderin

[1] Goethe, Dichtung und Wahrheit, HA, Bd. 10, S. 11.
[2] Hermann Hettner, Literaturgeschichte der Goethezeit (München 1970), S. 189 f. Ähnlich urteilen im 19. Jahrhundert auch Gervinus, Appell, Julian Schmidt und Erich Schmidt, der sich in seiner Mono-

graphie Heinrich Leopold Wagner, Goethes Jugendgenosse (Jena ²1879) um eine gerechtere Würdigung zumindest bemühte.

[3] H. A. Korff, Geist der Goethezeit, Bd. 1 (Leipzig ⁸1966), S. 245.

[4] Vgl. Erich Schmidt, a.a.O. und auf Schmidt aufbauend Arthur Eloesser, Das bürgerliche Drama (Berlin 1898), S. 130–137.

[5] H. B. Garland, Storm and Stress (London 1952); Richard Newald, Geschichte der deutschen Literatur, Bd. 6, 1 (München ³1961).

[6] Fritz Martini, Von der Aufklärung zum Sturm und Drang, in: Heinz Otto Burger (Hrsg.), Annalen der deutschen Literatur (Stuttgart ²1971), S. 462; Wolfdietrich Rasch, Die Zeit der Klassik und frühen Romantik, ibid., S. 473; Ferdinand Josef Schneider, Die deutsche Dichtung der Geniezeit (Stuttgart 1952), S. 214–217.

[7] Hettner, a.a.O., S. 191.

[8] Schneider, a.a.O., S. 215.

[9] Johannes Werner, Gesellschaft in literarischer Form. H. L. Wagners »Kindermörderin« als Epochen- und Methodenparadigma (Stuttgart 1977), S. 113.

[10] Karl Lessings Vorrede zu seiner Bearbeitung, abgedruckt in H. L. Wagner, Die Kindermörderin, hrsg. von Erich Schmidt (Heilbronn 1883; Reprint 1968), S. 92 (Deutsche Literaturdenkmale, Bd. 13).

[11] Teilweise abgedruckt bei Erich Schmidt, H. L. Wagner, a.a.O., S. 139 Anm. 70.

[12] Karl Lessings Vorrede, a.a.O., S. 91.

[13] Wagners Vorrede, abgedruckt in H. L. Wagner, Die Kindermörderin, hrsg. von Erich Schmidt, a.a.O., S. 110.

[14] Ibid., S. 110.

[15] Ibid., S. 111.

[16] Deutsches Museum, 1778, II, S. 478 f. Zitiert nach Schmidt, H. L. Wagner, a.a.O., S. 138.

[17] Herders sämtliche Werke, Suphan, Bd. 2, S. 148.

[18] Siehe Beat Weber, Die Kindsmörderin im deutschen Schrifttum von 1770–1795 (Bonn 1974), S. 18 ff. Besser und in jeder Hinsicht gründlicher ist die Studie von J. M. Rameckers, Der Kindesmord in der Sturm-und-Drang-Periode (Rotterdam 1927). Bei Rameckers finden sich auch mehrere schwer zugängliche Kindesmorddichtungen abgedruckt.

[19] Vgl. Clara Stockmeyer, Soziale Probleme im Drama des Sturmes und Dranges (Frankfurt am Main 1922), S. 155. Rameckers hat darauf verwiesen, daß die Preisfrage nicht, wie in der Forschung oft angenommen, von der Mannheimer Akademie, sondern von einem gewissen Ferdinand von Lamezan vorgelegt wurde; vgl. Rameckers, a.a.O., S. 83.

[20] Friedrich Müller, Idyllen, hrsg. von Peter-Erich Neuser (Stuttgart 1977), S. 123–125.

[21] Erläuterungen zur deutschen Literatur. Sturm und Drang, hrsg. vom Kollektiv für Literaturgeschichte im volkseigenen Verlag Volk und Wissen, Leitung: Klaus Gysi (Berlin ³1967), S. 227.

[22] Zitiert nach Sturm und Drang. Dramatische Schriften, Bd. 2, hrsg. von Erich Loewenthal und Lambert Schneider (Heidelberg o. J.), S. 550f.
[23] Hinweis bei Schmidt, H. L. Wagner, a.a.O., S. 135 Anm. 64.
[24] Karl S. Guthke, Das deutsche bürgerliche Trauerspiel (Stuttgart 1972), S. 74f.
[25] Korff, a.a.O., S. 245.
[26] Peter Szondi, Die Theorie des bürgerlichen Trauerspiels im 18. Jahrhundert (Frankfurt am Main 1973), S. 167 und 185.
[27] Ibid., S. 168.
[28] H. L. Wagner, Merciers Neuer Versuch über die Schauspielkunst (Leipzig 1776), S. 110, zitiert nach Szondi, a.a.O., S. 169.
[29] Vgl. auch Mark O. Kistler, Drama of the Storm and Stress (New York 1969), S. 91.
[30] Peter Hacks, Zwei Bearbeitungen (Frankfurt am Main 1963), S. 145f.
[31] Vgl. Schmidt, H. L. Wagner, a.a.O., S. 97.
[32] Wagners Vorrede, a.a.O., S. 109.
[33] Werner, a.a.O., S. 55ff.
[34] Ibid., S. 60.
[35] Ibid., S. 75.
[36] Ibid., S. 107.
[37] Peter Szondi, Theorie des modernen Dramas (Frankfurt am Main 1964), S. 63.
[38] Werner, a.a.O., S. 110f.
[39] Zitiert nach Sturm und Drang. Dramatische Schriften, Bd. 2, a.a.O., S. 571.

4. Friedrich Maximilian Klinger: Die Zwillinge

[1] Friedrich Maximilian Klinger, Dramatische Jugendwerke, Bd. 1, hrsg. von Hans Berendt und Kurt Wolff (Leipzig 1912–13), S. 352f.
[2] Heinz Kindermann, Theatergeschichte Europas, Bd. 4. Von der Aufklärung zur Romantik (1. Teil) (Salzburg 1961), S. 560.
[3] Max Rieger, Klinger in seiner Reife (Darmstadt 1896), »Briefbuch«, S. 127.
[4] Ferdinand Josef Schneider, Die deutsche Dichtung der Geniezeit (Stuttgart 1952), S. 226f.
[5] Briefe aus dem Freundeskreis von Goethe und Merck, hrsg. von K. Wagner (1847), S. 165.
[6] August Sauer, Klinger und Leisewitz. Stürmer und Dränger, Teil 1, in: Deutsche National-Literatur, hrsg. von J. Kürschner, Bd. 79, S. IX.
[7] H. A. Korff, Geist der Goethezeit, Bd. 1 (Leipzig [8]1966), S. 229f.
[8] Schneider, a.a.O., S. 225.
[9] Ibid.
[10] Richard Newald, Geschichte der deutschen Literatur, Bd. 6, 1 (München [3]1961), S. 263.

[11] Kurt May, Friedrich Maximilian Klingers Sturm und Drang, DVJS, 11 (1933), 399.
[12] Christoph Hering, Friedrich Maximilian Klinger. Der Weltmann als Dichter (Berlin 1966), S. 9.
[13] Ibid., S. 41.
[14] Ibid., S. 37.
[15] Karl S. Guthke, Lektion eines Preisausschreibens: Klingers *Zwillinge*, in: K. S. G., Literarisches Leben im achtzehnten Jahrhundert in Deutschland und in der Schweiz (Bern und München 1975), S. 289.
[16] Hering, a.a.O., S. 35.
[17] Guthke, a.a.O., S. 285.
[18] Ibid.
[19] Roy Pascal, Der Sturm und Drang (Stuttgart ²1977), S. 177 f.
[20] H. B. Garland, Storm and Stress (London 1952), S. 79 f.
[21] Johan Pieter Snapper, The Solitary Player in Klinger's Early Dramas, GR, 45 (1970), 83–93.
[22] Hering, a.a.O., S. 66.
[23] Ibid., S. 67 f.
[24] Ibid., S. 73.
[25] Guthke, a.a.O., S. 286.
[26] Olga Smoljan, Friedrich Maximilian Klinger. Leben und Werk (Weimar 1962), S. 66.
[27] Hans Jürgen Geerdts, Einleitung zu: Klinger, Werke in zwei Bänden, Bd. 1 (Berlin und Weimar 1970), S. XIII.
[28] Erläuterungen zur deutschen Literatur. Sturm und Drang, hrsg. vom Kollektiv für Literaturgeschichte im volkseigenen Verlag Volk und Wissen, Leitung: Klaus Gysi (Berlin ³1967), S. 201.
[29] Smoljan, a.a.O., S. 67.
[30] Schneider, a.a.O., S. 226.
[31] Sturm und Drang. Ein Lesebuch für unsere Zeit, hrsg. von Klaus Herrmann und Joachim Müller (Berlin-Weimar ¹⁰1973), S. XLVII.
[32] Erich Schmidt, Lenz und Klinger. Zwei Dichter der Geniezeit (Berlin 1878), S. 83.
[33] Guthke, a.a.O., S. 287.
[34] Gert Mattenklott, Melancholie in der Dramatik des Sturm und Drang (Stuttgart 1968), S. 59–86.
[35] Fritz Martini, Die feindlichen Brüder, JDSG, 16 (1972), 208–265
[36] Vgl. Snapper, a.a.O.
[37] Vgl. Mattenklott, a.a.O., S. 79 ff.
[38] Karl Philipp Moritz, Werke in zwei Bänden, Bd. 2. Anton Reiser (Berlin-Weimar 1973), S. 318 f.
[39] Ladislao Mittner, Freundschaft und Liebe in der deutschen Literatur des 18. Jahrhunderts, in: Stoffe, Formen, Strukturen. Studien zur deutschen Literatur. H. H. Borcherdt zum 75. Geburtstag, hrsg. von A. Fuchs und H. Motekat (München 1962), S. 214.
[40] Martini, a.a.O., 214.

[41] Korff, a.a.O., S. 229.
[42] Martini, a.a.O., 214.
[43] Ibid., 263.
[44] Ibid., 264 f.
[45] Ibid., 264.
[46] Peter Szondi, Die Theorie des bürgerlichen Trauerspiels im 18. Jahrhundert (Frankfurt am Main 1973), S. 124.

5. Friedrich Schiller: Kabale und Liebe

[1] Vgl. dazu die Kapitel »Württembergische Zustände« und »Kabale und Liebe« in: Franz Mehring, Schiller. Ein Lebensbild für deutsche Arbeiter (1905), Gesammelte Schriften, Bd. 10 (Berlin 1961), S. 98–104 und 138–143.
[2] Schillers »Kabale und Liebe«. Das Mannheimer Soufflierbuch, hrsg. und interpretiert von H. Kraft (Mannheim 1963).
[3] Siehe Reinhard Buchwald, Schiller, Bd. 1 (Wiesbaden 1953), S. 400.
[4] Ibid., S. 423 f.
[5] Andreas Streicher, Schillers Flucht, neu hrsg. von P. Raabe (Stuttgart 1968), S. 94.
[6] Bibliographische Hinweise zur Einflußforschung bei Karl S. Guthke, Das deutsche bürgerliche Trauerspiel (Stuttgart 1972), S. 77 und bei Helmut Koopmann, Friedrich Schiller, Bd. 1 (1759–1794) (Stuttgart ²1977), S. 48.
[7] Zum Nachruhm Schillers vgl. Hans Mayer, Zur deutschen Klassik und Romantik (Pfullingen 1963), S. 165–184.
[8] Zitiert nach Hans Henning, Schillers »Kabale und Liebe« in der zeitgenössischen Rezeption (Leipzig 1976), S. 177.
[9] Erich Auerbach, Mimesis (Bern ²1959), S. 409.
[10] Jakob Minor, Schiller. Sein Leben und seine Werke, Bd. 1 (Berlin 1890), S. 348, 352.
[11] Paul Böckmann, Die innere Form in Schillers Jugenddramen (1934), in: Schiller. Zur Theorie und Praxis der Dramen, hrsg. von Klaus Berghahn und Reinhold Grimm (Darmstadt 1972), S. 19.
[12] Einleitung zu Schillers Sämtliche Werke, SA, Bd. 3, S. VI.
[13] So etwa Guthke, a.a.O., S. 77–79.
[14] Helmut Koopmann, Drama der Aufklärung. Kommentar zu einer Epoche (München 1979), S. 142–154.
[15] Wolfgang Binder, Schiller: »Kabale und Liebe«, in: Das deutsche Drama, Bd. 1, hrsg. von Benno von Wiese (Düsseldorf 1964), S. 270.
[16] Helmut Koopmann, Friedrich Schiller, a.a.O., S. 43; vgl. auch die Einleitung zu *Kabale und Liebe*, ed. by E. M. Wilkinson and L. A. Willoughby (Oxford 1945, ⁶1964).
[17] Benno von Wiese, Die deutsche Tragödie von Lessing bis Hebbel (Hamburg ⁵1961), S. 190.
[18] Das gilt für Martini, Müller-Seidel, Malsch und teilweise auch für

Guthke, der sich vornehmlich auf Malsch stützt. Vgl. die folgenden Anmerkungen.

[19] Fritz Martini, Schillers Kabale und Liebe. Bemerkungen zur Interpretation des ›Bürgerlichen Trauerspiels‹, DU, 4 (1952), Heft 5, 20 und 32.

[20] Walter Müller-Seidel, Das stumme Drama der Luise Millerin (1955), in: Schiller. Zur Theorie und Praxis der Dramen, a.a.O., S. 131–147.

[21] Wilfried Malsch, Der betrogene Deus iratus in Schillers Drama ›Louise Millerin‹, in: Collegium Philosophicum. Studien Joachim Ritter zum 60. Geburtstag (Basel/Stuttgart 1965), S. 157–208.

[22] Koopmann, Drama der Aufklärung, a.a.O., S. 147.

[23] Ibid.

[24] Rolf-Peter Janz, Schillers »Kabale und Liebe« als bürgerliches Trauerspiel, JDSG, 20 (1976), 208–228; Anthony Williams, The ambivalences in the plays of the young Schiller about contemporary Germany, in: Deutsches Bürgertum und literarische Intelligenz 1750–1800, hrsg. von Bernd Lutz (Stuttgart 1974), S. 1–112 (Literaturwissenschaft und Sozialwissenschaften 3).

[25] Georg Lukács, Zur Soziologie des modernen Dramas, Teildruck in: G. L., Schriften zur Literatursoziologie, hrsg. von Peter Ludz (Neuwied 1961), S. 277.

[26] Vgl. Peter Szondi, Die Theorie des bürgerlichen Trauerspiels im 18. Jahrhundert (Frankfurt am Main 1973), S. 18 f.

[27] Richard Daunicht, Die Entstehung des bürgerlichen Trauerspiels in Deutschland (Berlin ^{2}1965); Lothar Pikulik, »Bürgerliches Trauerspiel« und Empfindsamkeit (Köln 1966); Alois Wierlacher, Das bürgerliche Drama. Seine theoretische Begründung im 18. Jahrhundert (München 1968).

[28] Zur politisch progressiven Dimension von Moralkritik, Häuslichkeit und bürgerlicher Privatsphäre im 18. Jahrhundert vgl. Jürgen Habermas, Strukturwandel der Öffentlichkeit (Neuwied-Berlin ^{4}1969).

[29] Vgl. Joachim Müller, Wirklichkeit und Klassik (Berlin 1955), S. 130; Alexander Abusch, Schiller. Größe und Tragik eines deutschen Genius (Berlin-Weimar ^{4}1965), S. 64; Hans-Günther Thalheim, Zur Literatur der Goethezeit (Berlin 1969), S. 94.

[30] Martini, a.a.O., 33 und 22.

[31] Koopmann, Friedrich Schiller, a.a.O., S. 43.

[32] Vgl. dazu schon die ausgezeichnete Analyse der Sprachnot Luises bei Müller-Seidel, a.a.O.

[33] Benno von Wiese, Friedrich Schiller (Stuttgart ^{3}1963), S. 201.

[34] Müller, a.a.O., S. 127 f.

[35] H. A. Korff, Geist der Goethezeit, Bd. 1 (Leipzig ^{8}1966), S. 207.

[36] So schon Franz Mehring, Kabale und Liebe (1909), in: Gesammelte Schriften, Bd. 10 (Berlin 1961), S. 256.

[37] Müller, a.a.O., S. 137.

[38] Erläuterungen zur deutschen Literatur. Klassik, hrsg. vom Kollektiv für Literaturgeschichte im volkseigenen Verlag Volk und Wissen, Leitung: Kurt Böttcher (Berlin [7]1974), S. 166.
[39] Williams, a.a.O., S. 37.
[40] Böckmann, a.a.O., S. 37 ff.
[41] Martini, a.a.O.
[42] Janz, a.a.O., 216.
[43] Ibid., 217.
[44] Ibid., 219.
[45] Max Weber, Die protestantische Ethik und der Geist des Kapitalismus (1904), in: M. W., Die protestantische Ethik II. Kritiken und Antikritiken, hrsg. von Johannes Winckelmann (München-Hamburg 1968), S. 135 f.
[46] Janz, a.a.O., 223.
[47] Ibid., 224.
[48] Ferdinand Josef Schneider, Die deutsche Dichtung der Geniezeit (Stuttgart 1952), S 269.
[49] Vgl. Szondi, a.a.O., S. 15–90.
[50] Horst Albert Glaser, Heteroklisie – der Fall Lenz, in: Helmut Kreuzer (Hrsg.), Gestaltungsgeschichte und Gesellschaftsgeschichte (Stuttgart 1969), S. 148.
[51] Ibid., S. 151.

BIBLIOGRAPHIE

ALLGEMEINER TEIL

I. Textsammlungen

Deutsche Literaturdenkmale des 18. und 19. Jahrhunderts. Kraus Reprint der Stuttgarter Ausgabe von 1890. Nendeln 1968 (Nos. 29/30: Gerstenberg, Briefe über Merkwürdigkeiten der Literatur).

Deutsche National-Litteratur. Historisch-kritische Ausgabe. Bd. 78: G. A. Bürger. Bde. 79–81: Stürmer und Dränger. Hrsg. von August Sauer. Stuttgart o. J. Empfindsamkeit. Theoretische und kritische Texte. Hrsg. von Wolfgang Doktor und Gerhard Sauder. Stuttgart 1976. (RUB)

Empfindsamkeit, Sturm und Drang. Hrsg. von Marianne Beyer. Darmstadt 1970. Unveränderter reprografischer Nachdruck der Ausgabe Leipzig 1936 (Deutsche Literatur in Entwicklungsreihen. Reihe Deutsche Selbstzeugnisse. Bd. 9).

Herder, Goethe, Frisi, Möser: Von deutscher Art und Kunst. Einige fliegende Blätter. Hrsg. von Hans Dietrich Irmscher. Stuttgart 1968. (RUB)

Hermand, Jost (Hrsg.): Von deutscher Republik 1775–1795. Texte radikaler Demokraten. Frankfurt am Main 1968 (Taschenbuchausgabe edition suhrkamp 793, 1975).

Ide, Heinz/Lecke, Bodo (Hrsg.): Ökonomie und Literatur. Lesebuch zur Sozialgeschichte und Literatursoziologie der Aufklärung und Klassik. Frankfurt am Main 1973.

Mathes, Jürgen (Hrsg.): Die Entwicklung des bürgerlichen Dramas im 18. Jahrhundert. Tübingen 1974.

Sturm und Drang. Dichtungen aus der Geniezeit. 4 Teile. Hrsg. von Karl Freye. Berlin o. J.

Sturm und Drang. Dramatische Schriften. 2 Bde. Hrsg. von Erich Loewenthal und Lambert Schneider. Heidelberg o. J.

Sturm und Drang. Kritische Schriften. Plan und Auswahl von Erich Loewenthal. Anmerkungen von Lambert Schneider und Waltraut Schleuning. Heidelberg [2]1962.

Sturm-und-Drang, Klassik, Romantik. Texte und Zeugnisse. 2 Bde. Hrsg. von Hans-Egon Hass. München 1966.

Sturm und Drang. Dichtungen und theoretische Texte. 2 Bde. Ausgewählt und mit einem Nachwort versehen von Heinz Nicolai. München 1971.

Sturm und Drang. Ein Lesebuch für unsere Zeit. Hrsg. von Klaus Herrmann und Joachim Müller. Berlin/Weimar 1973.

Sturm und Drang und Empfindsamkeit. Hrsg. von Ulrich Karthaus. Stuttgart 1976 (Die deutsche Literatur in Text und Darstellung. Bd. 6. RUB).
Sturm und Drang Weltanschauliche und ästhetische Schriften. 2 Bde. Hrsg. von Peter Müller. Berlin/Weimar 1978.
Zeichen der Zeit. Ein deutsches Lesebuch. Bd. 1. Hrsg. von Walther Killy. Frankfurt am Main 1962.

II. Darstellungen und literaturwissenschaftliche Untersuchungen

Adler, Emil: Herder und die deutsche Aufklärung. Wien/Frankfurt am Main/Zürich 1968.
Arntzen, Helmut: Die ernste Komödie. Das deutsche Lustspiel von Lessing bis Kleist. München 1968.
Balet, Leo/Gerhard, E.: Die Verbürgerlichung der deutschen Kunst, Literatur und Musik im 18. Jahrhundert. Hrsg. und eingeleitet von Gert Mattenklott. Frankfurt am Main/Berlin/Wien 1973 (Erstausgabe 1936).
Becker, Eva D.: Der deutsche Roman um 1780. Stuttgart 1964.
Beißner, Friedrich: Studien zur Sprache des Sturms und Drangs. Eine stilistische Untersuchung der Klingerschen Jugenddramen. In: GRM, 22 (1934), 417 ff.
Benz, Richard: Die Zeit der deutschen Klassik. Stuttgart 1953.
Birk, Heinz: Bürgerliche und empfindsame Moral im Familiendrama des 18. Jahrhunderts. Diss. Bonn 1967.
Blackall, Eric Albert: Die Entwicklung des Deutschen zur Literatursprache, 1700–1775. Stuttgart 1966.
Blumenberg, Hans: »Nachahmung der Natur«. Zur Vorgeschichte der Idee des schöpferischen Menschen. In: Studium Generale, 10 (1957), 266–283.
Böckmann, Paul: Formgeschichte der deutschen Dichtung. Bd. 1. Hamburg 1949.
Böschenstein, Hermann: Deutsche Gefühlskultur. Studien zu ihrer dichterischen Gestaltung. Bd. 1. Bern 1954.
Braemer, Edith: Goethes Prometheus und die Grundpositionen des Sturm und Drang. Weimar ²1963.
Brüggemann, Fritz: Der Kampf um die bürgerliche Welt- und Lebensanschauung in der deutschen Literatur des 18. Jahrhunderts. In: DVJS, 3 (1925), 94 ff.
Daunicht, Richard: Die Entstehung des bürgerlichen Trauerspiels in Deutschland. Berlin 1963.
Dieckmann, Herbert: Diderot und die Aufklärung. Aufsätze zur europäischen Literatur des 18. Jahrhunderts. Stuttgart 1972.
Doktor, Wolfgang: Die Kritik der Empfindsamkeit. Bern/Frankfurt am Main 1975.

Dosenheimer, Elise: Das deutsche soziale Drama von Lessing bis Sternheim. Konstanz 1949.

Eloesser, Arthur: Das bürgerliche Drama. Berlin 1898.

Eyberg, Johannes: Die Zwillinge. Kain und Abel in der Goethezeit. Stuttgart 1947.

Fechner, Jörg-Ulrich: Leidenschafts- und Charakterdarstellung im Drama. (Gerstenberg, Leisewitz, Klinger, Wagner). In: Walter Hinck (Hrsg.): Sturm und Drang. Kronberg/Ts. 1978, S. 175–191.

Friess, Ursula: Buhlerin und Zauberin. Eine Untersuchung zur deutschen Literatur des 18. Jahrhunderts. München 1970.

Garland, H. B.: Storm and Stress. London 1952.

Gay, Peter: The Enlightenment. An Interpretation. New York. Bd. 1 1966. Bd. 2 1969.

Glaser, Horst Albert: Das bürgerliche Rührstück. Analekten zum Zusammenhang von Sentimentalität und Autorität in der trivialen Dramatik Schröders, Ifflands, Kotzebues und anderer Autoren am Ende des 18. Jahrhunderts. Stuttgart 1969.

Grappin, Pierre: La théorie du génie dans le préclassicisme allemand. Paris 1952.

Guthke, Karl Siegfried: Geschichte und Poetik der deutschen Tragikomödie. Göttingen 1961.

Guthke, Karl Siegfried: Das deutsche bürgerliche Trauerspiel. Stuttgart 1972.

Guthke, Karl Siegfried: Literarisches Leben im 18. Jahrhundert in Deutschland und in der Schweiz. Bern/München 1975.

Heitner, Robert R.: Real Life or Spectacle? A Conflict in Eighteenth-Century German Drama. In: PMLA, 82 (1967), 485–497.

Hettner, Hermann: Literaturgeschichte der Goethezeit. Hrsg. von Johannes Anderegg. München 1970.

Hinck, Walter: Das deutsche Lustspiel des 17. und 18. Jahrhunderts und die italienische Komödie. Commedia dell'arte und Théâtre Italien. Stuttgart 1965.

Hinck, Walter (Hrsg.): Europäische Aufklärung. 1. Teil. Frankfurt am Main 1974 (Neues Handbuch der Literaturwissenschaft. Bd. 11).

Hinck, Walter (Hrsg.): Sturm und Drang. Ein literaturwissenschaftliches Studienbuch. Kronberg/Ts. 1978.

Hinz, Berthold: Zur Dialektik des bürgerlichen Autonomiebegriffs. In: Autonomie der Kunst. Zur Genese und Kritik einer bürgerlichen Kategorie. Mit Beiträgen von Michael Müller u. a. Frankfurt am Main 1972.

Hof, Walter: Pessimistisch-nihilistische Strömungen in der deutschen Literatur vom Sturm und Drang bis zum Jungen Deutschland. Tübingen 1970.

Hohendahl, Peter Uwe: Der europäische Roman der Empfindsamkeit. Wiesbaden 1977.

Huyssen, Andreas: Das leidende Weib in der dramatischen Literatur von Empfindsamkeit und Sturm und Drang. Eine Studie zur bürgerlichen Emanzipation in Deutschland. In: Monatshefte, 69 (1977), 159–173.

Jacobs, Jürgen: Prosa der Aufklärung. Kommentar zu einer Epoche. München 1976.

Jäger, Georg: Empfindsamkeit und Roman. Wortgeschichte, Theorie und Kritik im 18. und frühen 19. Jahrhundert. Stuttgart 1969.

Kaim-Kloock, Lore: Gottfried August Bürger. Zum Problem der Volkstümlichkeit in der Lyrik. Berlin 1963.

Kaiser, Gerhard: Pietismus und Patriotismus im literarischen Deutschland. Ein Beitrag zum Problem der Säkularisation. Frankfurt am Main ²1973.

Kaiser, Gerhard: Aufklärung, Empfindsamkeit, Sturm und Drang. München ²1976 (Geschichte der deutschen Literatur. Hrsg. von Gerhard Kaiser. Bd. 3).

Kindermann, Heinz: Entwicklung der Sturm und Drangbewegung. Wien 1925.

Kindermann, Heinz: Theatergeschichte Europas. Bd. 4. Von der Aufklärung zur Romantik. 1. Teil. Salzburg 1961.

Kistler, Mark O.: Drama of the Storm and Stress. New York 1969.

Klassik. Erläuterungen zur deutschen Literatur. Hrsg. vom Kollektiv für Literaturgeschichte im volkseigenen Verlag Volk und Wissen. Berlin ⁷1974.

Kließ, Werner: Sturm und Drang. Gerstenberg, Lenz, Klinger, Leisewitz, Wagner, Maler Müller. Velbert 1966 (Friedrichs Dramatiker des Welttheaters. Bd. 25).

Klotz, Volker: Die geschlossene und offene Form im Drama. München o. J. (1960).

Kluckhohn, Paul: Die Auffassung der Liebe in der Literatur des 18. Jahrhunderts und in der deutschen Romantik. Tübingen ³1966.

Kohlschmidt, Werner: Vom Barock bis zur Klassik. Stuttgart 1965 (Geschichte der deutschen Literatur von den Anfängen bis zur Gegenwart. Bd. 2).

Koopmann, Helmut: Drama der Aufklärung. Kommentar zu einer Epoche. München 1979.

Korff, H. A.: Geist der Goethezeit. Versuch einer ideellen Entwicklung der klassisch-romantischen Literaturgeschichte. 1. Teil. Sturm und Drang. Leipzig ⁸1966.

Krauss, Werner (Hrsg.): Die französische Aufklärung im Spiegel der deutschen Literatur des 18. Jahrhunderts. Berlin 1963.

Krauss, Werner: Perspektiven und Probleme. Zur französischen und deutschen Aufklärung und andere Aufsätze. Neuwied/Berlin 1965.

Krüger, Renate: Das Zeitalter der Empfindsamkeit. Kunst und Kultur des späten 18. Jahrhunderts in Deutschland. Wien 1972.

Lukács, Georg: Skizze einer Geschichte der neueren deutschen Literatur. Neuwied/Berlin 1963.

Lukács, Georg: Goethe und seine Zeit. In: G. L. Deutsche Literatur in zwei Jahrhunderten. Neuwied/Berlin 1964.

Mann, Michael: Die feindlichen Brüder. In: GRM, N. F., 18 (1968), 225–247.

Mann, Michael: Sturm-und-Drang-Drama. Bern/München 1974.

Martini, Fritz: Von der Aufklärung zum Sturm und Drang. 1700–1775. In: Annalen der deutschen Literatur. Hrsg. von Heinz Otto Burger. Stuttgart ²1971. S. 405–464.

Martini, Fritz: Die feindlichen Brüder. Zum Problem des gesellschaftskritischen Dramas von J. A. Leisewitz, F. M. Klinger und F. Schiller. In: JDSG, 16 (1972), 208–265.

Mattenklott, Gert: Melancholie in der Dramatik des Sturm und Drang. Stuttgart 1968.

Mattenklott, Gert/Scherpe, Klaus R. (Hrsg.): Literatur der bürgerlichen Emanzipation im 18. Jahrhundert. Kronberg/Ts. 1973.

Mattenklott, Gert/Scherpe, Klaus R. (Hrsg.): Westberliner Projekt: Grundkurs 18. Jahrhundert. 2 Bde. Kronberg/Ts. 1974.

Mayer, Hans: Faust, Aufklärung und Sturm und Drang. In: H. M. Zur deutschen Klassik und Romantik. Pfullingen 1963. S. 7–29.

McInnes, Edward: The Sturm und Drang and the Development of Social Drama. In: DVJS, 46 (1972), 61–81.

Metelmann, Ernst: Zur Geschichte des Göttinger Dichterbundes 1772–1774. Faksimile Euphorion, 33 (1932). Stuttgart 1965.

Milch, Werner: Christoph Kaufmann. Frauenfeld 1932.

Miller, Norbert: Der empfindsame Erzähler. Untersuchungen an Romananfängen des 18. Jahrhunderts. München 1968.

Mittner, Ladislao: Freundschaft und Liebe in der deutschen Literatur des 18. Jahrhunderts. In: Stoffe, Formen, Strukturen. Festschrift für H. H. Borcherdt. Hrsg. von A. Fuchs und H. Motekat. München 1962.

Mog, Paul: Ratio und Gefühlskultur. Studien zu Psychogenese und Literatur im 18. Jahrhundert. Tübingen 1976.

Mortier, Roland: Diderot in Deutschland. 1750–1850. Stuttgart 1967.

Müller, Peter: Zeitkritik und Utopie in Goethes Werther. Berlin 1969.

Müller, Peter: Dramatik am Wendepunkt der Staatengeschichte. In: Grundlinien der Entwicklung, Weltanschauung und Ästhetik des Sturm und Drang. Dissertation B. Berlin 1976.

Müller, Peter: Einleitung. Sturm und Drang. Weltanschauliche und ästhetische Schriften. Bd. 1. Berlin/Weimar 1978. S. XI–CXXIV.

Newald, Richard: Von Klopstock bis zu Goethes Tod. 1750–1832. 1. Teil. Ende der Aufklärung und Vorbereitung der Klassik. München 1957 (Geschichte der deutschen Literatur von den Anfängen bis zur Gegenwart. Hrsg. von Helmut de Boor und Richard Newald, Bd. 6/1).

Pascal, Roy: Der Sturm und Drang. Stuttgart ²1977.

Pellegrini, Alessandro: Sturm und Drang und politische Revolution. In: GLL, 18 (1965), 121–129.
Pikulik, Lothar: »Bürgerliches Trauerspiel« und Empfindsamkeit. Köln/Graz 1966.
Pusey, W. W.: Louis-Sébastien Mercier in Germany. His Vogue and Influence in the Eighteenth Century. New York 1966 (Erstmals 1939).
Quabius, Richard: Generationsverhältnisse im Sturm und Drang. Köln/Wien 1976.
Rameckers, Jan Mathias: Der Kindesmord in der Literatur der Sturm-und-Drang-Periode. Rotterdam 1927.
Rasch, Wolfdietrich: Die Zeit der Klassik und frühen Romantik. 1775–1805. In: Annalen der deutschen Literatur. Hrsg. von Heinz Otto Burger. Stuttgart [2]1971. S. 465–550.
Rehm, Walther: Griechentum und Goethezeit. Leipzig 1936.
Ruppert, Hans: Die Darstellung der Leidenschaften und Affekte im Drama des Sturmes und Dranges. Berlin 1941.
Sauder, Gerhard: Empfindsamkeit. Bd. 1. Voraussetzungen und Elemente. Stuttgart 1974.
Schaer, Wolfgang: Die Gesellschaft im deutschen bürgerlichen Drama des 18. Jahrhunderts. Bonn 1963.
Scherpe, Klaus R.: Werther und Wertherwirkung. Zum Syndrom bürgerlicher Gesellschaftsordnung im 18. Jahrhundert. Bad Homburg/Berlin/Zürich 1970.
Schlaffer, Heinz: Der Bürger als Held. Frankfurt am Main 1973.
Schneider, Ferdinand Josef: Die deutsche Dichtung der Geniezeit. Stuttgart 1952.
Schöffler, Herbert: Deutscher Geist im 18. Jahrhundert. Essays zur Geistes- und Religionsgeschichte. Göttingen 1956.
Schröder, Winfried: Die Präromantiktheorie, eine Etappe in der Geschichte der Literaturwissenschaft? In: WB, 12/1966, 723–764.
Schulte, Hans H.: Zur Geschichte des Enthusiasmus im 18. Jahrhundert. In: Publications of the English Goethe Society. N. F., 39 (1969), 85–122.
Seybold, Eberhard: Das Genrebild in der deutschen Literatur. Stuttgart 1967.
Siegrist, Christoph: Aufklärung und Sturm und Drang: Gegeneinander oder Nebeneinander? In: Walter Hinck (Hrsg.): Sturm und Drang. Kronberg/Ts. 1978. S. 1–13.
Sommerfeld, Martin: Friedrich Nicolai und der Sturm und Drang. Ein Beitrag zur Geschichte der deutschen Aufklärung. Halle 1921.
Staiger, Emil: Stilwandel. Studien zur Vorgeschichte der Goethezeit. Zürich 1963.
Steffen, Hans (Hrsg.): Das deutsche Lustspiel. Bd. 1. Göttingen 1968.
Stockmeyer, Clara: Soziale Probleme im Drama des Sturmes und Dranges. Frankfurt am Main 1922.

Stolpe, Heinz: Die Auffassung des jungen Herder vom Mittelalter. Ein Beitrag zur Geschichte der Aufklärung. Weimar 1955.

Sturm und Drang. Erläuterungen zur deutschen Literatur. Hrsg. vom Kollektiv für Literaturgeschichte im volkseigenen Verlag Volk und Wissen. Berlin [3]1967.

Trumpke, Ulrike: Balladendichtung um 1770. Ihre soziale und religiöse Funktion. Stuttgart 1975.

Trunz, Erich: Seelische Kultur. Eine Betrachtung über Freundschaft, Liebe und Familiengefühl im Schrifttum der Goethezeit. In: DVJS, 24 (1950), 214–242.

Unger, Rudolf: Hamann und die Aufklärung. Studien zur Vorgeschichte des romantischen Geistes im 18. Jahrhundert. 2 Bde. Jena 1911.

van Tieghem, Paul: Le Préromantisme. 3 Bde. Paris 1924/1930/1947.

Walz, John A.: The Phrase »Sturm und Drang«. In: MLN, 20 (1905), 48–49.

Weber, Beat: Die Kindsmörderin im deutschen Schrifttum von 1770–1795. Bonn 1974.

Wierlacher, Alois: Das bürgerliche Drama. Seine theoretische Begründung im 18. Jahrhundert. München 1968.

Wiese, Benno von (Hrsg.): Deutsche Dichter des 18. Jahrhunderts. Ihr Leben und Werk. Berlin 1977.

Willenberg, Knud: Tat und Reflexion. Zur Konstitution des bürgerlichen Helden im deutschen Trauerspiel des 18. Jahrhunderts. Stuttgart 1975.

Wölfel, Kurt: Zur Geschichtlichkeit des Autonomiebegriffs. In: Historizität in Sprach- und Literaturwissenschaft. Hrsg. von Walter Müller-Seidel. München 1974. S. 563–577.

Ziegler, Klaus: Das deutsche Drama der Neuzeit. In: Deutsche Philologie im Aufriß. Bd. 2. Berlin [2]1966.

III. Politik, Philosophie, Sozial- und Wirtschaftsgeschichte

Anderson, M. S.: Eighteenth-Century Europe. 1713–1789. London 1966.

Aubin, Hermann/Zorn, Wolfgang (Hrsg.): Handbuch der deutschen Wirtschafts- und Sozialgeschichte. Bd. 1. Stuttgart 1971.

Aufklärung. Erläuterungen zur deutschen Literatur. Hrsg. vom Kollektiv für Literaturgeschichte im volkseigenen Verlag Volk und Wissen. Berlin [3]1971 (besonders die Einführung, S. 17–112).

Behrens, Catherine Betty Abigail: The Ancien Régime. New York/London 1967.

Biedermann, Karl: Deutschland im 18. Jahrhundert. 2 Teile in 4 Bdn. Leipzig [2]1880 (Neudruck: Aalen 1969).

Blaich, Fritz: Die Epoche des Merkantilismus. Wiesbaden 1973.

Bloch, Ernst: Naturrecht und menschliche Würde. Frankfurt am Main 1961.

Boehn, Max von: Deutschland im 18. Jahrhundert. 2 Bde. Berlin 1921/22.

Borkenau, Franz: Der Übergang vom feudalen zum bürgerlichen Weltbild. Darmstadt 1971 (Nachdruck der Ausgabe 1934).

Braubach, Max: Vom westfälischen Frieden bis zur Französischen Revolution. Stuttgart 1970 (Gebhardt: Handbuch der deutschen Geschichte. Bd. 10).

Bruford, Walter H.: Die gesellschaftlichen Grundlagen der Goethezeit. Frankfurt am Main 1975 (Erstausgabe: Germany in the Eighteenth Century. The Social Background of the Literary Revival. Cambridge 1935).

Brunner, Otto (Hrsg.): Neue Wege der Verfassungs- und Sozialgeschichte. Göttingen ²1968.

Brunner, O./Conze, W./Koselleck, R. (Hrsg.): Geschichtliche Grundbegriffe. Historisches Lexikon zur politisch-sozialen Sprache in Deutschland. Bisher 2 Bde. Stuttgart 1972 und 1975.

Brunschwig, Henri: Gesellschaft und Romantik in Preußen im 18. Jahrhundert. Frankfurt am Main 1976 (Erstausgabe Paris 1947).

Cassirer, Ernst: Die Philosophie der Aufklärung. Tübingen 1932.

Cobban, Alfred (Hrsg.): Das 18. Jahrhundert. Aufklärung, Rokoko und Revolution. München/Zürich 1971.

Elias, Norbert: Die höfische Gesellschaft. Untersuchungen zur Soziologie des Königtums und der höfischen Aristokratie. Neuwied/Berlin 1969.

Elias, Norbert: Über den Prozeß der Zivilisation. Soziogenetische und psychogenetische Untersuchungen. 2 Bde. Frankfurt am Main 1976 (Erstdruck 1939).

Engelsing, Rolf: Der Bürger als Leser. Lesergeschichte in Deutschland 1500–1800. Stuttgart 1974.

Engelsing, Rolf: Sozial- und Wirtschaftsgeschichte Deutschlands. Göttingen 1973.

Ford, Franklin Lewis: Robe and Sword. The Regrouping of the French Aristocracy after Louis XIV. Cambridge 1953.

Forster, Robert and Elborg (Hrsg.): European Society in the Eighteenth Century. New York 1969.

Friedell, Egon: Kulturgeschichte der Neuzeit. Bd. 3. München 1928.

Gerth, Hans H.: Bürgerliche Intelligenz um 1800. Zur Soziologie des deutschen Frühliberalismus. Göttingen 1976 (Erstmals 1935).

Goldfriedrich, Johann: Geschichte des deutschen Buchhandels vom Beginn der klassischen Literaturperiode bis zum Beginn der Fremdherrschaft. (1740–1804). Leipzig 1909 (Fotomechanischer Nachdruck Leipzig 1970).

Goodwin, Albert (Hrsg.): The European Nobility in the Eighteenth Century, London 1953.

Gordon, Lew S.: Studien zur plebejisch-demokratischen Tradition in der französischen Aufklärung. Berlin 1972.

Goubert, Pierre: L'Ancien Régime. Paris [3]1969.

Graevenitz, Gerhart von: Innerlichkeit und Öffentlichkeit. Aspekte deutscher »bürgerlicher« Literatur im frühen 18. Jahrhundert. In: DVJS, 49 (1975), Sonderheft ›18. Jahrhundert‹, 1–82.

Groethuysen, Bernhard: Die Entstehung der bürgerlichen Welt- und Lebensanschauung in Frankreich. 2 Bde. Halle 1927–1930.

Habermas, Jürgen: Strukturwandel der Öffentlichkeit. Untersuchungen zu einer Kategorie der bürgerlichen Gesellschaft. Neuwied/Berlin [4]1969.

Habermas, Jürgen: Naturrecht und Revolution. In: J. H. Theorie und Praxis. Sozialphilosophische Studien. Frankfurt am Main [4]1971. S. 89–127.

Haferkorn, Hans J.: Zur Entstehung der bürgerlich-literarischen Intelligenz und des Schriftstellers in Deutschland zwischen 1750 und 1800. In: Bernd Lutz (Hrsg.), Deutsches Bürgertum und literarische Intelligenz 1750–1800. Stuttgart 1974. S. 113–275.

Hartman, K./Nyssen, F./Waldeyer, H. (Hrsg.): Schule und Staat im 18. Jahrhundert. Frankfurt am Main 1974.

Hauser, Arnold: Sozialgeschichte der Kunst und Literatur. Sonderausgabe München 1972.

Hazard, Paul: La pensée européenne au XVIIIe siècle de Montesquieu à Lessing. 3 Bde. Paris 1946. Dt.: Die Herrschaft der Vernunft. Das europäische Denken im 18. Jahrhundert. Hamburg 1949.

Holborn, Hajo: Der deutsche Idealismus in sozialgeschichtlicher Beleuchtung. In: Moderne deutsche Sozialgeschichte. Hrsg. von Hans-Ulrich Wehler. Köln [5]1976.

Horkheimer, Max/Adorno, Theodor W.: Juliette oder Aufklärung und Moral. In: Dialektik der Aufklärung. Philosophische Fragmente. Frankfurt am Main 1969 (Erstausgabe 1944).

Jäger, Hans Wolf: Politische Kategorien in Poetik und Rhetorik in der zweiten Hälfte des 18. Jahrhunderts. Stuttgart 1970.

Kiesel, H./Münch, P.: Gesellschaft und Literatur im 18. Jahrhundert. Voraussetzungen und Entstehung des literarischen Markts in Deutschland. München 1977.

Kofler, Leo: Zur Geschichte der bürgerlichen Gesellschaft. Versuch einer verstehenden Deutung der Neuzeit. Neuwied/Berlin [3]1966.

Koselleck, Reinhart: Kritik und Krise. Ein Beitrag zur Parthogenese der bürgerlichen Welt. Freiburg 1959 (Neuausgabe suhrkamp taschenbuch wissenschaft 1973).

Krings, H./Baumgartner, H. M./Wild, Ch. (Hrsg.): Handbuch philosophischer Grundbegriffe. 3 Bde. München 1973/74.

Kulischer, Josef: Allgemeine Wirtschaftsgeschichte des Mittelalters und der Neuzeit. 2 Bde. München 1958.

Lemberg, Eugen: Nationalismus. 2 Bde. Reinbek 1964.
Lenz, Georg (Hrsg.): Deutsches Staatsdenken im 18. Jahrhundert. Neuwied/Berlin 1965.
Lepenies, Wolf: Melancholie und Gesellschaft. Frankfurt am Main. 1969.
Lutz, Bernd (Hrsg.): Deutsches Bürgertum und literarische Intelligenz 1750–1800. Stuttgart 1974.
Marcuse, Herbert: Studie über Autorität und Familie. In: H. M. Ideen zu einer kritischen Theorie der Gesellschaft. Frankfurt am Main [2]1969. S. 55–156.
Marcuse, Herbert: Über den affirmativen Charakter der Kultur. In: H. M. Kultur und Gesellschaft, 1. Frankfurt am Main 1965.
Mehring, Franz: Deutsche Geschichte des 18. und 19. Jahrhunderts. Auswahl. Berlin 1973 (Materialistische Wissenschaft. Bd. 9).
Mehring, Franz: Die Lessing-Legende. Mit einer Einleitung von Rainer Gruenter. Frankfurt am Main/Berlin/Wien 1972.
Mehring, Franz: Werkauswahl I. Die deutsche Klassik und die französische Revolution. Hrsg. von Fritz J. Raddatz. Darmstadt/Neuwied 1974.
Meinecke, Friedrich: Die Entstehung des Historismus. 2 Bde. München/Berlin 1936.
Menhennet, Alan: Order and Freedom. Literature and Society in Germany from 1720 to 1805. London 1973.
Milde, Ulf: ›Bürgerliche Öffentlichkeit‹ als Modell der Literaturentwicklung des 18. Jahrhunderts. In: Mattenklott/Scherpe (Hrsg.): Westberliner Projekt: Grundkurs 18. Jahrhundert (Analysen). Kronberg/Ts. 1974. S. 41–73.
Möller, Helmut: Die kleinbürgerliche Familie im 18. Jahrhundert. Verhalten und Gruppenkultur. Berlin 1969.
Mornet, Daniel: Les origines intellectuelles de la Révolution française (1715–1787). Paris [2]1934.
Mottek, Hans: Wirtschaftsgeschichte Deutschlands. Ein Grundriß. Bd. 1. Von den Anfängen bis zur französischen Revolution. Berlin [5]1974.
Muchow, Hans Heinrich: Jugend und Zeitgeist. Morphologie der Kulturpubertät. Reinbek 1962.
Palmer, Robert Roswell: The Age of the Democratic Revolution. A political history of Europe and America. 1760–1800. 2 Bde. Princeton 1959 and 1964.
Parry, Geraint: Enlightened Government and its Critics in Eighteenth-Century Germany. In: The Historical Journal, 6 (1963), 178 ff.
Pernoud, Régine: Histoire de la bourgeoisie en France. 2 Bde. Paris 1960 und 1962.
Raumer, Kurt von: Absoluter Staat, korporative Libertät, persönliche Freiheit. In: Historische Zeitschrift, 183 (1957), 55–96.

Reill, Peter Hanns: The German Enlightenment and the Rise of Historicism. Berkeley/Los Angeles/London. 1975.

Riedel, Manfred: Der Begriff der »bürgerlichen Gesellschaft« und das Problem seines Ursprungs. In: M. R. Studien zu Hegels Rechtsphilosophie. Frankfurt am Main 1969. S. 135–166.

Rosenberg, Hans: Bureaucracy, Aristocracy, and Autocracy. The Prussian Experience 1660–1815. Boston 1966 (Erstausgabe 1958).

Rumpf, Walter: Das literarische Publikum der 60er Jahre des 18. Jahrhunderts in Deutschland. In: Euphorion, 28 (1927), 540–564.

Schücking, Levin Ludwig: Die puritanische Familie in literar-soziologischer Sicht. Bern [2]1964.

Spaemann, Robert: Natürliche Existenz und politische Existenz bei Rousseau. In: Collegium Philosophicum. Studien Joachim Ritter zum 60. Geburtstag. Basel/Stuttgart 1965. S. 373–388.

Starobinski, Jean: Die Erfindung der Freiheit (1700–1789). Genf 1964.

Tocqueville. Alexis de: Der alte Staat und die Revolution. Birsfeld/Basel 1950.

Treue, Wilhelm: Wirtschaft, Gesellschaft und Technik vom 16. bis zum 18. Jahrhundert. München 1974 (Gebhardt: Handbuch der deutschen Geschichte. Bd. 12).

Valjavec, Fritz: Die Entstehung der politischen Strömungen in Deutschland 1770–1815. München 1951.

Valjavec, Fritz: Geschichte der abendländischen Aufklärung. Wien/München 1961.

Vierhaus, Rudolf (Hrsg.): Der Adel vor der Revolution. Zur sozialen und politischen Funktion des Adels im vorrevolutionären Europa. Göttingen 1971.

Vierhaus, Rudolf: Deutschland im 18. Jahrhundert. Soziales Gefüge, politische Verfassung, geistige Bewegung. In: Lessing und die Zeit der Aufklärung. Veröffentlichung der Joachim Jungius-Gesellschaft der Wissenschaften Hamburg. Göttingen 1968. S. 12–29.

Vierhaus, Rudolf: Ständewesen und Staatsverwaltung in Deutschland im späteren 18. Jahrhundert. In: R. V./M. Botzenhart (Hrsg.): Dauer und Wandel der Geschichte. Aspekte europäischer Vergangenheit. Festgabe für Kurt von Raumer. Münster 1966. S. 337–360.

Vogel, Martin: Der literarische Markt und die Entstehung des Verlags- und Urheberrechts bis zum Jahre 1800. In: Rhetorik, Ästhetik, Ideologie. Aspekte einer kritischen Kulturwissenschaft. Stuttgart 1973. S. 117 ff.

Wächtershäuser, Wilhelm: Das Verbrechen des Kindesmordes im Zeitalter der Aufklärung. Eine rechtsgeschichtliche Untersuchung der dogmatischen, prozessualen und rechtssoziologischen Aspekte. Berlin 1973.

Wagner, F.: Europa im Zeitalter des Absolutismus und der Aufklärung. In: Handbuch der europäischen Geschichte. Hrsg. von Th. Schieder. Bd. 4. Stuttgart 1968.

Ward, Albert, Book Production, Fiction and the German Reading Public 1740–1800. Oxford 1974.
Weber, Max: Die protestantische Ethik und der Geist des Kapitalismus. In: M. W. Die protestantische Ethik II. Kritiken und Antikritiken. Hrsg. von Johannes Winckelmann. München/Hamburg 1968.
Winckler, Lutz: Entstehung und Funktion des literarischen Marktes. In: L. W. Kulturwarenproduktion. Aufsätze zur Literatur- und Sprachsoziologie. Frankfurt am Main 1973. S. 12–75.

ZU DEN KOMMENTAREN

I. Dramaturgische Schriften

Berghahn, Klaus L.: »Das Pathetischerhabene«: Schillers Dramentheorie. In: Reinhold Grimm (Hrsg.): Deutsche Dramentheorien. Bd. 1. Frankfurt am Main 1971. S. 214–244.
Böckmann, Paul: Der dramatische Perspektivismus in der deutschen Shakespeare-Deutung des 18. Jahrhunderts. In: P. B. Formensprache. Studien zur Literaturästhetik und Dichtungsinterpretation. Hamburg 1966.
Borchmeyer, Dieter: Tragödie und Öffentlichkeit. Schillers Dramaturgie. München 1973.
Dobbek, Wilhelm: Herder and Shakespeare. In: Shakespeare-Jahrbuch, 91 (1955).
Friedrich, Theodor: Die Anmerkungen übers Theater des Dichters J. M. R. Lenz. Leipzig 1909.
Gerth, Klaus: Studien zu Gerstenbergs Poetik. Göttingen 1960.
Gerth, Klaus: Die Poetik des Sturm und Drang. In: Walter Hinck (Hrsg.): Sturm und Drang. Kronberg/Ts. 1978. S. 55–80.
Gillies, Alexander: Herder's Essay on Shakespeare: Das Herz der Untersuchung. In: MLR, 32 (1937), 262–280.
Gundolf, Friedrich: Shakespeare und der deutsche Geist. Berlin 1922.
Guthke, Karl S.: Themen der deutschen Shakespeare-Deutung von der Aufklärung bis zur Romantik. In: Wege zur Literatur. Studien zur deutschen Dichtungs- und Geistesgeschichte. Bern 1967. S. 109ff.
Haym, Rudolf: Herder. Bd. 1. Neuausgabe Berlin 1954.
Isaacsen, Hertha: Der junge Herder und Shakespeare. Berlin 1930.
Keckeis, Gustav, Dramaturgische Probleme im Sturm und Drang. Bern 1907.
Kunz, J.: Die Dramaturgie von J. M. R. Lenz. In: Etudes Germaniques 25 (1970), 53–61.
Lukács, Georg: Schriften zur Literatursoziologie. Hrsg. von Peter Ludz. Neuwied/Berlin [5]1972. S. 71–74 und 261–295.
Markwardt, Bruno: Geschichte der deutschen Poetik. Bd. 2. Aufklärung, Rokoko, Sturm und Drang. Berlin 1956.

Martini, Fritz: Die Einheit der Konzeption in J. M. R. Lenz' Anmerkungen übers Theater. In: JDSG, 14 (1970), 159–182.

Martini, Fritz: Die Poetik des Dramas im Sturm und Drang. Versuch einer Zusammenfassung. In: Reinhold Grimm (Hrsg.): Deutsche Dramentheorien. Bd. 1. Frankfurt am Main 1971. S. 123–166.

Mason, Eudo C.: Schönheit, Ausdruck und Charakter im ästhetischen Denken des 18. Jahrhunderts. In: Geschichte, Deutung, Kritik. Hrsg. von M. Bindschedler und P. Zinsli. Bern 1969. S. 91 ff.

May, Kurt: Die Struktur des Dramas im Sturm und Drang. An Klingers ›Zwillingen‹. Zuerst erschienen unter dem Titel Beitrag zur Phänomenologie des Dramas im Sturm und Drang. In: GRM, 18 (1930),260 ff. Jetzt in: Form und Bedeutung. Interpretationen deutscher Dichtung des 18. und 19. Jahrhunderts. Stuttgart 1957. S. 42 ff.

Melchinger, Siegfried: Dramaturgie des Sturms und Drangs. Gotha 1929.

Müller, Joachim: Goethes Dramentheorie. In: Reinhold Grimm (Hrsg.): Deutsche Dramentheorien. Bd. 1. Frankfurt am Main 1971. S. 167–213.

Nivelle, Armand: Kunst- und Dichtungstheorien zwischen Aufklärung und Klassik. Berlin 1960.

Oppel, Horst: Das Shakespeare-Bild Goethes. Mainz 1949.

Pascal, Roy: Shakespeare in Germany 1740–1815. Cambridge 1937.

Scherpe, Klaus R.: Gattungspoetik im 18. Jahrhundert. Historische Entwicklung von Gottsched bis Herder. Stuttgart 1968.

Stellmacher, Wolfgang: Grundfragen der Shakespeare-Rezeption in der Frühphase des Sturm und Drang. In: WB, 3/1964, 323–345.

Szondi, Peter: Poetik und Geschichtsphilosophie. Bd. 1. Frankfurt am Main 1974. Besonders S. 65–81.

Szondi, Peter: Die Theorie des bürgerlichen Trauerspiels im 18. Jahrhundert. Der Kaufmann, der Hausvater und der Hofmeister. Hrsg. von Gert Mattenklott. Frankfurt am Main 1973.

Wagner, A. Malte: Heinrich Wilhelm von Gerstenberg und der Sturm und Drang. 2 Bde. Heidelberg 1920.

Weber, Gottfried: Herder und das Drama. Weimar 1922.

Wellek, René: Geschichte der Literaturkritik 1750–1830. Darmstadt/Berlin/Neuwied 1959.

Wölfel, Kurt: Moralische Anstalt. Zur Dramaturgie von Gottsched bis Lessing. In: Reinhold Grimm (Hrsg.): Deutsche Dramentheorien. Bd. 1. Frankfurt am Main 1971. S. 45–122.

II. Dramen

1. Goethe: Götz von Berlichingen mit der eisernen Hand

Alford, R. G.: Shakespeare in two versions of »Götz von Berlichingen«. In: Publications of the English Goethe Society, 5 (1890), 98–109.

Beutler, Ernst: Kommentar in der Gedenkausgabe der Werke, Briefe und Gespräche. Bd. 4. Zürich 1953.

Gerstenberg, Ekkehard: Recht und Unrecht in Goethes »Götz von Berlichingen«. In: Goethe. N. F. des Jahrbuchs der Goethe-Gesellschaft, 16 (1954), 258–271.

Graham, Ilse A.: Götz von Berlichingen's Right Hand. In: GLL, N. S. 16 (1963), 212–228.

Graham, Ilse A.: Vom Urgötz zum Götz. Neufassung oder Neuschöpfung? Ein Versuch morphologischer Kritik. In: JDSG, 9 (1965), 245–282.

Hirsch, S.: Parallelen zur Adelheid-Weislingen-Handlung in Goethes »Götz von Berlichingen«. In: Neophilologus, 25 (1939/40), 34–38.

Ibel, Rudolf: Goethe. Götz von Berlichingen. Grundlagen und Gedanken zum Verständnis klassischer Dramen. Frankfurt am Main ^{2}1957.

Kayser, Wolfgang: Kommentar in der Hamburger Ausgabe, Bd. 4. Hamburg ^{5}1962.

Korff, H. A.: Geist der Goethezeit. Bd. 1. Sturm und Drang. Leipzig ^{8}1966. S. 221 ff.

Martini, Fritz: Goethes »Götz von Berlichingen«. Charakterdrama und Gesellschaftsdrama. In: Ferdinand van Ingen u. a. (Hrsg.): Dichter und Leser. Studien zur Literatur. Groningen 1972. S. 28–46.

Meyer-Benfey, Heinrich: Goethes »Götz von Berlichingen«, Weimar 1929.

Minor, J./Sauer, A.: Studien zur Goethe-Philologie. Wien 1880.

Müller, Günther: Kleine Goethebiographie. Bonn 1948.

Müller, Peter: Der junge Goethe im zeitgenössischen Urteil. Berlin 1969.

Nägele, Rainer: Götz von Berlichingen. Eine Geschichte und ihre Dekonstruktion. Ms. Vorgesehen für Walter Hinderer (Hrsg.), Interpretationen zu Goethes Dramen. Stuttgart 1979.

Neuhaus, Volker (Hrsg.): Johann Wolfgang Goethe. Götz von Berlichingen. Erläuterungen und Dokumente. Stuttgart 1973. (RUB)

Pallmann, Reinhold: Der historische Götz von Berlichingen mit der eisernen Hand und Goethes Schauspiel über ihn. Eine Quellenstudie. Berlin 1894.

Peacock, Ronald: Goethe's Major Plays. Manchester 1959.

Rothe, Friedrich: Götz oder Sickingen? Herders Kontroverse mit Goethe über »Götz von Berlichingen«. Zu: Annali. Studi Tedeschi, 19 (1976), 127–140.

Ryder, Frank: Toward a Revaluation of Goethe's »Götz«. The Protagonist. In: PMLA, 77 (1962), 58–70.
Ryder, Frank: Toward a Revaluation of Goethe's »Götz«: Features of Recurrence. In: PMLA, 79 (1964), 58–66.
Schröder, Jürgen: Individualität und Geschichte im Drama des jungen Goethe, In: Walter Hinck (Hrsg.): Sturm und Drang, Kronberg/Ts. 1978. S. 192–212.
Sengle, Friedrich: Das historische Drama in Deutschland. Geschichte eines literarischen Mythos. Stuttgart 1974 (Erstausgabe 1952).
Staiger, Emil: Goethe. Bd. 1. 1749–1786. Zürich [4]1964.
Wandrey, C.: Die Bedeutung der dichterischen Form in Goethes »Götz von Berlichingen«. In: Deutsche Rundschau, 186 (1921), 84–92.
Weißert, Gottfried: Goethes »Götz von Berlichingen« – Recht und Geschichte. In: Projekt Deutschunterricht. Bd. 7. Literatur der Klassik. I: Dramenanalysen. Hrsg. von Heinz Ide und Bodo Lecke. Stuttgart 1974, S. 199–228.
Wiese, Benno von: Die deutsche Tragödie von Lessing bis Hebbel. Hamburg [5]1961.

2. Lenz: Der Hofmeister

Arntzen, Helmut: Die ernste Komödie. Das deutsche Lustspiel von Lessing bis Kleist. München 1968. S. 83–90.
Blunden, Allan: J. M. R. Lenz: In: German Men of Letters. Bd. 6. London 1972. S. 209–240.
Brown, M. A.: Lenz's »Hofmeister« and the Drama of Storm and Stress. In: J. M. Ritchie (Hrsg.): Periods in German Literature. Bd. 2. London 1969. S. 67–84.
Burger, Heinz Otto: J. M. R. Lenz' »Der Hofmeister«. In: Das deutsche Lustspiel. Bd. 1. Hrsg. von Hans Steffen. Göttingen 1968. S. 48–67.
Daunicht, Richard: Anmerkungen und Kommentar in J. M. R. Lenz, Gesammelte Werke in vier Bänden. Bd. 1. München 1967.
Dune, Edmond: Lenz et le »Sturm und Drang«. In: Critique, 14 (1958), 18–31.
Froitzheim, Johannes: Lenz, Goethe und Cleophe Fibich von Straßburg. Straßburg 1888.
Froitzheim, Johannes: Lenz und Goethe. Stuttgart 1891.
Genton, Elisabeth: Jakob Michael Reinhold Lenz et la Scène Allemande. Paris 1966.
Girard, René: Lenz 1751–1792. Genèse d'une Dramaturgie du Tragi-Comique. Paris 1968.
Glaser, Horst Albert: Heteroklisie – der Fall Lenz. In: Gestaltungsgeschichte und Gesellschaftsgeschichte. Hrsg. von Helmut Kreuzer. Stuttgart 1969. S. 132–151.

Guthke, Karl S.: Lenzens Hofmeister und Soldaten. Ein neuer Formtypus in der Geschichte des deutschen Dramas. In: WW, 9 (1959), 274–286.

Guthke, Karl S.: Die tragischen »Komödien« der Stürmer und Dränger. In: Geschichte und Poetik der deutschen Tragikomödie. Göttingen 1961. S. 55–77.

Guthke, Karl S.: Nachwort zu J. M. R. Lenz. Der Hofmeister. Stuttgart 1977. (RUB)

Harris, Edward P.: Structural Unity in J. M. R. Lenz's *Der Hofmeister*: A Revaluation. In: Seminar, 8 (1972), 77–87.

Hinck, Walter: Das deutsche Lustspiel des 17. und 18. Jahrhunderts und die italienische Komödie. Stuttgart 1965. S. 328–347.

Hinderer, Walter: Lenz. Der Hofmeister. In: Die deutsche Komödie. Hrsg. von Walter Hinck. Düsseldorf 1977. S. 66–68.

Hohoff, Curt: J. M. R. Lenz in Selbstzeugnissen und Bilddokumenten. Reinbek 1977.

Höllerer, Walter: J. M. R. Lenz. Die Soldaten. In: Das deutsche Drama vom Barock bis zur Gegenwart. Hrsg. von Benno von Wiese. Düsseldorf 1958. Bd. 1. S. 127–146.

Kindermann, Heinz: Jakob Michael Reinhold Lenz und die deutsche Romantik. Wien 1925.

Kraemer, Herbert: J. M. R. Lenz' Die Soldaten. Erläuterungen und Dokumente. Stuttgart 1974. (RUB)

Kreutzer, Leo: Literatur als Einmischung: Jakob Michael Reinhold Lenz. In: Walter Hinck (Hrsg.): Sturm und Drang. Kronberg/Ts. 1978. S. 213–229.

Mattenklott, Gert: Melancholie in der Dramatik des Sturm und Drang. Stuttgart 1968. S. 122–168.

Mayer, Hans: Lenz oder die Alternative. In: WS. Bd. 2. S. 795–827.

Nahke, Evamarie: Über den Realismus in J. M. R. Lenzens Dramen und Fragmenten. Diss. Berlin 1955 (Masch.).

Oehlenschläger, Eckart: Jakob Michael Reinhold Lenz. In: Benno von Wiese (Hrsg.): Deutsche Dichter des 18. Jahrhunderts. Ihr Leben und Werk. Berlin 1977. S. 747–781.

Osborne, John: J. M. R. Lenz. Göttingen 1975 (Palaestra).

Parkes, Ford Briton: Epische Elemente in J. M. R. Lenzens Drama »Der Hofmeister«. Göppingen 1973.

Pfütze, Curt: Die Sprache in J. M. R. Lenzens Dramen. In: Archiv für das Studium der neueren Sprachen und Literaturen, 85 (1890).

Rauch, Hermann: Lenz und Shakespeare. Ein Beitrag zur Shakespearomanie der Sturm-und-Drang-Periode. Berlin 1892.

Rosanow, M. N.: Jakob M. R. Lenz. Der Dichter der Sturm- und-Drang-Periode. Sein Leben und seine Werke. Deutsch von C. von Gütschow. Leipzig 1909 (Russische Erstausgabe 1901).

Rudolf, Ottomar: Jakob Michael Reinhold Lenz. Moralist und Aufklärer. Bad Homburg/Berlin/Zürich 1970.
Schmidt, Erich: Lenz und Klinger. Berlin 1878.
Schöne, Albrecht: Säkularisation als sprachbildende Kraft. Göttingen ²1968.
Schoeps, Karl H.: Zwei moderne Lenzbearbeitungen (Brecht und Kipphardt). In: Monatshefte, 67 (1975), 437–451.
Titel, Britta: »Nachahmung der Natur« als Prinzip dramatischer Gestaltung bei Jakob Michael Reinhold Lenz. Diss. Frankfurt am Main 1963.
Weichbrodt, R.: Der Dichter Lenz. Eine Pathographie. In: Archiv für Psychiatrie und Nervenkrankheiten, 62 (1920), 153–187.

3. Wagner: Die Kindermörderin

Fechner, Jörg-Ulrich (Hrsg.): H. L. Wagner. Die Kindermörderin. Ein Trauerspiel. Im Anhang: Auszüge aus der Bearbeitung von K. G. Lessing (1777) und der Umarbeitung von H. L. Wagner (1779) sowie Dokumente zur Wirkungsgeschichte, Stuttgart 1969. (RUB)
Froitzheim, Johannes: Goethe und Heinrich Leopold Wagner. Ein Wort der Kritik an unsere Goethe-Forscher. Straßburg 1889.
Hacks, Peter: Zwei Bearbeitungen. ›Der Frieden‹ nach Aristophanes. ›Die Kindermörderin‹, ein Lust- und Trauerspiel nach Heinrich Leopold Wagner. Frankfurt am Main 1963.
Hinck, Walter: Produktive Rezeption heute: Am Beispiel der sozialen Dramatik von J. M. R. Lenz und H. L. Wagner. In: W. H. (Hrsg.). Sturm und Drang. Kronberg/Ts. 1978. S. 257–269.
Kistler, Mark O.: Drama of the Storm and Stress. New York 1969. S. 74–96.
Kließ, Werner: Sturm und Drang. Velbert 1966. S. 104–108.
Rameckers, Jan Mathias: Der Kindesmord in der Literatur der Sturm-und-Drang-Periode. Rotterdam 1927.
Schmidt, Erich: Heinrich Leopold Wagner. Goethes Jugendgenosse. Jena ²1879.
Weber, Heinz-Dieter: Kindesmord als tragische Handlung. In: DU, 28 (1976), Heft 2, 75–97.
Werner, Johannes: Gesellschaft in literarischer Form. H. L. Wagners ›Kindermörderin‹ als Epochen- und Methodenparadigma. Stuttgart 1977.

4. Klinger: Die Zwillinge

Brüggemann, Fritz: Klingers Sturm und Drang. In: Zeitschrift für deutsche Bildung, 2 (1926), 203–217.
Freye, Karl: Einleitung. Sturm und Drang. Dichtungen aus der Geniezeit. Bd. 1. Berlin 1911. S. LIX–LXXVIII.

Geerdts, Hans Jürgen: Einleitung. Klingers Werke in zwei Bänden. Bd. 1. Berlin/Weimar [3]1970. S. V–XXXIV.
Guthke, Karl S.: Friedrich Maximilian Klingers *Zwillinge*: Höhepunkt und Krise des Sturm und Drang. In: GQ, 43 (1970), 703–714.
Guthke, Karl S.: Lektion eines Preisausschreibens: Klingers *Zwillinge*. In: Literarisches Leben im 18. Jahrhundert in Deutschland und in der Schweiz. Bern/München 1975. S. 282–289.
Hering, Christoph: Friedrich Maximilian Klinger. Der Weltmann als Dichter. Berlin 1966.
Kaiser, Gerhard: Friedrich Maximilian Klingers Schauspiel *Sturm und Drang*. In: Untersuchungen zur Literatur als Geschichte. Festschrift für Benno von Wiese. Hrsg. von G. Vincent und H. Koopmann. Berlin 1973.
Kistler, Mark O.: Drama of the Storm and Stress. New York 1969. S. 118–147.
Kleinstück, Erwin: F. M. Klinger 1752–1831. Frankfurt am Main 1960.
Mattenklott, Gert: Melancholie in der Dramatik des Sturm und Drang. Stuttgart 1968. S. 59–86.
May, Kurt: F. M. Klingers *Sturm und Drang*. In: DVJS, 11 (1933), 398–407.
Münch, Ilse: Schillers *Räuber* und Klingers *Zwillinge*. In: ZfD, 46 (1932), 710–721.
Palitzsch, Otto Alfred: Erlebnisgehalt und Formproblem in Friedrich Maximilian Klingers Jugenddramen. Dortmund 1924 (Hamburgische Texte und Untersuchungen zur deutschen Philologie. II.2).
Rieger, Max: Klinger in der Sturm- und Drangperiode. Darmstadt 1880. Klinger in seiner Reife. Darmstadt. 1896. Briefbuch. Darmstadt 1896.
Schmidt, Erich: Lenz und Klinger. Zwei Dichter der Geniezeit. Berlin 1878.
Schmidt, Henry J.: The Language of Confinement. Gerstenberg's *Ugolino* and Klinger's *Sturm und Drang*. Ms. Vorgesehen für Lessing Yearbook, 11 (1979).
Smoljan, Olga: Friedrich Maximilian Klinger. Leben und Werk. Weimar 1962.
Snapper, Johan Pieter: The Solitary Player in Klinger's Early Dramas. In: GR, 45 (1970), 83–93.
Steinberg, Heinz: Studien zu Schicksal und Ethos bei Friedrich Maximilian Klinger. Berlin 1941 (Germanische Studien. Heft 234). Kraus Reprint 1969.
Wiget, Wilhelm: Eine unbekannte Fassung von Klingers *Zwillingen*. Mit deren vollständigem Abdruck. Acta Tartuensis (Dorpatensis). Bd.Humaniora 28. Tartu 1932.
Wolff, Hans M.: Fatalism in Klinger's *Zwillinge*. In: GR, 15 (1940), 181–190.

5. Schiller: Kabale und Liebe

Abusch, Alexander: Schiller. Größe und Tragik eines deutschen Genius. Berlin/Weimar [4]1965.

Auerbach, Erich: Musikus Miller. In: Mimesis. Dargestellte Wirklichkeit in der abendländischen Literatur. Bern [2]1959. S. 404–421.

Beck, A.: Die Krisis des Menschen im Drama des jungen Schiller. In: Euphorion, 49 (1955), 163–202.

Binder, Wolfgang: Schiller: *Kabale und Liebe.* In: Das deutsche Drama. Bd. 1. Hrsg. von Benno von Wiese. Düsseldorf 1964.

Böckmann, Paul: Die innere Form in Schillers Jugenddramen. In: Euphorion, 35 (1934), 439–480.

Buchwald, Reinhard: Schiller. Bd. 1. Wiesbaden 1953 (Neue, bearbeitete Auflage).

Burger, Heinz Otto: Die bürgerliche Sitte. Schillers *Kabale und Liebe.* In: Dasein heißt eine Rolle spielen. München 1963. S. 194–210.

Dvoretzky, G.: Lessing in Schiller's *Kabale und Liebe.* In: Modern Philology, 63 (1965/66), 311–318.

Fricke, Gerhard: Der religiöse Sinn der Klassik Schillers. Zum Verhältnis von Idealismus und Christentum. München 1927 (Nachdruck 1968).

Guthke, Karl S.: Das deutsche bürgerliche Trauerspiel. Stuttgart 1972. S. 77–79.

Heitner, R. R.: A Neglected Model for *Kabale und Liebe.* In: JEGPh, 57 (1958), 72–85.

Heitner, R. R.: Luise Millerin and the Shock Motif in Schiller's Early Dramas. In: GR, 41 (1966), 27–44.

Henning, Hans: Schillers *Kabale und Liebe* in der zeitgenössischen Rezeption. Leipzig 1976.

Hinderer, Walter: Freiheit und Gesellschaft beim jungen Schiller. In: Walter Hinck (Hrsg.): Sturm und Drang. Kronberg/Ts. 1978. S. 230–256.

Janz, Rolf-Peter: Schillers *Kabale und Liebe* als bürgerliches Trauerspiel. In: JDSG, 20 (1976), S. 208–228.

Jöns, Dietrich: Das Problem der Macht in Schillers Dramen von den *Räubern* bis zum *Wallenstein.* In: Deutsche Literatur zur Zeit der Klassik. Hrsg. von K. O. Conrady. Stuttgart 1977. S. 76–92.

Koopmann, Helmut: Friedrich Schiller. I: 1759–1794. Stuttgart [2]1977.

Koopmann: Helmut: Schiller Kommentar. Bd. 1. Zu den Dichtungen. München 1969.

Koopmann, Helmut: Schiller. *Kabale und Liebe*: das Naturrecht des Einzelnen und das Ende der bürgerlichen Sozialordnung als Ende der Aufklärung. In: Drama der Aufklärung. Kommentar zu einer Epoche. München 1979. S. 142–154.

Korff, H. A.: Geist der Goethezeit. Bd. 1. Leipzig [8]1966. S. 205–207.

Kraft, Herbert (Hrsg.): Schillers *Kabale und Liebe.* Das Mannheimer Soufflierbuch. Mannheim 1963.

Kraft, Herbert: Die dichterische Form der ›Louise Millerin‹. In: ZfdPh., 85 (1966), 7–21.

Malsch, Wilfried: Der betrogene Deus iratus in Schillers Drama ›Luise Millerin‹. In: Collegium Philosophicum. Studien Joachim Ritter zum 60. Geburtstag. Basel/Stuttgart 1965. S. 157–208.

Martini, Fritz: Schillers *Kabale und Liebe.* Bemerkungen zur Interpretation des ›Bürgerlichen Trauerspiels‹. DU, 4 (1952), Heft 5, 18–39.

May, Kurt: Schiller. Idee und Wirklichkeit im Drama. Göttingen 1948.

Mayer, Hans: Schillers Nachruhm. In: Zur deutschen Klassik und Romantik. Pfullingen 1963. S. 165–184.

Mehring, Franz: Schiller. Ein Lebensbild für deutsche Arbeiter (1905) In: Gesammelte Schriften. Bd. 10. Berlin 1961. S. 98–104, 138–143.

Minor, Jakob: Schiller. Sein Leben und seine Werke. Bd. 1. Berlin 1890.

Müller, Joachim: Der Begriff des Herzens in Schillers *Kabale und Liebe.* In: GRM, 22 (1934), 429–437.

Müller, Joachim: Schillers *Kabale und Liebe* als Höhepunkt seines Jugendwerkes. In: Wirklichkeit und Klassik. Berlin 1955. S. 116–148.

Müller-Seidel, Walter: Das stumme Drama der Luise Millerin. In: GJb., 17 (1955), 91–103.

Staiger, Emil: Friedrich Schiller. Zürich 1967. S. 245–253, 265–268.

Storz, G.: Der Dichter Friedrich Schiller. Stuttgart [4]1968.

Streicher, Andreas: Schillers Flucht. Neu hrsg. von Paul Raabe. Stuttgart 1968.

Thalheim, Hans-Günther: Volk und Held in den Dramen Schillers. In: Zur Literatur der Goethezeit. Berlin 1969. Bes. S. 85–96.

Wiese, Benno von: Die Urform des Tragischen in Schillers Jugenddramen. In: Die deutsche Tragödie von Lessing bis Hebbel. Hamburg [5]1961. S. 170–190.

Wiese, Benno von: Friedrich Schiller. Stuttgart [3]1963. S. 190–219.

Wilkinson, E. M./Willoughby, L. A. (Hrsg.): Kabale und Liebe. Oxford 1945. [6]1964.

Williams, Anthony. The ambivalences in the plays of the young Schiller about contemporary Germany. In: Deutsches Bürgertum und literarische Intelligenz 1750–1800. Hrsg. von Bernd Lutz. Stuttgart 1974. S. 1–112.

ABKÜRZUNGEN

DU	Der Deutschunterricht
DVJS	Deutsche Vierteljahrsschrift für Literaturwissenschaft und Geistesgeschichte
GJb	Goethe-Jahrbuch
GLL	German Life and Letters
GQ	German Quarterly
GR	Germanic Review
GRM	Germanisch-Romanische Monatsschrift
HA	Goethes Werke. Hamburger Ausgabe. 14 Bde. Hrsg. von Erich Trunz. Hamburg 1948–64.
JDSG	Jahrbuch der Deutschen Schillergesellschaft
JEGPh	Journal of English and Germanic Philology
JFDH	Jahrbuch des Freien Deutschen Hochstifts
MLN	Modern Language Notes
MLR	Modern Language Review
PMLA	Publications of the Modern Language Association
RUB	Reclams Universal-Bibliothek
SA	Schillers Sämtliche Werke. Säkular-Ausgabe. Hrsg. von E. von der Hellen. 16 Bde. Stuttgart 1904/05.
Suphan	Herders Sämtliche Werke. Historisch-kritische Ausgabe. Hrsg. von Bernhard Suphan. 33 Bde. Berlin 1877–1913.
WB	Weimarer Beiträge
WS	Jakob Michael Reinhold Lenz. Werke und Schriften. Hrsg. von Britta Titel und Hellmut Haug. 2 Bde. Stuttgart 1966/67.
WW	Wirkendes Wort
ZfD	Zeitschrift für Deutschkunde
ZfdPh.	Zeitschrift für deutsche Philologie

NAMENREGISTER

WERKREGISTER